O LAW I LAW

T. ROWLAND HUGHES

Rhagymadrodd gan
John Rowlands

Argraffiad Cyntaf—Tachwedd, 1943
Ail Argraffiad—Awst, 1944
Trydydd Argraffiad—Hydref, 1945
Pedwerydd Argraffiad—Ebrill, 1946
Pumed Argraffiad—Hydref, 1952
Chweched Argraffiad—Ionawr, 1958
Seithfed Argraffiad—Mehefin, 1964
Wythfed Argraffiad—Tachwedd, 1970
Argraffiad Newydd—1991
Ad-argraffiad—2001

ISBN 0 86383 703 4

Dymuna'r cyhoeddwyr gydnabod cymorth a chyfarwyddyd
Adrannau'r Cyngor Llyfrau Cymraeg
a noddir gan Gyngor Celfyddydau Cymru.

Argraffwyd yng Nghymru gan
Wasg Gomer, Llandysul, Ceredigion SA44 4QL

I'M GWRAIG
a ysbrydolodd y nofel hon

Cynnwys

RHAGYMADRODD

Roedd enw T. Rowland Hughes yn wybyddus i Gymry diwylliedig ymhell cyn cyhoeddi'i nofel gyntaf, *O Law i Law*, yn 1943. Ond fel bardd y meddyliai llawer amdano cyn hynny. Yr oedd eisoes wedi ennill y gadair ddwywaith yn yr Eisteddfod Genedlaethol (am ei awdl 'Y Ffin' yn 1937 a'i awdl 'Pererinion' yn 1940), ac roedd nifer o'i delynegion poblogaidd wedi ymddangos yn y cyhoeddiadau Cymraeg. Gwyddid hefyd am ei ddisgleirdeb fel cynhyrchydd rhaglenni radio, ac am ei ddiddordeb ym myd y ddrama.

Hogyn o Lanberis ydoedd, a mab i chwarelwr. Fe'i ganwyd yn 1903 yn 20 Stryd Goodman, ond fe symudodd y teulu'n fuan i dŷ helaethach, sef Angorfa yn Stryd y Ffynnon, tŷ sydd erbyn hyn yn amgueddfa er cof am y nofelydd. Cafodd yrfa academaidd ddisglair, gan ennill anrhydedd Dosbarth Cyntaf mewn Saesneg ac M.A. ym Mangor, a B.Litt. dan gyfarwyddyd Edmund Blunden (y bardd a'r llenor) yn Rhydychen. Cyn mynd i Rydychen, bu'n athro yn Ysgol Sir y Bechgyn yn Aberdâr, ac ar ddiwedd ei ddwy flynedd yn Rhydychen, cafodd swydd darlithydd mewn Cymraeg a Saesneg yng Ngholeg Harlech. Ar ôl pedair blynedd yn y swydd honno, aeth i Lundain i fod yn warden y Mary Ward Settlement ac yn gyfarwyddwr y Tavistock Little Theatre. Ni fu'n arbennig o hapus yn y swydd honno, ac ar ben y flwyddyn dychwelodd i Gymru i fod yn gynhyrchydd rhaglenni nodwedd gyda radio'r BBC yng Nghaerdydd, gan ennill clod mawr yn fuan am ei gynyrchiadau Cymraeg a

Saesneg. Erbyn hyn yr oedd eisoes yn briod ag Eirene Williams a fu'n gefn mawr iddo gydol ei oes.

Nid oedd ond 34 oed pan drawyd ef gan yr afiechyd blin hwnnw, calediad amryfal. Dyma fel y disgrifia'i gofiannydd, Edward Rees, y peth:

> Gwelwyd yr arwyddion cyntaf o'i afiechyd ychydig cyn y Nadolig, 1937. Oddeutu'r amser hwnnw, yr oedd cynhadledd yng Ngregynog, Sir Drefaldwyn, a daeth Rowland Hughes oddi yno gan ddweud fod rhyw gloffni wedi ei daro. Gwaethygu a wnâi'r cloffni, a bu'n mynd o feddyg i feddyg i geisio meddyginiaeth, ac o'r diwedd at arbenigwr yn Llundain. Yn 1938, cafodd Eirene, ei wraig, wybod mai *multiple sclerosis* oedd arno, ac mai tywyll iawn ydoedd y rhagolygon. Ni chafodd Rowland ei hun wybod natur ei afiechyd am flwyddyn arall. (*T. Rowland Hughes: Cofiant*, 114)

Wrth i'r afiechyd fynd o ddrwg i waeth, fe'i cyfyngwyd i gadair olwyn, ac er iddo barhau i weithio i'r BBC am rai blynyddoedd, gwnâi lawer o'r gwaith gartref yn y tŷ, ac fe'i llethid gan iselder ysbryd. Âi ei wraig Eirene ag ef am dro yn ei gadair olwyn i Barc y Rhath yn feunyddiol, gyda Mot y ci yn gwmni iddynt.

Roedd llenydda yn ei waed ers blynyddoedd, wrth gwrs, ond nid oedd wedi llunio nofel hyd yn hyn—efallai oherwydd ei brysurdeb fel cynhyrchydd. Yn 1942, fodd bynnag, ceisiodd ei wraig godi'i galon trwy awgrymu ei fod yn ysgrifennu nofel. 'Nefi bliw, am be'?' gofynnodd yntau. Atgoffodd hithau ef am y profiad dirdynnol o glirio'i hen gartref yn Llanberis ar ôl marw'i fam yn 1939, a'r modd y gwelwyd y dodrefn a'r celfi'n mynd 'o law i law'. Dyna, felly, blannu hedyn y nofel gyntaf.

Nofel dyn gwael yn edrych yn ôl dros ei blentyndod a'i laslencyndod gan hel atgofion sy'n gymysg o'r llon a'r lleddf yw *O Law i Law*. Does dim amheuaeth nad oes ynddi elfennau hunangofiannol cryf, a bod yr awdur yn ceisio adfeddiannu'r baradwys goll honno cyn i addysg Brifysgol ac uchelgais dyn aeddfed ei difwyno.

Adroddir y stori gan yr hen lanc canol oed, John Davies, sydd newydd golli'i fam ac yn penderfynu symud i fyw mewn llety. Rhaid iddo gael gwared â llawer o'i drugareddau, ac mae'n eu gwerthu'n breifat i berthnasau a chydnabod. Mae pob pennod (ar wahân i'r un agoriadol a'r un glo) yn troi o gwmpas rhyw eitem neu'i gilydd—y mangyl, yr harmoniym, y gadair olwyn, set o lestri te, ac yn y blaen—a phob un o'r rhain yn agor fflodiat ei atgofion. Does yma felly ddim llinyn storïol yn symud trwy amser fel o A i B, a'r hyn a geir yn hytrach yw 'gwe'r cor', fel y dywedodd T. J. Morgan, gyda chof John Davies yn y canol

> yn bwrw edafedd allan hyd at rimyn bywyd y pentref, a'r mân helyntion a'u haml gyfeiriadau at yr un cymeriadau yn clymu ar draws i gyfannu'r rhwydwaith. (*Y Llenor*, 1944)

Awgrymwyd mai nofel heb brif gymeriad yw hi, os na ellid dadlau bod y gymdeithas Gymraeg chwarelyddol yn magu pwysigrwydd sy'n cyfateb i gymeriad canolog. Darlun delfrydol o'r gymdeithas honno a geir, ac y mae'n ddiddorol fel y mae haneswyr, megis Merfyn Jones a Dafydd Roberts, wedi bwrw amheuaeth ar ddilysrwydd portread T. Rowland Hughes ohoni, er y gellid dadlau nad fel adlewyrchiad realaidd y dylid barnu nofel beth bynnag.

Does dim amheuaeth na swynwyd y gynulleidfa Gymraeg gan *O Law i Law*. Go brin fod y sôn am salwch ei hawdur wedi chwyddo'r gwerthfawrogiad ohoni. Y gwir yw nad oedd nofel mor hynod ddarllenadwy wedi ymddangos yn Gymraeg er dyddiau Daniel Owen. Roedd ynddi gymysgedd o ddigrifwch a thristwch, amrywiaeth o gymeriadau diddorol, deialog gartrefol, a rhyw hynawsedd cynnes yn hydreiddio'r cyfan. Does dim amheuaeth nad oedd darllenwyr yn awchu am nofel o'r fath. Efallai i rai fynd dros ben llestri yn eu canmoliaeth. Mae'r sylw hwn o eiddo Wyn Griffith yn y cylchgrawn *Wales* yn nodweddiadol:

> When it is translated, it will be something we can offer to Europe.

Fe'i cyfieithwyd i'r Saesneg gan Richard Ruck, a'i chyhoeddi gan Methuen yn 1950, gyda rhagair canmoliaethus gan Emlyn Williams, ond nid ymddangosodd yn unrhyw un o ieithoedd eraill Ewrop hyd yn hyn. Pwysicach na dim yw fod T. Rowland Hughes wedi llwyddo i gyhoeddi pedair nofel arall rhwng 1944 a 1947, a bod ei 'bum pwdin Nadolig' (ys dywedodd R. M. Jones) wedi diwallu newyn miloedd o bobl. Siom fawr oedd peidio â chael nofel arall ganddo yn 1948. Cyn pen blwyddyn, yr oedd wedi marw yn 46 mlwydd oed, ac ar garreg ei fedd ym mynwent Cathays, Caerdydd, dyfynnwyd llinell olaf yr englyn a anfonasai R. Williams Parry ato fel cyfarchiad blwyddyn newydd yn 1948:

Pwy y gŵr piau goron—ei henwlad
  Wedi anlwc greulon,
A phwy o Fynwy i Fôn
  Yw'r dewra' o'n hawduron?

Wrth gyhoeddi argraffiad newydd o'i nofelau, rhoddir cyfle i genhedlaeth arall eu blasu—cenhedlaeth nad oes ganddi atgofion personol am T. Rowland Hughes y dyn. Er mor ddiddorol (a thrasig) ei hanes ef, bydd raid beirniadu'r nofelau ar eu liwt eu hunain, a'u pwyso a'u mesur yng nghyd-destun hanes y nofel Gymraeg. Does dim amheuaeth nad ydynt yn un o'r cerrig milltir pwysicaf yn yr hanes hwnnw, a bod mawr angen am eu dehongli o'r newydd.

John Rowlands

Darllen pellach

Hugh Bevan, 'Nofelau T. Rowland Hughes', *Y Llenor,* 1950. (Adargraffwyd yn *Beirniadaeth Lenyddol,* gol. B. F. Roberts, Caernarfon, 1982.)

Emrys Parry, 'T. Rowland Hughes (1903-49)', *Ysgrifau Beirniadol I,* Dinbych, 1965.

Edward Rees, *T. Rowland Hughes: Cofiant,* Llandysul, 1968.

Emrys Parry, 'Nodyn ar Thema *O Law i Law*', *Ysgrifau Beirniadol VI,* Dinbych, 1971.

R. M. Jones, 'Pum Pwdin Nadolig', *Llenyddiaeth Gymraeg 1936-1972,* Llandybïe, 1975.

John Rowlands, *T. Rowland Hughes* (cyfres 'Writers of Wales'), Caerdydd, 1975.

John Rowlands, 'T. Rowland Hughes', *Y Traethodydd,* Ebrill 1985.

W. Gwyn Lewis, *Bro a Bywyd T. Rowland Hughes 1903-1949,* Caerdydd, 1990.

1 LOETRAN

Fe aeth y tri o'r diwedd. Chwarae teg iddynt, am fod yn gyfeillgar a charedig yr oeddynt, rhyw loetran rhag fy ngadael fy hunan bach yn yr hen dŷ ar noson yr angladd. Aethai'r sgwrs yn o farw ers meitin, fel tân wedi llosgi allan ar waethaf holl ymdrechion yr hen Feri Ifans i bwnio ambell fflam o'r lludw. Er iddi fod mor garedig tra bu fy mam yn wael ac wedyn cyn ac yn ystod yr angladd, hiraethwn am iddi hi a'i llais main, cwynfanllyd, fynd adref. Dim ond ambell ebychiad cras o waelod ei wddf a roddai Ifan Jones, gan godi'n araf yn awr ac eilwaith i boeri i gefn y grât. Eisteddai Dafydd Owen yn y gornel wrth y drws, yn ddistaw a llonydd ond pan droai ei ben, mor sydyn ag aderyn bach, fel pe i geisio gweld pob clep o wynt ar gornel y tŷ. Tyngech fod Dafydd Owen yn gweld y gwynt.

Hwy oedd y tri olaf o'r ymwelwyr a fu'n galw drwy'r gyda'r nos. Pam nad aent adref? Nid oedd arnaf ofn bod wrthyf fy hun. Ofn! A minnau'n ddyn yn tynnu at fy neugain!

Pan gyrhaeddodd y tri, bron gyda'i gilydd, yr oedd Glyn, fy mhartner yn y chwarel, yma.

'Dos di i dy wely, was. 'Rwyt ti'n edrach wedi blino,' meddai wrthyf pan euthum gydag ef i'r drws. Gwyddwn ei fod yn anelu'r geiriau atynt hwy, ymgais go drwsgl i ddweud wrthynt am beidio ag aros. Mynnais i Glyn droi adref yn gynnar, tuag wyth, gan fod ganddo waith awr o gerdded i'r llechwedd yr ochr arall i'r llyn, a bwriadwn innau droi i'm gwely yn bur fuan wedyn. Ond aros ac aros a wnaethant, ac wedi rhyw awr o fân siarad, hiraethwn am iddynt fynd a'm gadael gyda'm hatgofion. Pam nad aent?

'Ydi, wir, mae hi am noson fawr,' meddai Dafydd Owen, gan godi coler ei gôt, ar gychwyn am y pumed tro.

'Hm! Ydi . . . ydi,' ebe Ifan Jones, gan godi eto i boeri i'r tân, rhyw godi a cherdded yn ei gwrcwd fel gŵr o hyd ar ei eistedd.

'Mae arnaf inna ofn . . . Oes, wir,' meddai Meri Ifans. Bu distawrwydd hir, heb ddim ond ambell 'ia' neu 'hm' araf o wddf Ifan Jones.

'Mi ddo' i mewn yn y bora i gynnau siwin o dân a gneud tamaid o frecwast i chi, John Davies.'

'Na, mi wna' i'r tro yn iawn, Meri Ifans.'

'Na 'newch, wir . . . Rhaid imi gofio mynd â 'goriad y ffrynt hefo mi. Mi fydd hi'n fwy siriol i chi gael llygedyn o dân a phanad fach pan godwch chi.'

Distawrwydd hir eto, ac yna Dafydd Owen yn cydio yn ei het galed oddi ar yr harmoniym.

'Wel, bobol,' meddai.

Ond ni symudodd neb, a suddodd Meri Ifans yn ôl i'w chadair, â'i dwy law ar ei gliniau.

'Diar mi, on'd ydi hi'n chwith meddwl, Ifan Jones?'

'Ydi, wir.'

'Ond fel yna mae hi, Meri Ifans,' ebe Dafydd Owen. 'Fel yna mae hi, wyddoch chi.'

''Roeddan ni yr un oed, wyddoch chi, Ifan Jones—Elin a finna. Dim ond dau ddwrnod rhyngom ni—Elin ddwrnod o flaen Ffair Llan a finna ddwrnod ar 'i hôl hi . . . Dechra gweini hefo'n gilydd.'

'Felly, wir, Meri Ifans! Ymh'le, deudwch?'

'Ond hefo'r hen Rees y Stiward, debyg iawn. Hen le calad oedd o hefyd.'

'I fyny yn Holly Bank acw, yntê?'

'Ia, ond Penbryn yr amsar honno. Ymlafnio—a 'doedd Elin a finna ond genod bach—ymlafnio am y nesa' peth i ddim, Ifan Jones. A fynta'n ben-stiward yn y chwarel ac yn cael arian mawr. Dim ond cael rhedeg adra unwaith yr wsnos i de, a mynd i'r capal nos Sul. Gorfod sgwrio hen loria mawr a golchi cynfasa a chwiltia—berwi dŵr a'i gario fo i ryw hen dwb yn y cefn. 'Rargian, mi fydda' i'n 'i gweld hi'n braf ar y genod 'ma heddiw. 'Doedd gynnon ni ddim amsar i ddim byd ond sgwrio a golchi a thrwsio bob munud. A'r cwbwl am hanner-coron yr wsnos, Ifan Jones. Dim ond dau fis fûm i yno, ond fe 'rosodd Elin druan am flwyddyn . . . Gymwch chi lymaid o rywbath cyn mynd i'ch gwely, John Davies?'

Ysgydwais fy mhen, ac wrth weld Ifan Jones fel pe'n tynnu ei goesau ato, chwiliais am frawddeg i'w gychwyn adref.

'Wel, Ifan Jones, 'does gen i ond . . .'

'Mae'r hen Rees yn 'i fedd ers deugain mlynadd bellach, Meri Ifans. Hen fôi duwiol dros ben, ond un cas gynddeiriog yn y chwaral.'

'Fydda fo ddim yn pregethu weithia deudwch, Ifan Jones?' Hyn oddi wrth Dafydd Owen, a'i lygaid, wrth iddo gael ei big i mewn i'r sgwrs, fel llygaid dryw bach.

'Byddai, neno'r Tad, bron bob Sul yn rhywla. Ond 'doedd o fawr o bregethwr. Darllan 'i dipyn pregath y bydda fo, a darllan ar wib wyllt.'

'Fo â'i drowsus pen-glin a'i legins melyn!' ebe Meri Ifans. 'Wyddoch chi fod yn rhaid i mi neu Elin druan fynd at yr hen Janie Rees am lwyaid o de bob pnawn cyn cael gneud panad fach? Mynd â'r tebot ati hi, a hithau'n rhoi pinsiad o de ynddo fo. A phinsiad oedd o hefyd! . . . Ydach chi'n siŵr na chymwch chi ddim llymaid i'w yfad, John Davies?'

'Ddim diolch i chi, Meri Ifans. Mi fydda' i'n mynd i'r gwely cyn bo hir.'

Gobeithiwn y gwnâi hynny iddynt gychwyn adref.

'Wel, arnoch chi mae'r bai, John Davies.'

'Ia'n Tad,' oddi wrth Dafydd Owen.

'Ia, wir . . . Diar, fel mae amsar yn mynd!'

Syllodd Ifan Jones i'r simdde fel petai'n gweld y blynyddoedd yn diflannu yn y mwg. Teimlwn braidd yn ddig wrtho, ond wrth edrych ar ei wyneb mawr, cadarn, gwyddwn nad oedd neb caredicach yn y byd. Yr oedd yn tynnu ymlaen mewn dyddiau erbyn hyn, er y daliai i fynd i'r chwarel bob dydd, hindda neu ddrycin. Oedd, yr oedd yn siŵr o fod dros ei ddeg a thrigain, er mai prin y tybiech hynny wrth edrych ar ei gnwd o wallt brith, cyrliog, neu ar groen ei wyneb a oedd o hyd fel croen afal. Eto, yr oedd wedi torri cryn lawer yn ddiweddar, a'r ysgwyddau cydnerth wedi crymu tipyn. Gwelwn y gwythiennau'n las ar gefn ei law, a'r croen fel papur tenau, gloyw, wedi i chwi ei wasgu yn eich dwrn. 'Roedd ei lygaid hefyd yn bŵl a dyfrllyd ac yn gwneud imi feddwl am lygaid brithyll newydd ei ddal. Oedd, yr oedd hyd yn oed Ifan Jones yn mynd yn hen.

Cofiwn fel yr awn, yn hogyn, i gyfarfod fy nhad o'r chwarel, er mwyn cael cario'i dun-bwyd a bwyta brechdan-fêl a fyddai ar ôl yn y tun. Teimlwn yn ddyn i gyd yn ceisio brasgamu rhwng fy nhad ac Ifan Jones, oherwydd yr oedd y ddau yn gweithio yn yr un bonc ac yn cerdded adref hefo'i gilydd bron bob nos. Sôn am rywbeth yn perthyn i'r capel y byddai'r ddau gan amlaf, ond weithiau, fe grwydrai sgwrs Ifan Jones ato'i hun yn was-fferm ym Môn cyn iddo feddwl am ei chynnig hi yn ardal y chwareli. 'Ifan Môn' y gelwid ef yn y chwarel, ac fel 'Ifan Môn' y soniai fy nhad amdano wrth fy mam bob amser. Yr oedd yn gawr o ddyn, a theimlwn yn fychan iawn wrth geisio cydgerdded ag ef ar y ffordd o'r chwarel. Ond nid oedd arnaf ei ofn ar yr adegau hynny; chwarelwr oedd, yn ei ddillad geirwon, llychlyd—chwarelwr a ffrind fy nhad. Ac fel chwarelwr y siaradai—'Wel, Robat, rhaid inni gael trowsus melfaréd i'r hogyn 'ma cyn bo hir. On' rhaid, John bach?' 'Rhaid,' meddwn innau, gan daro'r tun-bwyd o dan fy mraich a gwthio fy mawd i gesail fy ngwasgod. Ond go anodd oedd ei sgwario hi a'ch coesau chwi'n rhy fyrion i gamu allan fel y bydd pob chwarelwr wedi'r caniad.

Rhywfodd, nid yr un Ifan Jones oedd hwnnw a gadwai drefn ar ddosbarth ohonom yn yr Ysgol Sul. Yr oedd arnaf ei ofn bob prynhawn Sul, er y galwai fi'n 'John bach' bob amser wrth ofyn imi ddarllen adnod neu ateb cwestiwn. Ein cadw ni'n dawel oedd ei fryd a'i ddyletswydd, ac yn wir, yr oeddym ni fel llygod i gyd pan ddigwyddai Ifan Jones wgu ar un ohonom. Gafael yn eich clust a'i phinsio oedd ei ffordd ef o'ch cosbi, ond pur anaml y byddai'n rhaid iddo wneud hynny, gan fod ei edrychiad yn ddigon. Dywedasai'r Arolygydd un diwrnod mai gan Ifan Jones yr oedd y dosbarth tawelaf yn yr holl ysgol, a gwnâi ymdrech arbennig wedyn i ladd pob siarad a phob chwerthin. Dafydd Preis, 'Defi Barbwr', oedd y mwyaf siaradus yn ein plith, ac âi ef adref bob prynhawn Sul a'i glust cyn goched â thrwyn ei dad . . . 'Tyd ti i eistedd i'r fan yma ataf fi, y cnonyn bach. Faint o weithia . . . ? Hy, mae hwn 'run fath â'i dad yn union. Mi ro' iti gardia sigaréts! Dyro nhw i mi . . . A'r lleill . . . A'r lleill eto . . . Oes gen ti chwaneg? Tyn bocedi'r trowsus 'na allan.' A dyna ddwylo Dafydd Preis yn gwasgaru'r tryblith rhyfeddaf ar y sedd . . . 'Hy, i be' mae isio marblis ar y Sul? A lle cefaist ti'r matsys 'ma? . . . Pwti, ai e? . . . Wyddost ti fod y wats 'na yn werth arian os medar rhywun ond y Bod Mawr 'i thrwsio hi? Yn dy drowsus pob-dydd y mae petha fel hyn i fod. Darllan yr adnod 'na eto cyn imi roi'r pwti 'ma i lawr dy gorn gwddw di . . . ' Ac â bysedd Ifan Jones ar waelod ei glust, darllenai Defi druan mor rhugl ag y gallai.

Bodlonai Ifan Môn, gan amlaf, ar ofyn inni ddarllen adnodau ac yna ateb cwestiynau ar ystyr geiriau. Ond weithiau adroddai stori wrthym, ac nid oedd yn rhaid iddo binsio clust neb wedyn. Oherwydd yr oedd ganddo ddawn anarferol i ddweud stori, a chyffroai drwyddo wrth ei dweud. Stori o'r Beibl fyddai hi, wrth gwrs, ond lliwiai Ifan Jones bob digwyddiad â'i ddychymyg ei hun. Mab rhyw ffarm fawr ym Môn oedd y Mab Afradlon, ac mewn tref debyg iawn i Lerpwl y gwasgarodd ei dda. Pan euthum i Lerpwl am dro, flynyddoedd wedi dyddiau'r Ysgol Sul, y sylweddolais i hynny, ac y mae'n rhaid imi gyfaddef bod y darlun a dynasai Ifan Môn yn un byw iawn. Ymhen blynyddoedd wedyn, hefyd, y deuthum ar draws castell a chei a maes Philipi yn nhref Caernarfon; os cofiaf yn iawn, i fyny wrth Bont Seiont y bedyddiwyd Lydia, ac i'w thŷ hi, rywle i lawr wrth y cei, yr aeth Paul a Timotheus i aros, nes i'r 'ddynes-ddeud-ffortiwn' honno achosi cynnwrf yn y lle.

Clywn y gwynt yn taro ar gornel y tŷ ac yn ysgwyd yr hen ddôr yn y cefn. Taflodd Dafydd Owen olwg cas i'r cyfeiriad fel petai'r gwynt yn rhyw gi mawr a adawodd ef y tu allan ac y teimlai'n gyfrifol amdano.

'Duwcs, mae hi'n sgowlio heno,' meddai.

'Yr hen blancedi'n cael 'u hysgwyd, Dafydd.'

'He! Ia, Ifan Jones.'

Ffraethineb yr oedd gan Ifan Môn hawlfraint arno ers blynyddoedd oedd hwnnw am y blancedi, rhyw chwedl go niwlog am nifer o gewri'n hongian blancedi anferth uwchben y cwm o'r Foel i'r Clogwyn. Ac aethai 'blancedi Ifan Môn' yn rhyw fath o ddihareb yn yr ardal wrth sôn am y gwynt. Ond, yn anffodus, nid dychymyg Ifan Jones a roes anfarwoldeb lleol i'r syniad, ond sylw rhyw hen frawd go feddw a ysgubwyd gan y blancedi i mewn i siop Preis y Barbwr un noswaith arw—'Ewch i nôl Ifan Môn, bobol. Mae'r blydi lein wedi torri heno!'

'Ydi o wedi deud wrthach chi, Ifan Jones?' ebe Meri Ifans.

'Deud be', deudwch?'

'Be' mae o am 'neud hefo'r petha, debyg iawn.'

'Do. Ac mae o'n gneud yn gall.'

'Dyna o'n inna'n ddeud. 'Does dim fel gwerthu o law i law. Os gnewch chi ocsiwn, mi gewch chi bob math o hen Iddewon a phetha felly yn eich gneud chi dan eich trwyn. Ond os gwerthwch chi o law i law, 'rydach chi'n o saff—ond i chi beidio gollwng dim heb weld lliw yr arian.'

'Ydach,' ebe Dafydd Owen, 'ac yn gwbod i b'le mae'r petha'n mynd. Mae hynny'n beth mawr, cofiwch chi.'

'Ydi, wir. Ac mae 'na rai petha da iawn.' Taflodd Meri Ifans olwg craff dros ddodrefn y gegin cyn chwanegu, 'Licia Elin druan ddim gweld yr hen dresel dderw 'na'n cael cam. Fi bia'r siawns cynta' ar honna, yntê, John Davies?'

'Debyg iawn, Meri Ifans.'

Pe gwyddwn y gallai'r tri ohonynt ei chario, buaswn yn ddigon parod i roi'r dresal dderw iddynt y munud hwnnw er mwyn cael gwared â hwy. Yr oeddwn wedi blino.

'Ydi,' ebe Ifan Jones, 'y mae hi'n un nobyl dros ben. Gwell na honno brynais i yng Nghaernarfon erstalwm.'

'Cael eich gneud, Ifan Jones?' Rhoes Dafydd Owen ei het galed yn ôl ar yr harmoniym.

'Cael fy ngneud? Mi faswn i'n meddwl, wir! Mi rois ugian punt i'r hen fôi hwnnw yn Stryd y Cei. "Deg punt ar law, dim un ddima arall," meddwn i wrtho fo. Fe gâi o gan punt yn Llundain, medda fo, ond 'roedd o am 'i chadw hi yng Nghymru ac yn yr hen sir, os medrai o. Mi gerddis i allan o'r siop, ond fe wnaeth y ferch 'cw imi fynd yn f'ôl yno. 'Roedd o bron â chrio wrth gymryd yr ugian punt ond 'roedd yn rhaid 'i chadw hi yn yr hen sir. Mi ges inna lorri Huw Saer i'w chario hi adra. "Cymer ofal ohoni hi, Huw," medda fi, pan oeddan ni'n 'i chario hi i mewn i'r tŷ, "achos mae hi'n hen iawn ac yn werth can punt yn Llundain." Dyna Huw yn 'i rhoi hi i lawr ar lwybyr yr ardd. Ar 'i beth mawr o, os oedd hon yn hen, 'roedd ynta, Huw Saer, wedi'i gladdu ers can mlynedd.'

'Imitesion, Ifan Jones?'

'Ia, Dafydd Owen. Mi alwais i i weld y bôi yng Nghaernarfon y Sadwrn wedyn, a Huw Saer hefo mi. 'Roedd o bron â chrio pan ddeudodd Huw wrtho fo nad oedd 'na ddim gwerth chweugien o dderw yn 'i focs sebon o, chwedl Huw. 'Roedd o am roi'r gyfraith ar ryw ddyn o Bwllheli oedd wedi gwerthu'r dresal iddo fo. Ond chlywais i ddim iddo fo 'neud hynny.'

'Dyna bobol sy'n yr hen fyd 'ma, yntê, mewn difrif! Wel, gyfeillion annwl . . .' Cydiodd Dafydd Owen unwaith eto yn ei het, a chododd o'i gadair.

'Wel, Dafydd Owen, 'does gen i ond . . .'

'Be' 'newch chi hefo'r harmonia 'na, John Davies?'

'Wn i ddim, wir, Meri Ifans. 'Does gen i ddim rhyw lawer o ddiléit yn y peth, fel y gwyddoch chi.'

'Sylvia Jane, hogan Dic Steil, oedd yn gofyn imi ofyn i chi.'

'Fedar yr hogan ganu'r peth, deudwch?' gofynnodd Dafydd Owen.

'Wn i ddim, wir. 'Roedd ganddyn nhw biano fawr yno nes i Dic fethu talu'r rhent a gorfod 'i gwerthu hi. Mi glywis i na chafodd o fawr amdani hi, chwaith. Cwyno 'roedd Sylvia Jane fod y parlwr ffrynt yn wag iawn hebddi hi, a meddwl y basa harmonia 'run fath â hon . . .'

''Roeddwn i'n rhyw feddwl, Meri Ifans, y liciwn i roi'r hen harmoniym i'r capal. Mi wnâi'r tro yn y festri.'

'Yn gampus, 'machgen i,' ebe Ifan Jones. 'Ac mi fasen ni'n ddiolchgar iawn amdani hi, yn ddiolchgar iawn. Mae'r hen gapal 'na mor oer yn y gaea' fel hyn, a 'does dim ond yr organ yn ein cadw ni rhag mynd i'r festri ar noson waith. 'Roeddwn i bron â rhynnu yn y seiat neithiwr, oeddwn, wir . . . Wel, bobol, mae'n rhaid imi 'i throi hi. Bora 'fory ddaw, Dafydd Owen!'

'Ia, Ifan Jones . . . ia, wir.'

Maent i gyd wedi mynd o'r diwedd. Dyma'r tro cyntaf imi fod fy hunan bach yn yr hen dŷ, ac y mae arnaf i ofn. Nid ofn yr unigrwydd a'r gwacter, ond ofn y mân atgofion sy'n gyrru ias drwy fy nghefn. Dyna'r hen ganhwyllbren yna, y ganhwyllbren y byddai fy mam yn ei gosod yn barod imi bob nos. Nid ar y bwrdd y dylai hi fod, ond ar y pentan yn barod i'w goleuo o'r tân. Ac fe ddylai un fatsen fod yn pwyntio allan o'r blwch, rhag ofn y bydd eisiau golau yn y nos. Ni ddylai'r gwêr fod yn drwch ym môn y gannwyll chwaith, na'r llwch na'r darnau o fatsys llosgedig yn gorwedd yng nghwpan y ganhwyllbren. Rhaid imi gadw'r hen ganhwyllbren yna; oes, y mae'n rhaid imi gadw honna.

Wel, y mae'n well i minnau ''i throi hi', chwedl Ifan Môn. Y mae'n bur debyg y daw rhai pobl yma'n o gynnar yfory i drio prynu pethau. Beth ydyw hi heddiw? Dydd Mercher, wrth gwrs. Rhwng yfory a dydd Gwener a bore Sadwrn, mi ddylwn wacáu'r hen dŷ i gyd. Wedyn, nos Sadwrn, i'm lodgings, a bore Llun, yn ôl i'r chwarel. Bydd yn o ryfedd gweld y pethau yma'n mynd o un i un. Ond beth arall a wnaf i?

2 Y MANGYL

Yr hen Feri Ifans a wnaeth frecwast imi wedi'r cwbl. Cyn gynted ag y gwelodd hi bluen o fwg yng nghorn y simdde, yma â hi ar garlam.

'Dŵad â'r ddau wy yma i chi, John Davies. Wya ffres Ella'r ferch 'cw.'

Gwyddwn nad oedd dodwy wyau yn un o ragoriaethau Ella ond bod ganddi, yng nghefn ei thŷ, hanner dwsin o ieir tewion, braf, a cheiliog powld a oedd yn fwrn ar yr ardal, yn enwedig ar fore Sul.

'Ella isio mangyl ac yn gofyn imi ofyn i chi . . . Sut byddwch chi'n licio'ch wy, John Davies? Yn galad?'

'Cymedrol, Meri Ifans, os gwelwch chi'n dda. Rhyw bedwar munud.'

'Ella'n gofyn imi ofyn i chi a geiff hi'r siawns cynta' ar y mangyl . . . Panad go wan, yntê, John Davies?'

'Diolch . . . I'r dim, Meri Ifans.'

'Fel yna y bydda' inna'n licio 'mhanad hefyd. Rown i ddim thanciw am de fel y bydd Jim, gŵr Ella, yn 'i yfad o. Yn ddu fel triog, John Davies. A fynta'n cwyno hefo'i 'stumog hefyd! Ond dyna fo, un peth'ma ydi Jim, fel y gwyddoch chi. Mae'n dda fod Ella'n gwbod sut i'w gadw fo yn 'i le, ac mi ofala hi y cewch chi'ch arian am y mangyl—hynny ydi, os ydach chi am 'i werthu o.'

Gwyddwn, mi wyddwn fod Jim yn un go 'beth'ma'—palff o ddyn gerwin, trystiog, yn ymladd â rhywun bob nos Sadwrn ac yn rhoi ei ben drwy ffenestr y llofft gefn bob bore Sul i regi'r ceiliog. Buasai'r perfformiad yn un digrif iawn ar y cychwyn, ond daethai'r stryd yn gynefin ag ef bellach, a cheisiai pawb fynd yn ôl i gysgu yn sŵn rhegfeydd Jim a gwatwar y ceiliog. Os digwyddai rhyw ddieithryn synnu a rhyfeddu, yr unig ateb fyddai, 'O, Jim Gorila sy'n ffraeo hefo'r hen geiliog 'na.' Tyfasai 'Jim-gŵr-Ella' yn 'Jim Gorila', er mai da o beth oedd na wyddai Jim mo hynny. Ond chwarae teg i Ella, cadwai Jim yn ei le, chwedl Meri Ifans. Er nad oedd hi ond dim o beth, aml y gwelid y clamp o ddyn yn ei gwadnu hi adref am ei fywyd o'i blaen. Golygfa a oedd yn werth talu am ei gweld oedd hon—y ddimeiwerth o ddynes yn tafodi ei ffordd drwy'r pentref, a'r cawr o ddyn yn ei hercian hi ar wib o'i blaen. Cyn gynted ag y clywai'r llais dipyn yn nes o'i ôl, dyna Jim yn codi ei ben yn sydyn ac yn dechrau mynd am ei fywyd; gwnâi ichwi feddwl am ryw geiliog mawr yn dianc o flaen cyw iâr.

'Ydi, mae Jim yn un go beth'ma, Meri Ifans. Ond mae'i galon o'n y lle iawn, wyddoch chi.'

'Dyna ydw inna'n ddeud bob amsar. Mi wnaiff o rwbath i rywun, a 'does arno fo nag Ella ddim dima i neb . . . Sut flas sy ar yr wy, John Davies?'

'Campus, Meri Ifans, campus wir.'

'*Maen* nhw'n wyau neis . . . Ond, wrth gwrs, 'fallai nad ydach chi ddim am werthu'r mangyl. Ma' gen Ella un bach, wyddoch chi, y dela' welsoch chi 'rioed, o siop Wmffra Lloyd, ond 'dydi'r rheini ddim yn manglio fel y rhai mawr henffasiwn. Dyna ydw i'n ddeud, beth bynnag. Faint sy arnoch chi isio amdano fo, John Davies?'

Torrodd llais o'r gegin fach cyn imi orfod chwilio am ateb . . . 'Hylô! Oes 'na bobol yma?'

'Dowch i mewn, Leusa Morgan.'

'Dim ond dŵad i weld sut 'rydach chi heddiw . . . O,

hylô, Meri Ifans! . . . A rhywun yn sôn eich bod chi am werthu'r petha. Finna'n deud wrth Now neithiwr, "Siawns i gael mangyl, Now," medda fi. Ac 'ro'n i'n meddwl . . .'

'Wedi'i werthu,' ebe Meri Ifans.

'Diar annwl! Tewch, da chi!'

'Ydi. Ella'r ferch 'cw wedi'i brynu fo.'

'O? 'Ro'n i'n meddwl bod mangyl gan Ella. Ddaru hi ddim prynu un yn siop . . .?'

'Do, ac un bach del ydi o hefyd.'

'I be' mae hi isio dau fangyl, Meri Ifans?'

'Os medar hi fforddio dau fangyl . . . Ga'i dorri chwanag o fara-'menyn i chi, John Davies?'

'Dim diolch. 'Rydw i wedi gneud yn gampus, Meri Ifans.'

'Mi ddo' i mewn eto,' ebe Leusa Morgan, 'i gael gweld be' sy gynnoch chi yma. Yr hen dresal 'na faswn i'n licio. Ydi hi'n debyg o fod yn ddrud iawn, John Davies?'

'Ydi,' ebe Meri Ifans. 'Mae 'na ryw ddyn o G'narfon wedi cynnig deugian punt amdani hi.'

'Diar annwl! Tewch â deud! Deugain punt!' Ac yna syrthiodd ei llygaid ar yr harmoniym. 'Mi liciwn i weld Susan, yr hogan 'cw, yn chwara' piano ne' rwbath. Ydi'r harmonia 'ma ar werth, John Davies?'

'Mae o'n 'i rhoi hi i'r capal,' meddai Meri Ifans ar unwaith.

''Rargian fawr! 'I *rhoi* hi? . . . Yr hen gadair-siglo, yntê? Diar annwl, fel y byddai'ch mam druan yn 'i pholisho hi! Ydi honna wedi'i gwerthu, John Davies?'

'Ydi, neithiwr,' ebe Meri Ifans cyn imi gael cyfle i agor fy ngheg.

'O? I bwy, deudwch?'

'Panad arall, John Davies?'

'Wel diolch, Meri Ifans. Panad hefo smôc.'

Nid oedd arnaf eisiau'r gwpanaid, ond gwyddwn y buasai Meri Ifans yn falch o'r cyfle i'w thywallt yn lle ateb cwestiwn Leusa Morgan.

'Neithiwr ddwytha' yr oedd Susan 'cw'n deud y liciai hi gael gwely matras yn lle gwely plu. 'Dydach chi ddim wedi gwerthu'r gwlâu eto, John Davies?'

'Wedi mynd bob un,' ebe Meri Ifans fel bwled.

'Diar annwl! Wel, mi ddo' i mewn eto, pan fydd gen i fwy o amsar,' ebe Leusa Morgan. 'Ne' mi fydd Susan ar ôl yn y Cownti Sgŵl. Da boch chi 'rŵan.'

Teimlwn fod Leusa Morgan yn rhoi rhyw bwyslais mawr ar 'Cownti Sgŵl' wrth fynd tua'r drws, rhyw bwyslais a awgrymai fod honno ganddi, Meri Ifans neu beidio.

Cliriodd Meri Ifans y bwrdd heb edrych arnaf. Yr oedd ar gychwyn allan i ysgwyd y lliain cyn cymryd sylw o'r wên ar fy wyneb.

'Dewch chi byth i'r nefoedd,' meddwn.

'Tyt! Mi fuasa honna'n cymryd y dresal a'r harmonia a'r gwlâu a'r mangyl a'r cwbwl i gyd, ond welach chi ddim dima goch o hyn i'ch bedd. Harmonia, wir! 'Tasa hi'n talu dim ond yr hyn sy arni hi i'r hen Wmffra Lloyd druan, a fynta mor wael!'

Daeth llais eto o'r gegin fach.

'Ydi Mam yma, John Davies?'

'Ydi, Ella. Dowch i mewn.'

'Jim wedi aros gartra o'r chwarel heddiw, ddim hannar da hefo'i 'stumog, ac wedi gweld Ned, gwas Tŷ Popty, wrth stabal Morus Becar, a Ned yn deud . . .'

'Cymar dy wynt, Ella,' ebe'i mam.

'Ned yn deud y daw o i roi llaw hefo'r mangyl. Pryd cân nhw ddŵad, John Davies?'

'Pryd y mynnoch chi, Ella. A chyda llaw, diolch am yr wya.'

'Twt! . . . Mi reda'i i nôl Jim rŵan.'

Ac i ffwrdd â hi fel gwiwer fach.

'Gwrandwch, John Davies,' ebe Meri Ifans. 'Nid fel'na mae gwerthu petha. Rhaid i chi setlo ar y pris i ddechra, ac wedyn peidio â gadal dim i fynd o'r tŷ heb i chi gael arian amdano fo. Faint ydi'r mangyl?'

''Sgin i ddim syniad. Coron?'

'Pymthag swllt o leiaf. Dyma i chi bymthag swllt. Mi geith Ella setlo hefo mi eto . . . Tyrd i mewn, Jim.'

Daeth Jim i mewn, a thu ôl iddo Ned, gwas Tŷ Popty, neu 'Ned Stabal' fel y gelwid ef gan bawb. Hyn, y mae'n debyg, am mai cario bara allan hefo car a cheffyl oedd y rhan bwysicaf o'i waith. Yr oedd si iddo fod yn 'jockey' yn rhywle rywdro, ond ni chlywais i mo Ned ei hun yn sôn am ddyddiau felly yn ei hanes. Y mae'n debyg mai ei gorff bychan a'i goesau ceimion a'i drowsus pen-glin a roes fod i'r si. Neu efallai i Jim neu rywun arall o gwmni'r Red Lion ei alw'n 'jockey' o ran hwyl ryw noson.

'Tyd i mewn, Ned,' ebe Jim. 'Dŵad i nôl rhyw fangyl ne' rwbath, John Davies.'

'Mangyl,' ebe Ned.

'Yn y cwt yn y cefn y mae o, Jim,' meddwn innau. 'Ond prin y medar dau ohonoch chi fynd â fo.'

'Tyt! Mi garia Ned o ar 'i gefn, John Davies.'

'Ar 'y nghefn, Jim,' ebe Ned, gan roi tro sydyn ar ei ben yn werthfawrogiad o ffraethineb ei gyfaill.

'Mae 'na olwynion dano fo,' meddwn innau, 'ond unwaith yr ewch chi i'r lôn, mae arna' i ofn mai tipyn o gamp fydd 'i wthio fo, hogia.'

'Diawl, mi gei roi'r gasag wrth 'i ben o, Ned,' meddai Jim.

'Y gasag wrth 'i ben o,' ebe Ned.

'Tyd yn dy flaen, was,' ebe Jim wrth glywed llais Ella rywle yn y cefn. 'Tyd i yrru'r *Irish Mail.*'

'Gyrru'r *Irish Mail,*' ebe Ned, a'i ben yn rhoi tro sydyn eto.

Euthum innau i ateb cnoc ar ddrws y ffrynt. Llythyr oddi wrth f'Ewythr Dic o'r Sowth yn egluro'n fwy manwl na'r teligram pam na allai ddod i angladd ei chwaer. Llythyr digalon iawn. Y mae'n gaeth hefo cryd cymalau ers misoedd, ac ef a'i ddau fab allan o waith ers pedair blynedd bellach. 'Piti imi adael y chwarel o gwbl,' medd y llythyr. 'Meddwl gwneud fy ffortiwn, wel'di, ac erbyn hyn y mae'r lle yma wedi mynd i'm gwaed i. Ond heddiw, cefais bwl ofnadwy o hiraeth, ac mi griais fel plentyn, fachgen. Digwydd cofio fel y byddai Elin druan yn prynu samon imi ar y slei erstalwm, pan oeddwn i'n hogyn gartref. 'Roedd fy mam yn gynddeiriog yn erbyn unrhyw beth allan o dun, wel'di. Diar, fel y mae'r byd wedi newid! Mae Howel (y bachgen hynaf) wedi troi'n *Gommunist* rhonc, a heb fynd yn agos i gapel o fath yn y byd. Ac mae Ifan wedi priodi Saesnes, fel y gwyddost ti, ac yn gwrthod siarad gair o Gymraeg hefo'r ferch na'r bachgen.

'Ydi, mae'r byd yn newid, John bach, ond nid er gwell. Mae sôn eu bod nhw am agor rhyw waith arfau yn y cylch yma, gwaith i dros dair mil. Wel, fe fydd hi'n dda gweld Howel ac Ifan yn ennill eu tamaid eto, arfau neu beidio.

Ond yr wyf i'n rhy hen i gael gwaith, a rhaid imi fodloni ar fy mhensiwn a'm cric-cymalau bellach. Mi hoffwn i gael un olwg arall ar yr hen Wyddfa o Ben y Ffridd, fachgen, a thro i'r chwarel i fyny i Bonc yr Efail, a phnawn o bysgota hyd lannau afon Lwyd . . .'

Rhoddais y llythyr yn fy mhoced a brysiais i'r cefn. Yno yr oedd yr olygfa ryfeddaf—y mangyl ar y llwybr y tu allan i'r ddôr, fel rhyw anifail mawr, ystyfnig; Ella'n siarad pymtheg y dwsin ac yn ceisio egluro rhywbeth yr oedd Jim yn rhy ddwl i'w ddeall; Jim yn chwys diferol yn pwyso'n ddiymadferth yn erbyn y wal; a Ned fel pe'n trio argyhoeddi Bess, y gaseg, fod cael ei bachu wrth fangyl yn fraint na chafodd caseg na cheffyl mohoni erioed o'r blaen.

Deellais oddi wrth Meri Ifans iddynt wthio'r mangyl yn o rwydd allan o'r cwt, ac ar hyd llechi esmwyth llwybr yr ardd. Pan oeddynt yng nghyffiniau'r ddôr, 'Ffwl sbîd ahed, was,' gwaeddodd Jim, er mwyn brysio dros y darn caregog ar fin y lôn gefn. Ond nogio'n sydyn a wnaeth y mangyl a herio holl fustachu a rhegfeydd y gyrwyr. O'r diwedd, gwaeddodd Ella fod yr olwyn flaen wedi torri'n ddwy, gan chwanegu, y mae'n debyg, rywbeth am ffordd wyllt rhai pobl o wneud pethau. Oedd, yr oedd yr olwyn yn ddwy, ac nid rhyfedd bod y mangyl fel ceffyl pren, yn codi ymlaen ar big yr hanner olwyn ennyd, ac yna'n siglo'n ôl i'r pig arall. Wedi hir ymlafnio a thuchan a chwysu, 'Dos i nôl y gasag, Ned,' oedd gorchymyn Jim.

Bachwyd y gaseg wrth y mangyl, ac wedi i Bess dyllu cryn dipyn ar y ffordd, cychwynnodd yr orymdaith yn araf. Dilynais innau hi cyn belled â chefn tŷ Ella, ac yno, gwelodd pawb ar unwaith fod profedigaethau eto'n ôl. Nid âi'r gaseg trwy'r ddôr, a sut yn y byd yr oedd cael y mangyl ar hyd llwybr yr ardd? Wrth imi droi'n ôl i'r tŷ, clywn Ella'n gweiddi rhywbeth am 'blocyn dan 'i ben o', a Ned yn sôn am 'ddarnau o beipan, 'rhen Jim'. Gwgu ar y mangyl yr oedd 'yr hen Jim' a phoeri sug baco bob tro y gostyngai ei aeliau. Ymddangosai i mi fel pe bai wedi troi'n dipyn o athronydd ac yn ceisio darganfod lle mangyl yn arfaeth pethau.

Trois i mewn i'r cwt wrth ddychwelyd i'r tŷ. 'Roedd hi'n rhyfedd gweld y lle heb y mangyl mawr yn erbyn y mur. Fel y mwynhawn i ei droi i'm mam pan oeddwn i'n hogyn! Cyfrif deg wrth droi ag un llaw, a rhoi hwb anarferol i'r degfed tro cyn cydio yn yr handyl â'r llaw arall. A phan ddeuai arwyddion blino arnaf, dyna Mam yn cymryd at y troi a minnau at ddal y gynfas neu'r lliain. Dychrynais hi ganwaith wrth y gorchwyl hwnnw trwy ddal fy modiau ar wyneb y lliain a chuddio fy mysedd oddi tano. Yna, pan ddeuai fy llaw yn agos i'r rholbren, gwnawn ystumiau fel pe bawn mewn poenau arteithiol, a chau fy nyrnau yn slei o dan y lliain. Peri poen i eraill yw un o bleserau mwyaf plentyn.

Yn y tŷ, penderfynais fynd drwy'r llyfrau yn y cwpwrdd cornel. Ond nid âi'r mangyl o'm meddwl. Cofiais y frawddeg a glywid yn aml pan gâi rhywun ei ladd yn y chwarel—'Druan o'i wraig o! Ond mae ganddi hi fangyl, on'd oes?' Neu, os nad oedd ganddi un, 'Gobeithio y byddan nhw'n hel iddi hi gael mangyl, y gryduras fach.'

Dyna sut y prynwyd y mangyl hwn y mae Jim a Ned wrthi'n stryffaglio wrtho yn y lôn gefn. Chwarelwr oedd fy nhaid, tad fy mam, chwarelwr a thipyn o bregethwr cynorthwyol ar y Sul. Yr oedd mor huawdl yn y pulpud nes i'r sôn am ei allu fynd trwy'r sir, ac er ei fod dros ddeugain oed, cymhellwyd ef o'r diwedd i roi'r gorau i'r chwarel a chymryd ei alw i'r weinidogaeth. Ond yn ei wythnos olaf yn y chwarel, syrthiodd darn o'r graig ar ei gefn a'i ladd. 'Roedd Testament Groeg bychan ym mhoced ei gôt. Mae hwnnw gennyf o hyd, ac ôl bysedd fy nhaid ar bron bob dalen; rhaid i mi gofio mynd â'r hen Destament bach hefo mi i'r llety.

Rhyw ddeg oed oedd fy mam y pryd hwnnw, a'i brawd, f'Ewythr Dic, yn ddim ond pedair. Buasai fy nhaid yn ŵr hynod ddarbodus, ond yn y dyddiau hynny, cyn bod Undeb nac isrif, yr oedd cael y ddau pen-llinyn ynghyd yn dipyn o gamp. Cafwyd 'cynhebrwng mawr' wrth gwrs, ac yr oedd Allt Lwyd, lle trigai fy nain, yn ddu gan bobl y diwrnod hwnnw. Eisteddodd fy nain a'i dau blentyn wrth fwrdd bach yn y parlwr ac ar ei ganol gadach sidan mawr, gwyn. Yn ôl arferiad yr ardal, cerddodd y dyrfa i mewn fesul un ac un a rhoi chwech neu swllt ar y cadach sidan. Do, fe gliriwyd holl dreuliau'r angladd felly, ac yr oedd dwybunt yn sbâr.

Clywais, droeon, gan fy mam hanes y noson honno. Wedi i'r ffrindiau a'r dieithriaid i gyd ymadael, eisteddodd fy nain a'm mam wrth ffenestr fach y gegin gefn a syllu'n hir draw i'r mynydd a'r chwarel. Gwasgai fy nain y Testament Groeg bach yn ei dwylo, a'i llygaid pell fel pe'n chwilio am y Bonc Uchaf lle gweithiasai fy nhaid yn y chwarel. 'Wn i ddim be' wnawn ni, wel'di,' meddai o'r diwedd, 'ond 'dawn ni ddim ar y plwy' pe bai raid inni lwgu, Elin.' Cododd fy mam i ateb cnoc ar ddrws y ffrynt . . . 'Go lew, wir, thanciw. Ga' i ddŵad i mewn?' ebe llais main, braidd yn wichlyd, a daeth gwên a deigryn i lygaid fy nain.

Edward Jones—'Ned Pwyswr' yn y chwarel, a 'Ned Go Lew' ar dafodau anystyriol yr ardal—a oedd wrth y drws.

Collasai Edward Jones ei fraich dde mewn damwain yn Nhwll Dwndwr, un o dyllau mwyaf y chwarel, rai blynyddoedd cyn hynny. Cafodd waith wedyn yng ngwaelod y chwarel i bwyso'r wagenni o rwbel ar eu ffordd i Domen y Llyn. Efallai mai ei anffawd ei hun a wnaeth Edward yn rhyw fath o noddwr answyddogol yn yr ardal. Pan ddygai damwain neu afiechyd eu trallod i deulu tlawd, dyna Edward Jones yn tynnu ei lyfr bach glas o'i boced ac yn mynd o ddrws i ddrws drwy'r pentref. Ni bu neb erioed mor gynnil â'i eiriau. Cnoc ar y drws, ac yna, cyn i neb gael cyfle i'w gyfarch, 'Go lew, wir, thanciw. Ga' i ddŵad i mewn?' Ac yr oedd croeso iddo ymh'le bynnag yr elai, oherwydd gwyddai pawb fod gwir angen ar rywun cyn yr ymgymerai Edward Jones â'r gorchwyl o gasglu arian iddynt. Eisteddai ar gongl y bwrdd ar unwaith, a'i bwt o fraich ar ddalen agored y llyfr glas. Ysgrifennai enw'r gŵr neu'r wraig yn llafurus, a blaen ei dafod allan yn anesmwyth rhwng ei ddannedd. Ac ef ei hun a benderfynai'r swm . . . 'Tair ceiniog, William Davies', neu 'Chwe cheiniog, Jane Ifans, os medrwch chi'i fforddio fo'. Ac wedi cael yr arian, i ffwrdd ag ef heb wastraffu gair nac eiliad. Y mae'n sicr i Edward Jones wneud i'r ardal gynilo miliynau o eiriau ar ei deithiau casglu.

'Y pres sy'n sbâr,' meddai wrth fy nain, gan roi cwdyn bychan iddi a hwnnw'n llawn o arian. 'Mi ellwch ddisgwyl y dynion yma nos 'fory hefo mangyl. Mi a' i i weld y cwt.'

Ac i ffwrdd ag ef i'r cefn i gael golwg ar y cwt a fyddai'n gartref i'r mangyl. Pan ddaeth yn ôl, fe geisiodd fy nain ddiolch iddo, er y gwyddai cyn dweud gair na wrandawai

Edward Jones arni. 'Twt, lol,' oedd ei ateb, ac yna ymaith ag ef.

Gwyliodd fy nain ef yn mynd yn gyflym i lawr y stryd, a'i fraich chwith yn siglo fel pendil wrth ei ochr. Gwelodd ef yn nodio ar hwn a'r llall ac yn cyflymu ei gamau yr un pryd, fel petai am awgrymu nad oedd ganddo amser i aros am sgwrs. Ond y noswaith ddilynol, daeth Edward Jones eto i dŷ fy nain fel rhyw fath o oruchwyliwr, a gofalai'r dynion a wthiai'r mangyl ufuddhau ar amrantiad i'w orchmynion cwta—gyda winc ar ei gilydd. 'O'r gora, Edward . . .' 'Ar unwaith, giaffar . . .' 'Reit, Ned'—a theimlai'r gŵr bychan, unfraich, yn dipyn o ddyn yn eu plith.

Felly y daeth y mangyl i dŷ fy nain. Buan y gwyddai'r ardal fod y weddw yn golchi a manglio, a rhoddwyd iddi, i gadw'r blaidd i ffwrdd, waith pur reolaidd. Prin iawn oedd y ceiniogau a enillai trwy lafur mor galed, ond yr oeddynt yn ddigon i gadw'r teulu bach rhag angen. Ceiniog a dimai'r un am fanglio blancedi a llieiniau mawrion, ceiniog yr un am lieiniau bwrdd a phethau tebyg—oedd, yr oedd yn rhaid llafurio i ennill digon i dalu'r rhent a chael tamaid. Ond gyrrai brawd fy nhaid, hen lanc ar fferm ym Môn, ambell hanner coron iddi, a chyn bo hir yr oedd fy mam yn dechrau gweini hefo Rees, Stiward y chwarel. Fel y soniodd Meri Ifans neithiwr, yr oedd hwnnw'n lle caled iawn, ac ni threuliodd fy mam flwyddyn mor anhapus yn ei bywyd, 'er 'i fod o'n pregethu', chwedl hithau wrthyf ganwaith. Tynnwyd hi oddi yno ar ddiwedd y flwyddyn er nad oedd ganddi le arall i fynd iddo, a galwodd fy nain yn nhŷ'r Stiward i roi'r araith hwyaf a roes yn ei bywyd. Gallai fforddio gwneud hynny, â'r chwarelwr a fu'n ŵr iddi ymhell o afael erlid unrhyw stiward.

Cafodd f'Ewythr Dic ei gadw yn yr ysgol nes bod yn ddeuddeg oed cyn mynd i'r chwarel, a phrifiodd yn llanc cydnerth, cryf. Y mae'n wir i'm nain farw cyn cyrraedd ei hanner cant, ond rhyw dwymyn a'i lladdodd, meddai'r meddyg. Daliai fy mam mai twymyn gorweithio ydoedd a hi a feddyliodd am yr adnod a dorrwyd ar garreg ei bedd—'Mi a ymdrechais ymdrech deg'. Sylwais ar y garreg ddoe yn angladd fy mam—carreg las, fechan, ddinod, ac wrth ei hymyl golofn anferth a gododd ei deulu uwchben Rees y Stiward. Yn o agos hefyd y mae carreg fechan, ddinod arall ac arni enw Edward Jones. Rhyfedd imi sylwi ar honno ddoe, a gweld yr adnod a naddwyd arni—'Gwyn eu byd y rhai trugarogion: canys hwy a gânt drugaredd.' Celwyddau, medd rhywun, sydd ar gerrig beddau. Wn i ddim. Fe dorrwyd y gwir ar lech ddinod Edward Jones, beth bynnag. Ac ar fedd syml fy nain.

3 YR HARMONIYM

Diolch am dipyn o dawelwch o'r diwedd. Y mae hi'n noson arw heno eto, a'r gwynt yn ysgytio'r hen ddôr yn y cefn. Bu rhywrai'n mynd a dŵad yma drwy'r dydd i brynu hyn a'r llall, ac yr oedd yn dda gennyf glywed yr olaf ohonynt yn dweud 'Nos dawch'. Ond nid yw'r tŷ'n llawer gwacach, gan i'r rhan fwyaf o'r prynwyr, chwarae teg iddynt, adael eu pethau yma tan ddydd Sadwrn rhag imi deimlo'n chwith hebddynt o hyn i ddiwedd yr wythnos. Aeth Ifan Jones ac eraill â'r harmoniym i festri'r capel ar gyfer y *Band of Hope*, a gwagiwyd y llofft gefn hefyd bron yn llwyr. Nid oes fawr ddim ar ôl yno ond y lluniau ar y wal, a gwn na phryn neb mo'r rheini. Yn y llofft honno y cysgwn i pan oeddwn yn hogyn, ac yng nghwmni'r lluniau hynny yr awn i orffwys bob nos ac y deffrown bob bore. 'GOD IS LOVE' sydd ar un ohonynt, a phob math o liwiau a'r tryblith rhyfeddaf o flodau amryliw yn chwalu drwy'r llythrennau. Ac uwchben y gair 'GOD', wele belen goch yr haul yn gwasgar niwl a chwmwl. Methwn â deall, pan oeddwn yn fachgen bach, pam nad âi'r haul i lawr neu pam na chodai yn lle aros yn ei unfan fel hyn; yr unig eglurhad a ddôi i'm meddwl ifanc oedd iddo gael ei angori yno wrth raffau aur y pelydrau a syrthiai i waelod y darlun. Llun ar wydr yw'r llall, llun tai mawrion, pen-drymion, wrth dywod melyn, melyn, ac ar y tywod gant o sbotiau bychain i awgrymu pobl yn eu mwynhau eu hunain ar y traeth. *A Present from New Brighton* sydd dan y llun, ond ni ddug hwn na phleser na chwestiwn i'm meddwl i erioed. Yn unig cofiaf ofyn i'm tad unwaith ymh'le yr oedd y *New Brighton* yma. 'O, yn bell, bell,' oedd ei ateb, ac aeth y darlun wedyn, bob tro y digwyddwn sylwi arno, yn rhywbeth pell, pell. Ar y mur arall y mae Tystysgrif Teilyngdod i John Davies gan Gymanfa Bedyddwyr Arfon. Arholiad . . . Ysgrifenedig: Maes Llafur . . . Mathew I–X: Marciau . . . 95: Dosbarth . . . Anrhydeddus. Yn ei chanol y mae llun Ioan yn bedyddio Crist, a chofiaf fel y byddwn yn teimlo trostynt ar ambell fore oer yn y gaeaf. Gwenu y byddaf, fel rheol, wrth edrych ar y dystysgrif hon yn ei ffrâm loywddu a llinell aur yn troelli ar hyd y du. Daw atgof am dri ohonom yn mynd i dŷ Ifan Jones un noswaith i eistedd yr arholiad, ac yn cael derbyniad go ffurfiol gan Ifan Môn a deimlai fod arolygu mewn arholiad yn swydd ddifrifol iawn. Emrys, bachgen Mr Jones y Gweinidog; Defi Preis, hogyn Preis y Barbwr; a minnau–dim ond y tri ohonom a fentrodd i'r ornest. Rhoddwyd ni i eistedd wrth fwrdd y parlwr, ac yr oedd darn glân o bapur-blotio a dalennau o bapur gwyn wrth bob cadair. Agorodd Ifan Jones amlen y cwestiynau yn araf a phwysig a chan daflu ambell olwg ddifater arnom ni. Wedyn, edrychodd ar y cloc a dweud, 'Pum munud wedi chwech. Dim gair arall tan bum munud wedi saith.' Rhoes y papur cyntaf i Emrys yn ddwys-ddifrifol, yr ail i mi yn fwy tadol a hanner-daflu'r trydydd i Defi Preis. Aeth Emrys ati ar unwaith i ysgrifennu nerth ei ben; a dechreuais innau gasglu'r atebion i'm meddwl wrth ddarllen y cwestiynau. Ymhen tipyn, clywn Defi yn rhoi pwniad ysgafn i'm braich ac yn dechrau sibrwd rhywbeth yn fy nghlust. Cododd Ifan Jones o'i gadair wrth y tân.

'Dim gair ddeudis i, Defi Preis. Ne' adra ar dy ben y cei di fynd.'

'Ond dwn i ddim be' oedd o'n wisgo na be' oedd o'n fyta na dim.'

'Pwy yn byta be'?'

'Dwn i ddim.'

'Wyddost ti ddim be'?'

'Be' oedd o'n fyta na be' oedd o'n wisgo na dim.'

'Neno'r bobol, am bwy 'rwyt ti'n siarad, hogyn?'

'Yr Ioan Fedyddiwr 'ma.'

'O? A finna wedi mynd tros y bennod yna ddega o weithia yn yr Ysgol Sul! Ond ma' hi'n rhy hwyr 'rŵan. Dos ymlaen hefo dy sgwennu, a dim gair arall, cofia, ne' adra y cei di fynd.'

'Ga' i fynd adra 'rŵan, Ifan Jones?'

'Adra? On'd ydi hwn yn un gwirion, mewn difri'! I be' goblyn yr oeddat ti'n dŵad yma, 'ta?'

''Nhad wnath imi ddŵad, Ifan Jones. Dŵad yma o'r ffordd, medda fo.'

'Dos yn dy flaen hefo dy sgwennu, a dim chwanag o lol.'

'Ond sut ma'n nhw'n disgwl i mi wbod be' oedd o'n fyta a be' . . .?'

'Dim gair arall ne' . . .' A gafaelodd Ifan Jones ym môn clust Defi Preis.

Ni bu ymdrechion Defi Preis yn yr arholiad yn rhai llwyddiannus iawn. Treuliodd y chwarter awr cyntaf yn cnoi pen ei bin-dur nes bod ei wefusau'n goch i gyd, a'r ail chwarter awr yn gwylio'r bobl tros y ffordd yn cario glo o'r lôn i gefn y tŷ. Aeth ati wedyn i dynnu llun Ifan Jones heb yn wybod, wrth gwrs, i'r gwrthrych. Tynnodd hanner dwsin o luniau i gyd, ac yn un ohonynt yr oedd coron am ben Ifan Jones a theyrnwialen yn ei law. Rhoes bwniad imi pan oeddwn yn ceisio dyfalu pa un ai Andreas ynteu Iago oedd brawd Pedr, a methais innau â dal rhag pwff sydyn o chwerthin wrth weld y lluniau. Petai'r arholiad yn un tynnu lluniau, y mae'n siŵr y buasai Defi Preis yn y Dosbarth Anrhydeddus, ac Emrys a minnau rywle yng ngwaelod y rhestr. Ond arholiad ar Mathew I–X ydoedd, a daeth llaw fawr Ifan Jones o'r tu ôl i Defi a chau am y papur.

'Mi alwa' i i weld dy dad cyn mynd i 'ngwely, 'ngwas i. Ac os na fydd o'n barod i roi'r wialen ar dy gefn di, mi wna' i hynny trosto fo. Sgwenna rywbath iti gael *rhyw* gymaint o farcia.'

Ond ni theimlai Defi fod ganddo unrhyw wybodaeth y dylai'r byd gael cyfran ohoni, a bodlonodd ar dreulio gweddill yr amser yn cnoi ei ewinedd ac yn cicio Emrys a minnau o dan y bwrdd.

'Mi wneith hwn imi danio 'mhibell,' meddai Ifan Jones wrth blygu'r papur a'i daro ar y pentan. Yna, ymhen ychydig, 'Waeth iti fynd adra ddim, am wn i.' Ac i ffwrdd â Defi gan sibrwd rhywbeth am 'gic-tun wrth Siop Gongol, was' yn fy nghlust.

Daeth yr awr i ben yn fuan wedyn, a dechreuodd Emrys a minnau hel ein papurau at ei gilydd. Clywais chwerthin isel, dwfn, o gyfeiriad y tân, a chefais gip ar Ifan Jones yn cuddio rhyw bapur yn frysiog yn ei boced. Gwyddwn drannoeth mai papur Defi Preis ydoedd, oherwydd daeth fy nhad â'r stori o'r chwarel am Ifan Môn yn mynd o gwmpas y bonc i ddangos ei lun i bawb.

Y mae un llun arall ar fur y llofft, llun dau ŵr yn cofleidio'i gilydd ar ganol ffordd lydan, braf, rhwng dolydd breision. Gŵr ifanc yw un o'r dynion, a'i wisg werdd yn garpiau i gyd; henwr'yw'r llall ac amdano wisg hardd o borffor disglair. Cefn y llanc sydd atom, ond gwelwn wyneb caredig a llawen yr henwr. O dan y llun, mewn llythrennau aur, y mae'r geiriau: 'And he arose, and came to his father. But when he was yet a great way off, his father saw him, and had compassion, and ran, and fell on his neck, and kissed him. And the son saith to the father, Father, I have sinned against heaven, and in thy sight, and am no more worthy to be called thy son.' Adroddodd fy mam stori'r Mab Afradlon wrthyf droeon cyn imi fynd i gysgu, ond pan ofynnwn gwestiwn am y geiriau a oedd dan y llun, y cwbl a gawn oedd, 'O, hen Saesneg gwirion ydi hwnna, wel'di.' Gwelais y geiriau hyn mor aml nes eu dysgu ar fy nghof, ond nid oedd ynddynt lawer o ystyr na miwsig imi, er eu bod yn syml a swynol. Pethau estronol a dieithr oeddynt, geiriau pell oddi wrth yr iaith a siaradwn ac y meddyliwn ynddi. A rhywfodd, yr oeddynt yn amharu ar y llun, yn tynnu fy meddwl oddi wrth y llanc a'r henwr a'r ffordd at ddieithrwch iaith na ddeallwn mohoni. Hyd yn oed wedi imi ddeall ystyr y geiriau, yr oedd rhyw ysfa o hyd yn fy llygaid i beidio â chymryd sylw ohonynt fel pe bai fy meddwl yn erbyn unrhyw gyfaddawd â'r 'hen Saesneg gwirion' a flinai fy mam. A heddiw, pan ddarllenodd rhywun y geiriau allan ag acen Gymraeg gref—ia, Sylvia Jane, merch Dic Steil oedd hi—teimlwn yn annifyr ac yn rhyw euog braidd. Ni fedrwn egluro'r teimlad hwnnw, gan nad oes gennyf i ddim yn erbyn y Sais na'i iaith, am a wn i. Yn wir, yn Saesneg y mae rhai o'r llyfrau gorau a ddarllenais i erioed—y llyfrau a adawodd f'Ewythr Huw, brawd fy nhad, ar ei ôl, er enghraifft. Ond ni ddeallai fy nhad na'm mam air o Saesneg,.ac iddynt hwy rhan o swanc un neu ddau o stiwardiaid y chwarel neu wraig y Banc ydoedd, a rhan hefyd o daeogrwydd ambell un a frysiai i gynffonna i ddieithriaid a ddôi i'r ardal. Ac yr oedd y rhai a fedrai dipyn o Saesneg bron yn siŵr o fod yn eglwyswyr!

Beth wnaf i â'r pedwar llun, ni wn i ddim. Ni chymerodd neb un sylw ohonynt heddiw—dim ond Sylvia Jane, a welodd gyfle i ddangos ei Saesneg. Y mae arnaf flys garw i dynnu'r Dystysgrif Teilyngdod o'r ffrâm a'i gyrru i Defi Preis o ran hwyl. Tybed a gofiai o'r noson honno yn nhŷ Ifan Jones? Mae Defi, erbyn hyn, yn cadw siop Painter and Decorator tua Lerpwl, a'i dad, bob tro yr af ato i dorri fy ngwallt, yn uchel ei gloch am lwyddiant ei fab. Ond deil Preis i boeni tipyn o hyd ynghylch cyflwr ysbrydol Defi; nid ydyw'r peintiwr llwyddiannus yn llawer mwy o gapelwr nag oedd y 'cnonyn bach' y cydiai Ifan Jones ym môn ei glust. Tyn ar ôl ei dad yn hynny o beth. Rhyw un nos Sul o bob pedair y gwelwch chwi William Preis yn y capel, a rhaid i chwi fod yn llygadog i'w ganfod y nosweithiau hynny. Sleifia i mewn yn ystod yr emyn cyntaf, a sleifia allan tua therfyn yr emyn olaf. Un funud, nid oes neb yng nghongl y sedd bellaf, yr un ar y chwith i ddrws y capel; y funud nesaf, â bawd un llaw am yr oriawr ar draws ei wasgod a'i law arall yn dal y llyfr emynau i fyny'n uchel ac eofn, fe saif William Preis yno, yn canu ei hochr hi. Ac yn ystod yr emyn olaf, os digwydd i chwi daflu golwg i gyfeiriad congl y sedd bellaf, gwelwch William Preis yn gwthio'i frest allan ac yn edrych i fyny i'r to fel pe'n dilyn sŵn ei lais â'i lygaid bychain, dyfrllyd; ond y funud nesaf, fel petai'r llawr wedi ei lyncu, nid oes neb yn y gongl honno. Ugeiniau o weithiau y bûm i'n ceisio gweld William Preis yn llithro i'w sedd ar ddechrau'r gwasanaeth neu'n diflannu ohoni tua'r diwedd, ond ni chofiaf imi lwyddo erioed. Pam y sleifia i mewn ac allan fel hyn, ni wn; prin y gŵyr William Preis ei hun, y mae'n debyg. Fel un 'ffond o'i lasiad', efallai y teimla braidd yn euog yng nghwmni pobl barchus y capel. Beth bynnag, yr wyf yn siŵr na chafodd neb sgwrs ag ef yng nghyntedd y capel ar y ffordd i mewn neu allan, dim ond ei weld yno, yng nghornel ei sedd, yn sefyll fel canwr ar lwyfan drwy bob emyn, ac wedyn, yn ystod y bregeth, yn plethu ei freichiau ac yn edrych yn syth i wyneb y pregethwr â rhyw hanner gwên ar ei wyneb, ac yn nodio'n gall bob hyn a hyn. Bu llawer pregethwr dieithr yn holi Ifan Jones neu un arall o'r blaenoriaid amdano ar ôl y gwasanaeth nos Sul.

'Pwy oedd y dyn bach 'na yn y sedd olaf un?'

''Rhoswch chi, pwy sy gynnoch chi 'rŵan? William Preis mae'n debyg.'

'Dyn bach mewn siwt frown, a modrwy fawr o gwmpas 'i dei. Mwstash bach wedi'i gyrlio. Wyneb coch.'

'Ia, a thrwyn coch hefyd! William Preis, y barbwr.'

''Roedd o'n gwrando'n astud iawn, yn astud dros ben. Ond mi aeth allan cyn y Seiat.'

Y mae'n bur debyg i ambell bregethwr gredu ei fod yn cael dylanwad aruthrol ar ryw wrthgiliwr pryderus a wrandawai mor eiddgar yng nghongl y sedd olaf, a synnu'n ddirfawr nad arhosai'r dychweledig i'r Seiat. Ond pa mor rymus bynnag y bo'r bregeth, sleifio allan yn ystod yr emyn olaf a wna William Preis.

Pan af i'r siop i dorri fy ngwallt, am bregethwyr a phregethau y bydd y sgwrs. Gan fy mod i'n gapelwr go selog ac yn ysgrifennydd yr eglwys hefyd, cred William Preis mai am grefydd y dylai siarad â mi, er nad oes ganddo fwy o ddiddordeb mewn pregethu nag mewn seryddiaeth, am a wn i. Yr oeddwn i yn y siop un noswaith yr wythnos ddiwethaf, ac yr oedd yn amlwg y teimlai William Preis yn o anghyffyrddus, gan fod Jim, gŵr Ella, a Ned Stabal yno yr un pryd. Gwyddwn, a gwyddai'r ardal hefyd, fod Jim a Ned wedi gorfod arwain William Preis tuag adref y nos Sadwrn cyn hynny.

'Prygethwr da Sul dwytha', John Davies,' ebe'r barbwr.

'Reit dda,' meddwn innau.

'Diawcs, 'roedd o'n medru gweiddi, on'd oedd? Mi fydda' i'n licio prygethwr â thipyn o lais gynno fo. Synnwn i ddim nad ydi hwnna'n rêl canwr, wyddoch chi.'

'Chlywais i ddim 'i fod o, William Preis.'

''Dydi prygethwrs hiddiw ddim yn medru 'i chanu hi fel 'roeddan nhw erstalwm. Mi fydda' i wrth fy modd yn 'u clywad nhw'n mynd i hwyl. Bydda', wir.'

'Mi fetia' i 'rŵan na wyddost ti ddim be' oedd 'i destun o, Wil Preis,' ebe Jim, yn poeri fel saeth i'r ddysgl o flawd llif wrth draed Ned.

'Mi fetia' inna hefyd,' ebe Ned.

Rhoes William Preis winc arnaf a thaflu ei ben fel pe i awgrymu mai rhai fel yna oedd Jim a Ned, a bod yn rhaid iddo ef, fel barbwr, gydymddwyn â'r truenusaf o'i gwsmeriaid.

'Ydach chi'n cofio'r prygethwr hwnnw o'r Sowth, John Davies? O Lanelli ne' rywla, yntê? Hwnnw oedd y bôi. Llais fel môr, a rhibidirês o eiria.'

'Oes gin ti ofn colli'r fet, Wil Preis?'

'Pa fet, Jim?'

'Pa fet! Lle'r oedd testun y Caruso 'na oedd gynnoch chi Sul dwytha'?'

Torrai William Preis fy ngwallt ar fwy o frys nag arfer, fel petai am gael gwared â mi cyn i Jim neu Ned ddweud rhywbeth hollol anweddus yng ngŵydd ysgrifennydd yr eglwys lle'r oedd ef yn un o golofnau'r achos. Rhoes winc arnaf eto a thaflu ei ben.

'Dyna oeddwn i'n deimlo hefo'r hen Jones—hefo Mr Jones—pan oedd o'n weinidog arnon ni. Dyn neis, cofiwch, neis iawn, dyn nobyl, un o'r dynion nobla'. Ond dim llais, John Davies, byth yn mynd i hwyl.'

'Mi fasat yn meddwl 'i fod o'n flaenor, Ned,' ebe Jim. 'Neu'n brygethwr cynorthwyol, myn cebyst i. Be' oedd testun y dyn 'na, Wil Preis?'

'Pa ddyn, Jim?'

'Diawl, wyt ti'n dechra troi'n barot ne' rwbath? Mi ddeudis i 'mod i'n barod i fetio nad wyt ti ddim yn cofio be' oedd testun y *town-crier* 'na oedd gynnoch chi Sul dwytha.'

'Mi fetia' inna,' ebe Ned.

'O? Be' feti di, Jim?' gofynnodd y barbwr.

'Peint,' ebe Jim.

'Dau beint,' ebe Ned.

Edrychodd William Preis fel petai'r gair 'peint' yn un go ddieithr iddo, ac yna, wedi i'w ystyr wawrio ar ei feddwl, dechreuodd gecian chwerthin a wincian arnaf i awgrymu bod y cyfeillion ysmala hyn yn tynnu ei goes. Gwyddwn innau fod y cymdeithion diddan yn aros iddo gau'r siop cyn mynd ag ef am 'un bach' i'r Red Lion. A gwyddwn hefyd y byddai William Preis yn sleifio i mewn i'r dafarn gan adael Jim a Ned rywle yng nghymdogaeth y drws yn methu'n glir â dyfalu i 'b'le gythral' yr aeth y barbwr. Ond, wedi iddynt fynd i mewn ac at y bar, byddai William Preis yno yn eu haros. Fe sleifiai allan hefyd yn ystod y rownd olaf—os daliai ei goesau'n ddigon chwim.

Y mae'n debyg na ŵyr William Preis ddim am yr athrylith artistig a ddangosodd ei fab yn yr arholiad hwnnw ar Mathew I–X. Bygwth yn unig a wnâi Ifan Jones wrth addo galw yn nhŷ'r barbwr i roi'r wialen ar gefn yr arlunydd, a gwn, er i'w dafod swnio mor llym ag erioed ac er iddo ddal i binsio'i glust yn bur rheolaidd, fod gan Ifan Môn, o hynny ymlaen, ryw barch slei at Defi Preis. Ac ni synnwn i ddim nad ydyw'r lluniau a dynnodd Defi Barbwr y noson honno ymysg trysorau mwyaf cysegredig Ifan Jones erbyn hyn. Gwn fod pob pregethwr dieithr a fydd yn aros yn ei dŷ yn cael eu gweld, beth bynnag, a'i fod yn eu cadw, er mwyn iddynt fod yn berffaith saff, tu mewn i glawr yr hen Feibl mawr lle mae hanes geni a marw ei dadau a'i gyndadau.

Galwodd Ifan Jones yma heno tua chwech i fynd â'r harmoniym i festri'r capel. Daeth Dafydd Owen a dau o ddynion eraill gydag ef i roi help llaw—Lewis Roberts, y codwr canu, a Llew Hughes sy'n canu'r organ. Euthum innau gyda hwy, rhag ofn bod y baich yn un go drwm. Rhoddwyd yr harmoniym i lawr ar ochr y ffordd ym mhen y stryd, dipyn uwchlaw tŷ Ella, a phwy ddaeth heibio, yn fawr eu hwyl, ond Jim a Ned Stabal. Rhoes Jim ei gap i Ned, ac wedi gwthio Lewis Roberts o'r neilltu, cododd glawr yr offeryn, a dechreuodd ganu 'Yr Hen Ganfed' arni. Fel y dôi pobl i ddrysau'r tai, crwydrodd Ned atynt gyda'r cap, yn wên o glust i glust. 'Casgliad at y plant bach duon, Ned,' gwaeddodd Jim, ond yr eiliad nesaf, tawodd yr harmoniym yn sydyn a gwadnodd Jim hi am ei fywyd. Yr oedd Ella yn nrws ei thŷ.

Arhosais yn y festri i gynorthwyo ychydig gyda'r *Band*

of Hope. Yn y capel y byddai'r plant yn cyfarfod bob nos Iau, ond heno, gan fod yr harmoniym a mymryn o dân yno, aed â hwy i'r festri. Wedi iddo hongian y *modulator* mawr ar y mur, dechreuodd Lewis Roberts ar y wers gerddorol, ac eisteddodd Ifan Jones a Dafydd Owen yn y cefn i geisio cadw trefn ar rai o'r bechgyn mwyaf anesmwyth. Treuliwyd amser hir iawn yn canu'r nodau i fyny ac i lawr y *scale,* Lewis Roberts yn methu'n glir â chael ei blesio. Yr oedd rhywun allan o diwn yn ofnadwy, ond ni fedrai yn ei fyw ddarganfod pwy oedd y pechadur. Trio'r genethod ar eu pennau eu hunain, yna'r bechgyn, yna'r seddau fesul un, a phawb yn canu'n berffaith. Ond cyn gynted ag y dechreuai'r plant ganu i gyd hefo'i gilydd, yr oedd rhyw lais wrthi'n hogi llif mewn cwt sinc. Edrychai Ifan Jones o gwmpas fel petai'n barod i larpio perchen y llais anfelys hwnnw, a gwnâi Lewis Roberts ystumiau a awgrymai ei fod newydd lyncu rhyw feddyginiaeth sur ofnadwy. Yr oeddwn i'n amau ers meitin mai Wil, hogyn Jim ac Ella, oedd y troseddwr, er ei fod yn edrych cyn sobred â sant; gwelwn wên ar wynebau'r plant o'i gwmpas a gwyddwn fod llawer o ysbryd ei dad yn Wil. Cyn bo hir, galwodd Lewis Roberts Wil allan at y *Modulator* i ddangos i'r plant eraill sut yr oedd canu'r nodau. A chanodd Wil yn berffaith gywir, a'i lais, un o'r lleisiau hyfrytaf a fu gan blentyn erioed, yn gwneud i bethau mor ddienaid â 'do, re, mi, ffa', swnio'n llawn ystyr. Ond pan aeth yn ôl i'w sedd ac ymuno â'r plant eraill i ganu'r nodau, fe ddaliai rhywun i hogi'r llif yn y cwt sinc. Blinodd Lewis Roberts, a galwodd ar Ifan Jones ymlaen i 'ddweud rhwbath'. Yn lle rhoi araith, cyhoeddodd Ifan Jones ei fod am gael cystadleuaeth, ac aeth su hapus drwy'r seddau. ''Stadleuaeth deud stori,' ebe Ifan Môn, 'a chiniog yn wobr i'r gora.' Mentrodd hanner dwsin o blant ymlaen, a buont i gyd yn fyr ac yn flasus. I gyd ond un. Yr olaf oedd Wil, ac yr oedd yn amlwg ar unwaith iddo fethu dwyn stori i'w gof. Ond gan fod ceiniog yn wobr a dychymyg a thafod ganddo yntau, beth oedd o'i le mewn creu stori? Dechreuodd drwy sôn amdano'i hun yn cael dimai i'w gwario, a dyma fo'n mynd i Siop y Gongl i brynu teisen, a dyma fo'n taro wedyn ar ddyn yn begian, a dyma fo'n rhoi hanner y deisen iddo fo, a dyma'r dyn yn diolch iddo fo, a dyma fo'n gweld y dyn yn llyncu'r hanner-teisen ar un llawc, a dyma Wil yn rhoi'r hanner arall iddo fo, a dyma fo'n llyncu hwnnw yr un fath, a dyma Wil yn gofyn iddo fo pryd y cafodd o fwyd ddiwetha', a dyma'r dyn yn dweud . . . Ac ymlaen yr aeth Wil, heb aros ond i lyncu ei boer weithiau, nes i Ifan Jones, o'r diwedd, ddweud ei bod hi'n stori dda iawn, stori hynod o dda, ond bod pawb yn dyheu am wybod beth a ddigwyddodd yn y diwedd. 'Mi es i lawr,' ebe Wil, 'mi es i lawr at y llyn, a dyma fi'n gweld pysgodyn mawr, mawr, yn nofio ar wyneb y dŵr, a dyma'r pysgodyn mawr yn dŵad at y lan, a dyma fi'n 'i weld o yn taflu'i ben ac yn agor 'i geg, ac wedi imi edrach, 'roedd 'na chwecheiniog gwyn ar y cerrig wrth 'y nhraed i, a dyma finna'n codi'r chwecheiniog gwyn, a dyma fi'n mynd yn ôl i Siop Gongol, a dyma fi'n prynu dwy deisan ddima, a dyma Huws Lemon-Cali (enw perchen Siop y Gongol ar lafar plant) yn rhoi pum ciniog o newid imi, a dyma fi'n mynd i chwilio am y dyn oedd yn begian, a dyma fi'n 'i weld o yn ymyl y *Lion*, a dyma . . .' Gan i stori'r ddimai gymryd rhyw chwarter awr i'w hadrodd, ofnai Ifan Jones, yn amlwg, y gallai hanes y chwecheiniog ein cadw yno tan hanner nos. Felly, rhoes ganmoliaeth uchel iawn i Wil—a'r geiniog iddo am dewi. Tybiwn imi weld y storïwr, ar ei ffordd yn ôl i'w sedd, yn taflu winc fawr at rai o'i gyfeillion yn y cefn, ond efallai mai camgymryd yr oeddwn.

Pan ddychwelais i'r tŷ, yr oedd Meri Ifans ac Ella wrthi'n brysur yn marcio'r prisiau ar rai o'r dodrefn, Ella'n sgriblio'r pris ar ddarn o bapur wedi i'w mam ystyried ennyd a chyhoeddi'r ddedfryd.

'Coron oeddach chi'n ddeud am y cloc bach 'ma, Mam?'

'Pwy oedd yn deud 'i bod hi 'i isio fo, hefyd?'

'Nid gwraig y Person, deudwch?'

'O . . . Saith a chwech.'

Gwnaeth y ddwy damaid o swper imi, a chefais yr un pryd hanes hwn-a-hwn yn trio cael y peth-a'r-peth am swllt yn lle deunaw, a hon-a-hon yn ysgubo i mewn 'fel rhyw long hwylia fawr', chwedl Ella, ac yn methu gweld dim yn ddigon da i'w thŷ hi. Ond yr oedd yn dda gennyf weld Ella a'i mam yn mynd a'm gadael gyda'm hatgofion. Bu'r atgofion hynny yn tyrru o'm cwmpas drwy'r dydd.

Rhyfedd mor fyw y geill pethau meirwon fod yn eich meddwl! Heddiw yr oedd pob dodrefnyn a phob rhyw addurn y bu pobl yn eu prynu yn troi'n dalpiau o atgofion pan edrychwn arnynt. Y prynhawn yma, er enghraifft, tynnodd Leusa Morgan y ci tsieni oddi ar silff-ben-tân y parlwr a'i ddwyn ataf i holi ei bris. Dynes fawr, flêr, ydyw Leusa, a'i gŵr, Owen Morgan—'Now Cychod' fel y gelwir ef yn gyffredin—yn ennill bywoliaeth go ansicr trwy gadw cychod i'w hurio ar y llyn.

'Faint ydi hwn, John Davies?' gofynnodd.

'Swllt,' ebe Meri Ifans ar unwaith.

'Piti fod crac ynddo fo, 'ntê?' meddai Leusa.

‘O, chwe chiniog, ’ta,’ ebe Meri Ifans.

A daeth imi ddarlun ohonof fy hun yn hogyn claf o’r frech wen, a’m mam wedi cynnau tân yn y parlwr un diwrnod. Blinaswn ar eistedd wrth y ffenestr yn gwylio’r bobl a âi heibio; blinaswn hefyd ar chwarae â’r teganau hynny a oedd yn blith draphlith hyd y llawr o flaen y tân. Ymysg y teganau hynny yr oedd llygoden fach o rwber, a honno’n gwichian wrth i chwi ei gwasgu. Dechreuais geisio deffro’r ci tsieni trwy wasgu’r llygoden yn ymyl ei drwyn. Ond ni chymerai ef yr un sylw, ac nid oedd dim i’w wneud ond ei wthio’n araf deg ar hyd min y silff-ben-tân ag un llaw a dal y llygoden wichlyd o’i flaen â’r llaw arall. Llithrai’r ci’n ddigon difater hyd flaen y silff, ac yna rhoddai naid sydyn i ddychryn y llygoden a’i gyrru ymaith yn gyffro ac yn wichian i gyd. Ar un o’r rhuthriadau hyn y troes y ci ar ei ochr a syrthio’n llipa i lawr i’r ffender. Oes, y mae crac ynddo, Leusa Morgan, ac y mae’n syndod na falwyd ef yn dipiau y diwrnod hwnnw.

Ond yr hen harmoniym sydd fwyaf yn fy meddwl heno. Y mae’r mur gyferbyn â mi yn edrych yn rhyfedd hebddi, er i Meri Ifans osod bwrdd bach i gymryd ei lle o dan y cloc. Yno, o dan y cloc, yr wyf yn ei chofio, ac os byddai fy nhad yn y tŷ, dyna lle byddai ei het galed wedi ei tharo ar gongl yr offeryn. Ganwaith y clywais fy mam yn dweud y drefn wrth symud yr het oddi yno a’i rhoi i hongian yn y lobi, ond dal i’w tharo ar gongl yr harmoniym a wnâi fy nhad. ‘I be’ arall y mae hi’n dda?’ fyddai ei ateb i’m mam bob tro. ‘’Does neb yn canu’r hen beth.’

Ac nid oedd neb yn ei chanu. Sut y daeth hi yma, ni wn, oni feddyliodd fy nhad, pan oeddwn i’n fychan, y buasai harmoniym yn gwneud cerddor ohonof. Cofiaf fel y safwn wrthi, pan oeddwn yn ddigon tal i hynny, a'm bysedd, wedi imi roi fy nhroed ar y droedlath, yn tynnu bron bob anghytgord ohoni.

'Pam nad eisteddi di wrthi hi yn iawn a thrio canu rhwbath?' gofynnodd fy mam un noson.

A thynnais innau gadair at yr harmoniym, gan feddwl, am ennyd, mai yn hynny y methaswn.

'Tria'r "Mochyn Du",' meddai fy nhad. 'Mae honno'n ddigon hawdd.'

Ond yr oedd 'Y Mochyn Du' yn rhy anodd i mi, a buan y blinais ar drio a thrio ei chanu ag un bys.

'Piti na fedrwn i hefyd, yntê, 'Nhad?'

'Fasat ti yn licio'i chanu hi, John bach?'

'Dewcs, baswn, 'Nhad.'

'Mi ofynna' i i Huw Ffowcs ddŵad yma i ddangos iti sut i roi'r wagan ar yr haearn, wel'di. Mi bicia' i lawr i'r Bonc Fach i'w weld o ar yr awr ginio 'fory.'

Ni wyddwn beth oedd 'rhoi'r wagen ar yr haearn', ond yr oedd clywed enw Huw Ffowcs yn gwneud i'm calon guro â llawenydd. Huw Ffowcs a ganai'r organ yn y capel y pryd hwnnw, ac edrychwn arno fel rhyw fath o ddewin yn ei sedd fach wrth yr organ bob Sul. Nid oedd Huw Ffowcs fel y dynion eraill yn y capel, oherwydd yr organ oedd ei unig a'i gysegredig swydd. Ni ofynnai'r gweinidog iddo gymryd rhan yn y Cyfarfod Gweddi, na siarad yn y Seiat, na gweithredu ar Bwyllgor y Ddarlith, na mynd yn gynrychiolydd i ryw Gymanfa. Ni ddysgai ddosbarth yn yr Ysgol Sul ac ni roddai lety i weinidog dieithr. Ni chlywid llais Huw Ffowcs yn dweud 'Amen' yn ystod y bregeth; yn wir, yr oedd ganddo berffaith hawl i fynd i gysgu, am wn i. Âi i fyny i'r pulpud cyn dechrau pob gwasanaeth, a tharo papur bach ar lyfr emynau'r pregethwr. Pan oeddwn yn hogyn, teimlwn y rhoddai hyn ryw urddas iddo, gan mai ef, ac nid y pregethwr, a ddewisai'r tonau i'r cyfarfod. Ond deuthum i wybod, ymhen amser, fod rheswm arall tros hyn; rhyw ugain o donau a wyddai Huw Ffowcs, ac aeth yn draed moch fwy nag unwaith pan fu raid iddo drio canu rhyw dôn a oedd yn o ddieithr iddo.

Euthum i gysgu'r noson honno yn fy ngweld fy hun yn denu pob math o gerddoriaeth bêr allan o'r harmoniym, yr un fath â'r dyn hwnnw o Lerpwl a ddaeth i ganu'r organ newydd yn y Capel Mawr ryw fis cyn hynny. Saith oed oeddwn, ac ni ddaeth i'm meddwl ifanc y byddai'n rhaid wrth amynedd diderfyn a llawer llai o gicio pêl a chwarae 'knock-doors'. Gwyddwn fod Teddie Tŷ Crwn ac Albert Holly Bank yn cael gwersi ryw ddwywaith bob wythnos, ond yr oeddwn i'n wahanol iddynt hwy. Fe wnâi un wers, a honno'n wers unwaith ac am byth, y tro i mi.

Trannoeth, euthum i gyfarfod fy nhad ar ei ffordd adref o'r chwarel.

'Be' ddeudodd o, 'Nhad?'

'Be' ddeudodd pwy?'

'Ond Huw Ffowcs, debyg iawn.'

'O! Deud y daw o acw heno.'

'Heno? Faint o'r gloch, 'Nhad?'

'Tua saith, medda fo.'

'Mi fyddi di'n canu'r organ yn y capel reit fuan, John bach,' meddai Ifan Jones.

Hir fu'r ymaros tan saith o'r gloch. Yr oedd hi'n noson go arw a'r glaw yn taro ar y ffenestr. Tybed a ddeuai drwy'r ddrycin? Rhoes fy mam lyfr lluniau imi, ond llithrai fy llygaid o'i ddalennau i syllu i'r tân.

'Saith o'r gloch ddeudodd o, yntê, 'Nhad?'

'Faint o weithia mae isio imi ddeud yr un peth wrthat ti, hogyn?'

'Faint ydi hi rŵan?'

'Hannar awr wedi chwech. Ddaw o ddim am hannar awr arall. Sbia ar y llunia 'na, wir.'

'Ydi hi'n dal i fwrw, Mam?'

'Ydi, dipyn, wir. Ond mae hi'n well, John bach.'

'Ydach chi'n meddwl y daw o drwy'r glaw?'

'Os ydi Huw Ffowcs wedi deud y daw o, mae o'n siŵr o ddŵad,' meddai fy mam.

Syllais eto i'r tân, a dechrau dilyn, mewn dychymyg, daith Huw Ffowcs i lawr i'r pentref. Hen lanc oedd Huw, yn byw gyda'i chwaer mewn tyddyn bach ar lethr y mynydd. Buasai'n lletya wrth droed y chwarel, ond pan fu farw ei frawd-yng-nghyfraith yn sydyn, symudodd Huw yn ôl i'w hen gartref yn gwmni i'w chwaer a'i thri o blant. Cadwai hi ddwy fuwch a rhyw ddau ddwsin o ieir, a rhwng gweithio yn y chwarel drwy'r dydd a chynorthwyo ar y tipyn ffarm bob gyda'r nos, yr oedd bywyd Huw Ffowcs yn un go galed. Ond Sul neu waith, nid oedd dim a'i cadwai ymaith o'i sedd wrth organ y capel.

Clywn ef, mewn dychymyg, yn gweiddi 'Nos dawch 'rŵan Nel' ar ei chwaer, ac yn clepian y drws ar sŵn y tri o blant. Gwelwn ef yn tynnu ei gap i lawr ar ei ben wrth gerdded yn erbyn y gwynt ar hyd y llwybr o'r Tyddyn Gwyn i'r ffordd, yna'n rhoi clep i'r gât fawr haearn ac yn troi i'r chwith ac i lawr yr allt. Rhyw ddwywaith yr aethai fy nhad â mi am dro cyn belled â'r Tyddyn Gwyn, ac wrth syllu i'r tân yn aros Huw Ffowcs, synnwn ei fod yn mentro mor aml ar daith mor unig. Ond yr oedd wedi mentro heno, a gwelwn ef yn mynd heibio i'r hen dwll chwarel ac yn cyflymu ei gamau rhag ofn i ysbryd Sac Lewis godi a'i ddychryn. Yr oedd yr hen chwarel wedi ei chau ers blynyddoedd, a llifasai dŵr i'r Twll Dwfn, dŵr gwyrddgoch, rhydlyd, ac arno gysgod tywyll y graig bob amser. Ni ddangosodd fy nhad y twll hwnnw imi pan aethom am dro heibio iddo y tro cyntaf, ond yr ail waith, mynaswn gael ei weld. Codasai fi i ben y wal ar fin y lôn, a chefais fraw wrth syllu i lawr ar lonyddwch rhudd y dŵr. Er ei bod hi'n chwythu, nid oedd nemor grych ar ei wyneb, ond fel yr edrychwn, syrthiodd carreg fach o'r graig. Dychrynais am fy mywyd a llithrais i lawr yn gyflym o ben y wal. Ysbryd Sac Lewis oedd yn cynhyrfu'r dŵr, ac amdano ef y breuddwydiais am nosau wedyn. Saer maen oedd Saceus Lewis, a thorrodd ei enw ar ddŵr y Twll Dwfn trwy ei foddi ei hun ynddo; yn wir, ni soniai neb am y Twll Dwfn ar ôl hynny, ond yn hytrach, am Lyn Sac Lewis.

Caeais fy llygaid am ennyd wrth ddychmygu am Huw Ffowcs yn mynd heibio i'r hen dwll chwarel. Clywn y gwynt yn crio wrth y ffenestr, a gwelwn Huw Ffowcs druan yn cael ei hyrddio at y wal ac yn gorfod gwrando ar chwerthin ofnadwy Sac Lewis yn crwydro hyd y creigiau a thrwy'r lefelydd ymhell oddi tano. Dyn ffeind iawn oedd Huw Ffowcs, meddwn wrthyf fy hun a 'doedd dim rhaid i'r hen Sac Lewis 'na ei ddychryn fel hyn, yn enwedig ac yntau'n dod yr holl ffordd o'r Tyddyn Gwyn i roi gwers imi ar yr harmoniym. Ni welswn i mo Sac Lewis erioed, ond yr oeddwn yn siŵr mai hen ddyn bach crintachlyd ydoedd, a chrwb ar ei gefn a dim ond un sbeic o ddant ym mhen ei geg. Felly y gwelswn ef yn fy mreuddwydion, beth bynnag, ac yr oedd hi'n hen bryd i rywun ei ddal a'i roi mewn caets fel yr anifeiliaid hynny a oedd yn y sioe.

'Oes 'na rywun yn curo, Elin?' gofynnodd fy nhad.

'Huw Ffowcs, 'Nhad,' ebe fi, gan godi ar unwaith i ateb y drws.

Ond nid oedd neb yno, dim ond rhuthr y gwynt. Dychwelais braidd yn siomedig at y tân, ond fe'm cysurais fy hun â'r ffaith fod tipyn o ffordd o Lyn Sac Lewis i'n tŷ ni yng ngwaelod y pentref. Dechreuais eto ddilyn taith Huw Ffowcs—heibio i hen domen y chwarel, i lawr yr allt wrth fferm Bryn Llwyd, trwy Victoria Street a'i rhes ddiderfyn o dai unffurf wedi ei hongian ar y llethr, troi yn y gwaelod wrth Siop William Williams y tunman, trwy Liverpool Road, ymlaen drwy Caradog Row at y *gas-works* a siop Sarah Da-da, troi wedyn wrth gapel bach y Wesleaid, ac yna, trwy'r lôn gefn at ein tŷ ni. Trois fy mhen i wrando am ei gnoc ar y drws. Ond ni ddaeth, a rhaid oedd bodloni eto ar syllu i'r tân. Efallai ei fod wedi taro ar rywun ar y ffordd, neu wedi galw yn siop Sarah Da-da i brynu taffi i Owen a Jane ac Eirlys. Gwyddwn na throesai yn ei ôl, wedi ei ddychryn gan ysbryd Sac Lewis.

'Ydi hi'n saith eto, 'Nhad?' gofynnais.

'Mae hi'n o agos, wel'di. Ydi'r cloc o gwmpas 'i le, Elin?'

'Ydi,' ebe fy mam. 'Mi rois i o'n iawn hefo corn y chwarel pan oedd o'n canu pedwar.'

A'r funud honno, dyna lais yn y gegin fach. 'Oes 'na bobol yma?'

'Tyd i mewn, Huw,' ebe fy nhad. Ac wedi iddo ddod trwy ddrws y gegin, 'Ma' 'na ddisgwyl mawr amdanat ti, wel'di.'

'O, felly wir? Diawcs, mae'r hen harmonia 'ma'n edrach yn dda gynnoch chi. Ydi, wir.'

Rhoes ei droed ar y droedlath a dechreuodd ei fysedd ganu emyn, un o'r ugain a wyddai.

'Diawcs, on'd oes gynni hi sŵn hyfryd? Oes, wir. 'Merican, Robat Davies.'

'O?' meddai fy nhad, gan syllu ar yr harmoniym fel petai'n ei gweld am y tro cyntaf.

'Ia, 'Merican,' ebe Huw Ffowcs. 'Dim byd tebyg iddyn nhw. 'Merican sy gin inna adra. Wel, John bach, tyd inni gael gweld be' fedrwn ni'i wneud.' A rhoes wên a winc arnaf.

Disgwyliaswn fedru canu pob math o donau cywrain cyn diwedd y noson, ond euthum i'm gwely'n siomedig iawn. Dysgaswn drefn fy mysedd wrth ganu'r *scale*, a gadawodd Huw Ffowcs lyfr imi ei ddilyn wrth ymarfer. Llyfr diramant iawn oedd y llyfr hwnnw, yn ailadrodd fwy neu lai yr un peth o hyd, o hyd, ac ni welwn unrhyw werth ynddo. Faint gwell oeddwn i o ganu'r un peth byth a hefyd? Trois oddi wrtho i'r llyfr emynau, ond ni fedrwn wneud na rhych na rhawn o'r tonau yn hwnnw. Pam na fuasai Huw Ffowcs yn fy nysgu i'n iawn, yn lle gwastraffu amser hefo rhyw chwarae plant fel hyn?

Ofnaf mai disgybl go sâl a gafodd Huw Ffowcs yn ein tŷ ni. Daeth acw bob nos Fercher am wythnosau lawer, ond ychydig oedd yr arwyddion fy mod yn talu sylw i'r llyfr y rhoes ei fenthyg imi. Nid edrychai'n gas, ac ni ddywedai'r drefn wrthyf, dim ond dal i wenu a wincio fel petai'n rhoi'r wers gyntaf imi bob tro. A'r un fyddai ei londer a'i amynedd ar noson arw ac yntau'n wlyb at ei groen bron. Ond o'r diwedd, penderfynodd fy nhad ddarfod imi gael fy siawns ac mai gwastraff ar amser oedd dal ati fel hyn. Y nos Fercher ganlynol, euthum at yr harmoniym am awr fy hun—o barch i ymdrechion Huw Ffowcs, am a wn i.

'Rho'r gora i'r diwn gron 'na, hogyn,' ebe fy nhad o'r diwedd, 'a thria ganu rhwbath iawn. Ne' rho'r ffidil yn y to.'

Ni sylweddolais fy mod i'n ceisio dilyn, o'm cof, awgrymiadau'r llyfr y rhoesai Huw Ffowcs ei fenthyg imi. Beth bynnag, yn y to y rhoed y ffidil.

4 Y GADAIR

Heddiw eto, dydd Gwener, yr hen Feri Ifans a wnaeth damaid o frecwast imi. Wedi imi gynnau tân a tharo'r llestri ar y bwrdd, euthum allan i lenwi'r tegell wrth y feis. Clywn rywun yn ysgwyd y ddôr, ac yna'r llais uchel, gwichlyd:

'Agorwch, John Davies. Fi sy 'ma.'

Wedi imi agor y ddôr, cipiodd y tegell o'm llaw ac i ffwrdd â hi i'r tŷ. Pan ddilynais hi a dechrau cynnig help llaw hefo hyn a'r llall, gwthiodd fi i'r gadair-siglo gan orchymyn imi aros yno'n dawel nes bod y brecwast yn barod.

'Fydda' i ddim yn licio hen ddynion o gwmpas y tŷ. Pan oedd William druan yn fyw, mi fydda'n cymryd yn 'i ben weithia i gynnig golchi'r llestri ne' ysgwyd matia. Ond mi fedrwn i ddweud, diolch i'r Nefoedd, pan fuo fo farw, na fu raid iddo fo blicio tatws na golchi lloria na dim byd y dyla'r wraig ac nid y gŵr 'i 'neud. 'Roedd o'n gweithio'n ddigon calad yn yr hen chwarel 'na i haeddu tawelwch a gorffwys pan ddôi o adra. William druan, oedd, neno'r Tad! Un o'r gweithwyr gora fuo'n hollti llechan erioed, medda Jones y Stiward wrtha' i ac Ella ddiwrnod y claddu, John Davies. Gwantan iawn oedd o, fel y gwyddoch chi, ac yn cwyno hefo'i frest am flynyddoedd, ond 'doedd 'na ddim glaw nac oerni a'i cadwai i ffwrdd o'i waith . . . Gymwch chi damad o gig moch bora 'ma, John Davies?'

'Diolch yn fawr, Meri Ifans.'

'Na, mi ofalwn i ac Ella na châi o ddim piltran yn y tŷ

fel ambell un. Wyddoch chi be' oedd Now Cychod yn 'i 'neud bora ddoe?'

'Be', Meri Ifans?'

'Golchi i Leusa, os gwelwch chi'n dda. Barclod bras amdano fo, a thwb mawr allan yn y cefn. Ond dyna fo, hefo'i gychod ar y llyn a'i dipyn 'sgota, mae'i fywyd o'n un digon ysgafn. Bora ddoe, cofiwch! Dydd Iau! 'Tasa gan Leusa hannar dwsin o blant mi fuasach yn dallt y peth . . . Dowch at y bwrdd, John Davies.'

''Rydach chi'n ffeind iawn, Meri Ifans. Ac mae 'ogla da ar hwn.'

'Mi ddeudodd Ella'i hanas o wrth Jim.'

'Hanas pwy?'

'Now Morgan yn 'i farclod bras, debyg iawn. "Rhaid i titha olchi i minna, Jim," medda hi. "Ar 'i beth mawr o," medda Jim, "mi gei ditha fynd i rybela i'r chwaral 'na, yr hen chwaer. Mi ffindiwn ni drwsus melfaréd a 'sgidia hoelion mawr iti." . . . O, ia, be' ydach chi am 'neud hefo cadair eich ewyth', John Davies?'

'Wn i ddim, wir. Wyddoch chi am rywun sydd 'i heisio hi?'

'Susan, gwraig Sam Roberts, ddaru alw acw neithiwr ar 'i ffordd o dŷ'r doctor. 'Dydi Sam druan ddim gwell, ond mae'r doctor am iddo fo gael mynd allan dipyn tua'r gwanwyn 'ma. A phan soniais i eich bod chi'n gwerthu'r petha, dyma ni'n dwy ar unwaith yn cofio am gadair eich ewyth'. "Piti na fasa fo yn 'i gwerthu hi i mi," medda Susan. A dyma finna'n addo y baswn i'n sôn wrthach chi. . . . Ga' i dorri chwanag o fara-'menyn?'

'Dim diolch, Meri Ifans. Deudwch wrth Susan Roberts am yrru'r hogyn i lawr i nôl y gadair pan fyn hi. Croeso iddi ei chael.'

'Mae hen betha fel'na yn ddrud iawn—yr hen dacla sy'n 'u gneud nhw yn cymryd mantais ar bobol sâl. A 'does gan Susan druan, mwy na finna, ddim modd i dalu arian mawr iddyn nhw. Faint fydd 'i phris hi, John Davies?'

'Mil o bunnau,' meddwn, gyda winc ar Wil, hogyn Jim ac Ella, a sleifiasai i mewn i geisio cael dimai o groen ei nain cyn mynd i'r ysgol. 'Wyt ti isio ennill ceiniog, Wil?'

''Rargian, ydw,' ebe Wil.

'Hwda, ynta.'

Poerodd Wil ar y geiniog, gyda winc ar ei nain, cyn ei tharo yn llogell ei drowsus.

'Mi wyddost am y gadair ar olwynion sy'n y parlwr?'

'Gwn.'

'Wyt ti'n meddwl y medri di 'i gwthio hi?'

''I gwthio hi, medra'!'

'Dos â hi allan drwy ddrws y ffrynt a gwthia hi i fyny'r stryd a thrwy London Row i dŷ Samuel Roberts, Lake View.'

'Tŷ Owi?'

'Ia, tŷ Owi,' ebe'i nain, 'a dywed ti wrth fam Owi fod John Davies yn 'i rhoi hi'n bresant i dad Owi a bod John Davies hefyd yn gobeithio y bydd tad Owi yn gwella'n reit fuan. A dywed ti wrth fam Owi fod dy nain am ddŵad i fyny yno rywdro heno . . .'

Ond yr oedd Wil yn y parlwr erbyn hyn, ac ymhen ychydig eiliadau, clywem ei sŵn yn agor drws y ffrynt. Aeth Meri Ifans a minnau yno i'w gychwyn ar ei daith, ond prin yr oedd angen hynny gan ei fod yn gwthio'r gadair yn hynod araf a gofalus. Troesom, ein dau, yn ôl i'r tŷ, ond cydiodd Meri Ifans yn fy mraich a'm harwain yn ôl i'r drws.

''Roeddwn i'n meddwl, y cena bach,' ebe hi, gan daflu

golwg dicllon i fyny'r stryd. Yr oedd Wil, bellach, yn mynd 'fel cath i gythraul', a rhyw ferch fach y rhoddasai reid iddi yn sgrechian 'Help' nerth ei phen.

'Samuel Roberts druan!' ebe Meri Ifans pan aethom yn ôl i'r gegin. 'Mae o'n gorfod diodda'n arw. Dyn cymharol ifanc hefyd. 'Rhoswch chi, 'dydio fawr hŷn nag Ella–rhyw bump a deugain faswn i'n ddeud.'

'Strôc, yntê?'

'Ia, druan. Dau o blant bach hefyd. 'Dydio ddim fel 'tae o'n gwella rhyw lawer, er 'i fod o'n medru cropian o gwmpas y tŷ. Mi fydd y gadair yn fendith fawr iddo fo, John Davies, yn fendith fawr iawn.'

'Bydd, gobeithio. Sut mae hi arnyn nhw fel teulu?'

'Go galad, mae arna'i ofn. Chwara' teg i Susan, mae hi'n mynd allan i olchi bron bob dydd i rwla. Sut y mae hi'n medru, a chadw'r ddau o blant mor lân a del, dyn a ŵyr. *Mae* hi'n biti a fynta'n grefftwr mor dda–un o'r dynion gora fuo ganddo fo 'rioed, medda Huw Saer. Ond fel'na mae hi, John Davies; mae Rhagluniaeth yn dywyll iawn, on'd ydi . . .?'

Tra oedd Meri Ifans wrthi'n golchi'r llestri yn y gegin fach, eisteddais innau wrth y tân a llanw o atgofion yn llifo i'm meddwl. Atgofion am f'Ewythr Huw, y tirionaf a'r cywiraf o ddynion.

Cofiwn y noswaith o wanwyn y daeth atom i fyw. Buasai'n lletya cyn hynny ym mhen uchaf y pentref, gan alw i'n gweld ddwywaith neu deirgwaith bob wythnos. Ni alwai heb ddwyn ychydig o dda-da neu degan neu lyfryn yn anrheg imi, ac yr oedd ganddo hefyd nifer o driciau hefo llinyn a matsys y mynnwn iddo'u dangos imi bron bob tro y deuai i'r tŷ. Dyn cymharol fyr, tenau, ifanc yr olwg, sionc ar ei droed, ydoedd f'Ewythr Huw, bob amser yn llawn chwerthin. Y syndod oedd iddo aros yn hen lanc, ac ymhlith fy atgofion cyntaf amdano y mae'r ateb a roddai beunydd i'm mam pan ddechreuai hi ei boeni ar y pwnc—'Wel, Elin bach, 'tae'i gwallt hi heb ddŵad i ffwrdd yn fy llaw i, 'fallai y baswn i wedi'i phriodi hi.' Fe fuasai'n canlyn rhyw ferch tua Chaernarfon am gyfnod, ond wedi iddo ddarganfod mai gwallt-gosod oedd y llywethau aur ar ei phen, troes f'ewythr yn ôl i'w lety a'i lyfrau a bodloni ar ei fyd dibriod. Tynnid ei goes yn arw tua'r chwarel, wrth gwrs, ond ni wnâi ond taflu ei ben i fyny a'i wyneb yn wên i gyd. Mwynhâi y digrifwch gymaint â neb, a buan y peidiodd y tynnu coes.

A mi'n hogyn, awn am dro hefo f'Ewythr Huw yn aml iawn. Crwydrem hyd lan afon Lwyd neu ar fin y llyn neu i fyny drwy'r coed i Fryn Llus. Yr oedd ef yn ddyn a minnau'n ddim ond hogyn, ond gallech dyngu mai dau fachgen ryw naw oed oeddem. Rhedai f'ewythr yn wyllt o'm blaen ger glan yr afon, syrthiai ar ei hyd weithiau i gymryd arno saethu Indiaid Cochion, safai ar un droed ar garreg lithrig yng nghanol Rhyd-yr-Hafod gan wneud pob math o ystumiau yno, sleifiai drwy wrych i chwilio am nythod, dringai goeden er mwyn hongian gerfydd ei draed o un o'r canghennau—yn wir, teimlwn weithiau fod y gŵr deugain oed hwn yn llawn ieuangach na mi. Ambell brynhawn Sadwrn, âi â mi cyn belled â Chaernarfon, a diwrnod rhyfedd o hapus fyddai hwnnw. Daliai fy mam, wrth gwrs, fod f'ewythr yn fy nifetha'n lân, a châi ef siars ganddi, pan adawem am y trên, i beidio â phrynu melysion a phob math o 'hen geriach' imi yn y dref. 'Cofia di, Huw,' fyddai ei geiriau olaf yn ddieithriad, 'fi geith y drafferth hefo fo os daw o adra'n sâl heno.' Ysgydwai f'ewythr ei ben yn ddwys a chymerai fy llaw i'm harwain yn araf a difrifol i lawr y stryd. Cerddwn innau wrth ei ochr fel pe bawn ar fy ffordd i angladd yn hytrach nag i'r dref. Cyn gynted ag y troem i'r Stryd Fawr, gollyngwn fy ngafael yn ei law a thaflai yntau winc arnaf gan ymbalfalu ym mhoced-gefn ei drowsus. Tynnai geiniog allan a'm gyrru o'i flaen i Siop y Gongl i brynu 'rhwbath i'w gnoi yn y trên, 'rhen ddyn'.

Ni wn faint o arian a wariai f'ewythr yn y dref ar brynhawn Sadwrn fel hyn, ond gwn na fyddai raid imi ond taflu golwg hiraethus at rywbeth mewn siop neu yn y farchnad i yrru ei law ar unwaith i boced-gefn ei drowsus. Fel rheol, aem o gwmpas y siopau i ddechrau, f'ewythr yn prynu imi bob math o ddanteithion ac o 'hen geriach', chwedl fy mam. Wedyn, i lawr â ni at y Cei i edrych ar y cychod ac i wrando ar storïau ambell hen forwr. Byddai f'ewythr yn sicr o dynnu sgwrs â rhyw hen longwr ar un o seddau'r Cei, oherwydd yr oedd yn wrandawr heb ei ail. Agorai ei lygaid gleision fel petai'n clywed yr hanesyn gorau a ddaethai i glust dyn erioed; rhoddai dro sydyn yn ei ben hefyd ar ddiwedd pob cymal o'r stori, ac aml oedd ei ''Rargian fawr!' neu ei 'Esgob annwl!' Gloywai trem un hen forwr bob tro y gwelai f'ewythr a minnau yn agosáu ar hyd y Cei. ''Rŵan am domen o glwydda,' sibrydai f'ewythr wrthyf cyn cyfarfod yr hen frawd tafodrydd. . . . ''Rhoswch chi, ddeudis i'r stori honno am y Ciaptan yn dringo'r *mast* i daflu'r *currants* i'r pwdin reis?' . . . Ac eisteddem ar y sedd am awr, f'ewythr yn gegagored wrth ochr y chwedleuwr, a minnau'n addurno'r llawr â chroen oraens.

Dim ond unwaith yr aethom allan i'r Aber yn un o'r cychod swllt-yr-awr. Tro go anffodus fu hwnnw. Nid oedd f'ewythr yn fawr o rwyfwr, er y gafaelai yn y rhwyfau a thynnu fel petai am groesi i Iwerddon ac yn ôl cyn pen yr awr. Yr oedd y môr yn dawel, a llithrasom yn esmwyth tros y tonnau a minnau'n gwylio traethau a chaeau Môn yn nesáu. Ond fel yr aem ymhellach o'r lan, dechreuodd y cwch anesmwytho, a gwelwn mai go ansicr oedd hynt y rhwyfau drwy'r dŵr. Daliai f'ewythr i wenu a wincio arnaf, gan chwerthin yn llon pan yrrai ton go fawr y cwch ar ŵyr. Collaswn i bob diddordeb yn fy melysion ac yn yr oraens mawr ar hanner ei blicio, a dechreuwn deimlo bod f'ystumog yn rhyw godi a disgyn efo'r tonnau. Yr oeddwn hefyd yn amau mai arwynebol oedd gwên a chwerthin y rhwyfwr anfedrus, oherwydd gwelwn ef yn taflu ambell edrychiad go bryderus i lawr i'r tonnau. Ymhellach ac ymhellach yr aem o olwg y Cei, a chryfach o hyd yr âi hwrdd y môr. Tybiwn fod nerth y rhwyfwr yn araf ballu hefyd, oherwydd gorffwysai ar ei rwyfau yn bur aml; ac er y daliai i chwerthin a wincio, gwelwn yr edrychiad pryderus yn dyfnhau yn ei lygaid.

'Rhaid inni droi'n ôl 'rŵan, John bach,' meddai o'r diwedd, 'inni gael mynd i'r ciaffi am banad.'

Tynnodd â'i holl egni ag un rhwyf er mwyn troi pen y cwch yn ôl tua'r Cei, ond cafodd gaff gwag sydyn, a syrthiodd yn bendramwnwgl rhwng y ddwy sedd ym mlaen y cwch.

'Hei f'ewyrth, y rhwyf!' gwaeddais innau. 'Y rhwyf, y rhwyf!'

Ond yr oedd hi'n rhy hwyr. Cododd f'ewythr yn ôl i'w sedd i weld y rhwyf yn nofio fel pluen lathenni o'n cyrraedd.

'Diawcs, dyna'r wagan dros y doman, John bach! Be' ddywed dy fam, tybed?'

Tynnodd fel nafi wrth y rhwyf arall, ond ychydig argraff a wnâi hynny ar hynt y cwch. Crafodd ei ben, ennyd, ac yna cododd â'r rhwyf yn ei law i'w tharo yn y bwlch rhodli yng nghefn y cwch.

'Mi welis i Now Cychod yn sgowlio ar draws y llyn, wel'di,' meddai. 'Rhaid i ninna sgowlio bob cam yn ôl.'

Ar fôr mor anniddig ni wnâi'r rhodli, ac yn arbennig dull chwarelwr o ymarfer y grefft, ond helpu'r tonnau i daflu'r cwch o ochr i ochr. Torrais innau ar ymgysegriad f'ewythr i'r gwaith trwy awgrymu iddo fy mod ar fynd yn sâl. Yr oeddwn, yn ôl y stori a glywais ganddo droeon wedyn, yn wyrdd fy wyneb ac yn eigian fel un yn eistedd ar glustog o binnau.

'*Meddwl* dy fod ti'n sâl yr wyt ti, John bach,' meddai yntau. 'Fel'na y bydd pobol yn teimlo ar y môr, wsti. Bwyta di'r oraens 'na rŵan; mi fyddi di'n rêl bôi mewn munud. Fydd yr un llongwr go-iawn yn mynd yn sâl ar y môr, wel'di.'

Profais ar unwaith nad oeddwn yn llongwr go-iawn trwy wyro tros gefn y cwch a chael gwared o'r danteithion a fwytaswn yn y trên ac ar y ffordd i'r Cei. Rhoes f'ewythr y gorau i'w sgowlio i roddi ei law dan fy nhalcen ac i sychu fy wyneb â'i gadach poced. Bûm am ryw chwarter awr heb weld dim trwy fy nagrau ond y môr gwyrddlas yn llithro'n gyflym dan fy wyneb. Pan oeddwn yn ddigon da i eistedd i fyny ac i edrych o'm cwmpas eto, gwelwn fod y cwch yn wynebu am y môr agored, a'r dynion draw wrth y Cei yn ddim ond sbotiau bychain, pell.

'Isio Mam,' meddwn wrth f'ewythr, gan ddechrau swnian crio.

'Mi awn ni'n ôl 'rŵan, John bach,' meddai yntau, gan wthio'r rhwyf eto i'r bwlch rhodli. 'Yn ôl â ni, yntê!'

Tynnodd ei gôt a dechrau rhodli eto fel dyn gwyllt. Ond ar wib o flaen y tonnau y llithrai'r cwch, heb gymryd sylw o'r ymdrechion hyn. Sylweddolodd f'ewythr o'r diwedd fod pethau'n mynd o ddrwg i waeth, a phenderfynodd mai ceisio cymorth oedd y peth doethaf. Safodd yng nghanol y cwch â'i law uwch ei aeliau; ond, fel petai'n grwgnach iddo ystum gŵr yn darganfod cyfandir newydd, rhoes y môr hwb sydyn i'r cwch, a'i daflu yntau ar ei wyneb tros un o'r seddau. Dal i swnian crio a galw am fy mam yr oeddwn i, ond peidiais yn sydyn wrth weld cwch-pysgota mawr heb fod ymhell oddi wrthym. Gwaeddodd f'Ewythr Huw 'Ffaiar!' nerth ei ben, y cri a glywai bob awr-saethu yn y chwarel. Ond cipiai'r gwynt ei lais a'i gludo ymaith hefo'r tonnau i gyfeiriad y môr mawr.

'Wnawn ni foddi, f'Ewyrth Huw?' meddwn innau yn llawn dychryn erbyn hyn.

Chwarddodd yntau i'm cysuro, ond gwyddwn ei fod ar bigau'r drain ers meitin.

''Tasa modd mynd allan i wthio'r hen beth, mi gwthiwn i o adra bob cam,' meddai. 'Ffaiar! Help! Help!'

Ond ni thyciai'r gweiddi ddim, er bod llais f'ewythr yn un uchel a threiddgar. Chwifiodd ei het, yna ei gadach poced, wedyn ei gôt; ond parhau'n ddifater yr oedd y pysgotwyr.

'Ydi'r ffyliaid yn ddall *ac* yn fyddar, dywed?' meddai'n wyllt. 'Help! Ffaiar! Help!'

Allan i'r môr y llithrem o hyd, er i'm hewythr dynnu ei wasgod hefyd erbyn hyn. Yna gloywodd ei lygaid yn sydyn, fel petai rhyw syniad newydd wedi ei daro.

'Oes 'na angor wrth y rhaff 'ma, dywed?'

'Oes, f'ewyrth,' meddwn innau, gan bwyntio at yr haearn mawr a orweddai o dan y sedd lydan yng nghefn y cwch.

'I'r môr â fo ynta!'

Cododd yr angor trwm i'r sedd, ac wedi ei fodloni ei hun fod y rhaff yn dynn amdano, hyrddiodd ef dros ochr y cwch. Diflannodd yr angor a'r rhaff a'r cwbl i'r môr, a'm hewythr yn edrych yn hurt ar eu holau. Nid oedd pen arall y rhaff yn rhwym wrth y fodrwy haearn ar lawr y cwch.

'Llongwr da gynddeiriog ydi d'ewyth', yntê, John bach?'

'Ia,' meddwn innau, heb wybod yn iawn beth i'w ddweud. 'Wnawn ni ddim boddi, wnawn ni, f'Ewyrth Huw?'

'Boddi! Be' wyt ti isio i de heddiw, John bach? Wy? Teisan-bwdin? Jam mwyar-duon? Jeli?'

'Isio mynd adra, f'Ewyrth Huw,' oedd fy unig ateb, a hynny mewn llais cwynfanllyd ddigon.

'Twt! Paid ti â bod yn hen fabi, 'rŵan. A ninna'n ddau o'r llongwrs gora fuo' ar y môr erioed! Mi awn ni'n ôl i'r dre 'rŵan i gael clamp o de, wel'di.'

Ond yr oeddwn i, bellach, wedi ymostwng i'r gred na welwn na glan na the byth mwy, dim ond môr a thonnau a chrys rhesog f'Ewythr Huw am hynny a oedd yn weddill o'm dyddiau. Yr hen fôr gwyrdd, aflonydd, meddwn wrthyf fy hun, gan edrych mewn dychryn dros ei donnau. Ond troes fy nychryn yn llawenydd wrth imi ganfod a chlywed cwch-pysgota mawr yn dyfod tuag atom ar ei ffordd yn ôl i'r porthladd hefo llwyth o fecryll. Neidiodd f'ewythr ar ei draed a chwifio ei het yn un llaw a'i gadach poced yn y llall; gwaeddodd hefyd ddigon i godi'r meirw.

Wedi ein rhaffu wrth y cwch-modur, llithrasom yn ôl yn esmwyth ddigon. Dechreuais i sugno fy oraens a gorweddodd f'Ewythr Huw yn ôl am fygyn yng nghefn y cwch, gan gymryd arno na ddigwyddasai dim byd anghyffredin y prynhawn hwnnw.

'Paid ti â sôn gair am hyn wrth dy fam, cofia, John bach, ne' chei di byth ddŵad hefo mi i'r dre eto.'

'Na wna', f'Ewyrth Huw.'

'Fuon ni ddim allan ar y môr, naddo?'

'Naddo, f'Ewyrth Huw.'

'A ddaru ni ddim colli'r rhwyf, naddo?'

'Naddo, f'Ewyrth Huw.'

'A ddaru ni ddim colli'r angor, naddo?'

'Naddo, f'Ewyrth Huw.'

'Eistadd wrth y Cei y buon ni drwy'r pnawn, yntê, John bach?'

'Ia, f'Ewyrth Huw.'

'Yn gwrando ar storïa yr hen longwr hwnnw, yntê?'

'Ia, f'Ewyrth Huw.'

Rhoes dau hen forwr go anystyriol fanllef i'n cyfarch wrth inni ddynesu at y Cei, ond ni wnaeth f'ewythr ond codi ei het iddynt, yn wên i gyd. Bu beth amser yn dod i delerau â pherchen y cwch, a deellais wedyn fod hwnnw, ac yntau'n hanner-meddw ar y pryd, yn ceisio codi crocbris am y rhwyf a gollwyd. Pwy a ddisgwyliai amdanom ar y Cei ond yr hen forwr siaradus a yrrai'r 'Ciaptan' i ben yr hwylbren i daflu'r *currants* i'r pwdin reis. Edrychai fel gŵr a chwiliasai'n ofer am gynulleidfa drwy'r dydd, ond a ganfyddai o'r diwedd, ag ochenaid o ryddhad, wrandawr wrth fodd ei galon. Tynnodd ei bibell allan i ddechrau ei llenwi'n bwyllog, gan sgwario yn erbyn mur y Cei a gwenu i'n croesawu.

'Yr hogyn 'ma bron â llwgu,' meddai f'ewythr wrtho, ac i ffwrdd â ni ar wib i'r tŷ-bwyta cyntaf ar y ffordd o'r Cei.

Yr *oeddwn* bron â llwgu hefyd, a phrin y bwytaodd neb erioed de mor anferth â'r un a gefais i y diwrnod hwnnw.

'Tyd, Lizzie,' meddai f'ewythr wrth y ferch a weinyddai arnom, 'gwna dy ora glas i lenwi'r hogyn 'ma. Tyd â hynny o fwyd sydd yn y tŷ 'ma iddo fo. Mae o bron â syrthio, wel'di.'

Ydyw, y mae'n fwy na thebyg imi fod yn sâl y noson honno, ac i'm mam gael tipyn o 'drafferth' hefo mi cyn fy ngyrru i'm gwely.

'Dewcs, dyna storïa sy gan yr hen forwyr 'na i lawr yng Nghaernarfon, Elin,' meddai f'ewythr wrth fy mam ar ôl inni gyrraedd adref. 'Mi fuo' John bach a finna ar y Cei drwy'r pnawn yn gwrando ar un ohonyn nhw yn deud 'i hanas.'

'Fuon ni ddim allan ar y môr, Mam,' meddwn innau.

'Y?'

'A ddaru ni ddim colli'r rhwyf, naddo, f'Ewyth' Huw?'

'Y?' ebe fy mam eto.

'A ddaru ni ddim colli'r angor chwaith, naddo f'Ewyrth Huw?'

Gafaelodd f'ewythr yn ei het oddi ar yr harmoniym a'i chychwyn hi braidd yn frysiog am y drws.

'Huw!'

'Be' sy, Elin?'

'Lle buoch chi pnawn 'ma?'

'O, dim ond yn eistedd yn braf wrth y Cei, wel'di, a'r hen longwr hwnnw . . . . Dewcs, 'roedd ganddo fo un stori amdano'i hun yn 'Merica, hogan . . .'

'Fuon ni ddim mewn cwch ar y môr, Mam. A ddaru ni ddim colli'r rhwyf na'r angor na dim byd.'

Cafodd fy mam y stori i gyd oddi ar f'ewythr cyn iddo ei throi hi am ei lety, a haerai hi, yn sŵn fy nghrio i, na adawai imi fynd gydag ef i'r dref byth wedyn. Ond yr oeddwn, y mae'n bur debyg, yn llaw f'ewythr hyd y Cei neu o gwmpas y siopau neu yn y Pafiliwn y Sadwrn canlynol.

Mawr oedd fy llawenydd pan ddaeth f'Ewythr Huw i fyw atom. Buasai'n cwyno ers rhai misoedd—rhyw gloffni araf yn andwyo'i gerdded. Daliasai i ddringo i'r chwarel yn araf am wythnosau lawer, ond bu raid iddo, yn y diwedd, ufuddhau i orchymyn y meddyg ac aros gartref. Crwydrai hyd y pentref ar ei ffon, gan ymddangos mor llon ac mor ddireidus ag erioed, a phan alwai yn ein tŷ ni, uchel fyddai ei chwerthin. Ond nid aem am dro hyd fin afon Lwyd mwyach, ac ni saethai f'ewythr Indiaid Cochion na hongian fel mwnci ar goeden yn y byd. Yn wir, rhyw chwarter milltir fyddai'r tro, ac yna gorffwysai cyn ymlwybro'n ôl yn araf a llesg. Cafodd fy nhad gryn drafferth i'w gymell i adael ei lety, ond ildiodd o'r diwedd, a chofiaf yn dda y noswaith o wanwyn y daeth i fyw atom.

Yr oeddwn i yn chwarae pêl o flaen y tŷ.

'*Well done,* John bach!' meddai llais f'ewythr o'r tu ôl imi pan roddais gic go dda i'r bêl. Pan ddaeth hi ataf eilwaith, rhoddais y bêl wrth ei droed ef.

''Rŵan am gôl,' meddai gan bwyso ar ei ffon a symud yn ôl gam neu ddau. Ond heibio i'r bêl yr aeth ei droed, a syrthiodd yntau ar ei wyneb yng nghanol y stryd. Brysiodd fy nhad ato i'w gynorthwyo ac i'w arwain i mewn i'r tŷ. Dilynais innau hwy, ac yr oedd pryder yn llond fy llygaid.

'Paid ag edrach fel brych, John bach,' meddai f'ewythr wedi iddo eistedd wrth y tân. 'Mi fydd d'Ewyrth Huw yn chwara' i Aston Villa eto, wel'di. Estyn y *draughts* 'na imi gael rhoi cweir i'th dad a thitha hefo'ch gilydd.'

'Mi ddoi di hefo'r gwanwyn 'ma, Huw,' oedd geiriau fy mam bob dydd wrth f'ewythr. Ond fel y llithrai'r gwanwyn heibio, cloffi'n fwyfwy a wnâi, a bu'n rhaid iddo roi'r gorau i'r arferiad o'm cyfarfod i o'r ysgol. Âi allan ychydig ar ddwy ffon a sefyllian yng ngwaelod y stryd tua'r adeg y deuwn adref am ginio neu de, ond aeth hyd yn oed hynny yn drech nag ef cyn bo hir.

'Chi prynu cadair, Huw Davies,' meddai Doctor Andrew un diwrnod. 'Chi mynd fel fflamia wedyn drwy'r pentra yn lle ista fel *broody hen all day.* Fi gwbod am un *second-hand* a chi prynu honno yn reit *cheap.*'

Cyn diwedd yr wythnos honno, yr oedd f'ewythr yn mynd 'fel fflamia' drwy'r pentref yn ei gadair, ac yn fy nghyfarfod o'r ysgol bob bore a phob prynhawn. Yn ei gadair y bu am weddill byr ei oes.

Dylai fy atgofion am f'Ewythr Huw fod yn rhai dwys a thrist, am y gŵr gweithgar a sionc y bu'n rhaid iddo eistedd a diogi am fisoedd meithion. Ond nid ydynt, ac ni chredaf y rhoddai ef ei fendith ar atgofion felly. Oherwydd ni bu neb digrifach, mwy hwyliog, mwy chwerthingar yn y byd erioed. Ni bu neb mwy annibynnol chwaith. Ni dderbyniai geiniog na ffafr gan neb; rhoi yn hytrach na derbyn a wnâi fore a hwyr, er mai prin iawn oedd ei adnoddau, yn arbennig yn ei flwyddyn olaf. Os awn ar neges iddo i brynu llyfryn neu faco neu rywbeth, a digwydd bod dimai yn fyr, byddai'n rhaid imi fynd yn fy ôl ar unwaith â'r ddimai yn fy llaw.

'Ond fe wna'r tro ar ôl te, f'Ewyrth Huw.'

'Na wnaiff, John bach. Dos di yno 'rŵan, 'ngwas i. Hwda, dyma iti ddima am fynd.'

Ar y Bont Lwyd, yng nghanol y Stryd Fawr, y caech chwi f'ewythr gan amlaf. Yno yr ymgasglai rhai o hynafgwyr y pentref—Rhisiart Owen, y crydd; Wmffra Jones, y pwyswr; Ben Francis; William Williams, y tunman; Ellis Ifans, Tyddyn Llus. Yr oedd i'r hen gyfeillion hyn enwau eraill ar dafodau'r ardal, ond wrth eu henwau priod y soniai f'ewythr wrthyf amdanynt. Chwi a'u caech ar y Bont Lwyd bob prynhawn a hwyr pan fyddai hi'n braf, ond ar ddiwrnod glawog aent i siop Preis Barbwr neu i weithdy Huw Saer. A mawr oedd eu doethineb hwy.

Llywydd ac 'enaid' y cwmni, fel rheol, oedd Rhisiart Owen. Yr oedd yn dipyn o hynafiaethydd, meddai ef, ac nid oedd unman yn yr ardal nac yn y sir na wyddai ef ei hanes o'r dechreuad. Dyn bychan, bychan, oedd 'Y Manawyd', fel y gelwid ef amlaf, un o'r dynion lleiaf a welsoch chwi erioed, un cyflym iawn ei lafar a'i gam. Cariai ffon bob amser, a honno lawer yn rhy hir iddo; yn wir, byddai'r bagal yn gyd-wastad â'i ysgwydd, ac ymddangosai yntau braidd fel pe wedi dianc allan o lun cwmni o fugeiliaid dwyreiniol. Ei wybodaeth hynafiaethol, y mae'n bur debyg, a wnâi iddo honni i'r ffon berthyn unwaith i Owain Gwynedd, ond chwarae teg iddo, yr oedd 'O.G.' wedi ei gerfio ar fôn y bagal.

'Ond 'fallai mai Owain Gruffydd fuo'n byw drws nesa' i chi ddaru dorri'i enw ar y ffon, Rhisiart Owen?' fyddai sylw rhywun ar y bont neu yn siop y barbwr droeon.

'Paid ti â dangos dy anwybodaeth, hogyn,' fyddai ateb yr hen frawd. 'Hen daid fy hen daid ffeindiodd y ffon yma mewn ogof yr ochor draw i'r llyn. Oedd Owan Gruffydd wedi'i eni y pryd hwnnw?'

'Wel, nac oedd, ond . . .'

'Ond be'?'

'O, dim byd, Rhisiart Owan.'

'Paid ti â chodi dy gloch eto, ynta.'

A throai Rhisiart Owen at y cwmni i adrodd holl hanes y ffon.

'Mynd am dro 'roedd Owan Gwynedd hefo'i fab un diwrnod, ydach chi'n dallt. Hefo Hywal, y mab oedd yn dipyn o fardd. A dyma Hywal yn eistedd i lawr wrth ochor y ffordd i gyfansoddi cân i'r gwanwyn. "Gwell imi adal iddo fo am sbel," meddai'i dad, ac mi aeth i'r gwrych i dorri ffon gollan. 'Doedd gynno fo ddim cyllall yn digwydd bod, a dyma fo'n tynnu'i gleddyf allan i dorri'r ffon o'r gwrych. Y dwrnod wedyn, mi aeth i ffwrdd i ymladd yn erbyn y Saeson—yn erbyn y brenin Harri'r Ail, ydach chi'n dallt. A phan oedd o i ffwrdd, dyma'i wraig o yn cerfio'i enw fo ar fôn y bagal. Cristîn, 'i ail wraig o, ydach chi'n dallt, hogan glên ofnadwy ac yn meddwl y byd o Owan Gwynadd. A phan ddaeth o adra wedi rhoi cweir i Harri'r Ail yng nghyffinia Corwen 'na, dyma Cristîn yn gneud gwledd fawr iddo fo a'i filwyr, ac yn y wledd honno y cafodd Owan Gwynadd bresant o'r ffon 'ma, ydach chi'n dallt.' Yr oedd, wrth gwrs, gant a mil o fanylion na allaf i eu cofio yn y stori am y ffon, ond dyna ei chnewyllyn, ac os dangosai rhyw wrandawr unrhyw amheuaeth, cyfeiriai'r hen Risiart Owen ef at 'y llyfra'. Yn 'y llyfra' hefyd yr oedd hanes pob plas a bwthyn a chwt-mochyn yn y gymdogaeth, ac ni feiddiai neb amau un gair ynddynt. Oherwydd troai Rhisiart Owen at yr amheuwr gyda geiriau rhywbeth yn debyg i hyn:

'Aros di, ym Mhen-y-twyn yr wyt ti'n byw, yntê?'

'Ia, Rhisiart Owan.'

'Wel, beth petaswn i'n deud wrthat ti fod 'na gastall mawr unwaith lle mae'ch tŷ chi 'rŵan? Be' ddeudat ti wedyn? . . . 'Tasat ti'n cega llai ac yn darllan y llyfra, mi wnâi fyd o les iti, 'ngwas i.'

Dyn bychan hefyd oedd Wmffra Jones, y pwyswr. Collasai ef rai o'i fysedd yn y chwarel pan oedd yn gymharol ieuanc, a chafodd waith fel pwyswr yn y Bonc Isaf am weddill ei ddyddiau fel chwarelwr. Dyn tawel, dwys, oedd ef, a'i lygaid bob amser tua'r llawr ond pan godai hwy yn sydyn i daflu gwên tuag un o ddywediadau mawr Rhisiart Owen. Ni wn i am neb a welsai 'lyfra' yr hen Risiart Owen, ond pe galwech chwi yn nhŷ Wmffra Jones, âi â chwi i'r parlwr bron yn ddieithriad, i ddangos rhyw lyfr newydd a brynasai. Darllen barddoniaeth oedd ei hoffter mawr, ac yr oedd ef ei hun yn englynwr go dda, er mai pur anaml y mentrai gyhoeddi dim o'i waith. Gallaf gofio'i englyn i'r 'Helygen' y munud yma; byddai f'Ewythr Huw yn hoff o'i adrodd wrthyf.

Dyry ei llun i'r dŵr llonydd:—a chwery
Uwch araf afonydd.
Ar ei dail ai pwysau'r dydd
A'i boen a fyn obennydd?

Tawedog iawn oedd Wmffra Jones, heb agor ei geg bron ond i atalnodi storïau Rhisiart Owen hefo ambell 'Wel, wir', neu 'Wel, wir i chi'. Ond gallai f'ewythr ei gymell i adrodd englynion neu ddarnau o gywyddau yn weddol hawdd, a gwrandawai pawb yn astud a pharchus ar ei leferydd isel, mwyn. Ar ôl un o'r ysbeidiau hyn, fel rheol, y talai Rhisiart Owen wrogaeth iddo trwy ei gysylltu ef â'r 'llyfra' . . . 'Mae'r llyfra'n deud—fel y gŵyr Wmffra Jones 'ma . . .' Ac ymlaen ag ef â chlamp o stori am ryw dywysog neu uchelwr neu fardd yn 'mynd trwy Goed y Glyn acw un diwrnod' neu yn 'croesi'r llyn acw mewn cwrwgl, ydach chi'n dallt'. Gan fod f'ewythr yntau yn ddarllenwr diwyd ac yn bur hoff o farddoniaeth, yr oedd ef ac Wmffra Jones yn gyfeillion mawr.

Gŵr byr, cloff, braidd yn dew, oedd Ben Francis—o ran ymddangosiad, dipyn uwchlaw gweddill y criw. Gwisgai wasgod silsgin a chadwyn aur ar ei thraws, ac yr oedd yn hoff hefyd o esgidiau go anghyffredin. Nid rhaid dywedyd y tynnai'r 'esgidiau-dal-adar' hyn—fel rheol, rhai o ledr melyn ystwyth—holl ddirmyg Rhisiart Owen, y crydd. Yr oedd gan Ben Francis hefyd ddant aur ymhlith ei ddannedd-gosod, modrwy fawr ar fys bach ei law chwith, a chyrliai ei fwstas yn big tenau bob ochr i'w wyneb. Gwisgai ddillad golau fel rheol, a het galed fechan am ei ben. Ymddangosai, yn wir, fel rhyw aderyn dieithr, lliwiog, a syrthiasai i blith cwmni o frain go aflêr.

Aderyn uchel ei sŵn ydoedd Ben. Gallech glywed ei chwerthin ganllath o'r Bont, yn codi'n fwrlwm ar ôl bwrlwm nes troi'n besychiad poenus, cas. Y peswch hwnnw a'i cadwasai ef o lwch y sied yn y chwarel. Pan gyrhaeddech y Bont, caech ef yn rhegi'r peswch ac yn sychu ei lygaid â chadach poced o sidan amryliw. Nid oedd ganddo, am a wn i, ddiddordeb yn y byd, a gwyddai pawb fod yr hen frawd, ar waethaf ei dipyn rhodres, yn dlawd ofnadwy. Yr oedd yn hen pan gofiaf i ef gyntaf; nid oedd fawr hŷn pan laddwyd ef gan y peswch rai blynyddoedd wedyn. A daliodd i chwifio'i gadach sidan ac i gyrlio'i fwstas hyd y diwedd.

Pan âi pethau'n o fflat yn un o seiadau'r Bont neu siop y barbwr, tynnai f'ewythr goes yr hen Ben Francis ynghylch ei yrfa fel actor. Gyrfa fer iawn oedd honno, gan mai unwaith yn unig yr ymddangosodd Ben ar lwyfan, ond yr oedd ganddo ddigon o storïau, llawer ohonynt yn ddychmygol, am nosweithiau prysur y 'rihyrsals' yng ngweithdy William y Saer. William Pritchard, tad Huw Saer, oedd yr arloeswr ym myd y ddrama yn y pentref; yn wir, am a wn i nad oedd yn arloeswr yng Nghymru gyfan. Yr oedd gan William Pritchard chwaer yn byw yn Lerpwl, ac ar rai o'i ymweliadau â hi y cafodd flas ar ddrama. Er y gwyddai y câi ef a'i fagad o actorion eu torri allan o'r capel, penderfynodd godi cwmni. Lluniodd y ddrama, rhyw fath o basiant ar hanes cynnar y Cymry, ei hun, ac wedi llawer o gymell (a thalu am ambell beint yn ddistaw bach) casglodd i'w weithdy nifer go afrwydd o chwarelwyr at y gwaith. Mawr oedd y sŵn a'r gweiddi yng ngweithdy'r saer fel y chwifiai'r hen Gymry dewrion eu gwaywffyn yn yr awyr ac y bloeddient 'I'r gad! I'r gad!' Mwy oedd difyrrwch y pentref noswaith y perfformiad, pan aeth y llen i fyny ar hwn-a-hwn a hwn-a-hwn wedi eu gwisgo mewn crwyn defaid a chrwyn geifr. Prin y bwriadodd Rhagluniaeth i goesau rhai o'r actorion hyn gael arddangosiad cyhoeddus ar lwyfan, ac yr oedd yno un hen gyfaill go dew—un o wŷr y tâl o beint yn ddistaw bach—a wnâi i'r bobl feddwl am benbwl wedi magu dwy o goesau tenau, ysig. Cafodd y Brythoniaid hynafol hyn gymeradwyaeth fyddarol pan syrthiodd y llen ar ddiwedd yr olygfa gyntaf. Plesiwyd hwythau'n fawr iawn gan dderbyniad mor wresog, ac ar waethaf ymdrechion William y Saer, rhuthrodd amryw ohonynt allan o'r Neuadd ac ar draws y ffordd i fynegi eu llawenydd wrth ŵr y Red Lion. Yr oedd rhai o'i filwyr glewaf ar goll pan yrrodd William Pritchard y llen i fyny eto mewn ymateb i guro-traed y gynulleidfa. Erbyn hyn, gwelid dwy blaid ar y llwyfan, y Brythoniaid ar un llaw a'r Sgandinafiaid ar y llall. Go denau oedd rhengoedd y ddwy blaid pan godasai'r llen, ond cynyddai eu rhif o un i un fel y llithrai'r amser ymlaen. Bu ymdaro mawr tua diwedd yr olygfa, a syrthiodd y llen eto yn sŵn cymeradwyaeth heb ei hail. Plesiwyd y Brythoniaid a'r Sgandinafiaid yn fawr eilwaith, a rhuthrasant eto tros y ffordd i fynegi eu llawenydd wrth ŵr y Red Lion. Hir fu amynedd y gynulleidfa, ond bu raid i William y Saer godi'r llen o'r diwedd i dawelu'r curo traed a'r gweiddi a'r chwibanu. Eisteddai cwmni o'r Brythoniaid—yn eu mysg nifer a fu'n Sgandinafiaid ychydig cyn hynny—mewn llannerch werddlas yn y coed yn rhoi un o wŷr y llwythau gogleddol ar ei brawf. Dedfrydwyd ef i farwolaeth: oni laddasai'r abad a llosgi'r abaty yn y glyn islaw? Yr oedd pawb yn unfryd y dylid ei grogi yn ddioed a chydiodd dau o'r Brythoniaid ynddo i'w gludo ymaith. Syfrdanwyd hwy gan lais sydyn o ochr y llwyfan.

'Howld, hogia, howld!'

Daeth Ben Francis i'r golwg yn camu braidd yn ansicr, ac ni allai hyd yn oed y gŵr condemniedig ymatal rhag pwff o chwerthin wrth weld, uwchlaw'r croen dafad a'r breichiau noeth, het galed fechan am ei ben. Camodd Ben yn sigledig i flaen y llwyfan i gydnabod, trwy dynnu ei het, guro-dwylo a chwerthin y gynulleidfa, a gollyngodd William Pritchard y llen y tu ôl iddo a gadael pethau am y noson rhwng Ben Francis a'r dorf.

Cododd William y Saer gwmni arall rai blynyddoedd wedyn, ond nid oedd yn ei ddrama newydd ran a dybiai'n ddigon anodd i athrylith Ben Francis. Ni phoenai Ben ryw lawer am hyn; priodasai bellach a throi'n gapelwr ac yn ddirwestwr selog.

Yr oedd dau arall ymhlith ffyddloniaid y Bont Lwyd pan oedwn yno weithiau wrth gadair f'Ewythr Huw—William Williams, y tunman, ac Ellis Ifans, Tyddyn Llus. Dyn tal, tenau, oedd William Williams, yn sôn byth a hefyd am ei ieir, yr hobi y troes ati pan roes y gorau i'w waith fel tunman yr ardal. Y mae'n amlwg mai hobi oedd hi, oherwydd ni werthai wy i neb, dim ond eu rhoi bob tro. Os clywai fod rhywun yn cwyno, trawai hanner dwsin o wyau mewn cwd papur a gofyn i rywun a ddigwyddai fynd heibio eu gadael yn nhŷ'r sâl. Nid âi â hwy ei hun rhag i bobl y tŷ 'fynd i lolian diolch' amdanynt. Gŵr gweddw, di-blant, yn cadw tŷ ac yn golchi a phopeth iddo'i hun oedd William Williams; ond am fod ganddo enwau ar bob un o'r ieir, euthum i gredu, ar y cychwyn wrth y Bont Lwyd, fod ei deulu'n un mawr iawn. Soniai am 'Nansi' a 'Hannah' a 'Margiad' a 'Nelson', a synnwn braidd wrth glywed fy mam yn tosturio trosto am ei fod mor unig. Ceiliog un-llygad, gyda llaw, oedd 'Nelson', a mawr oedd tristwch yr hen frawd pan fu farw'n sydyn ar ôl blynyddoedd o glochdar llon bob bore.

Yr oedd William Williams yn ddyn crefyddol iawn, yn hyddysg yn ei Feibl ac yn hoff o draethu ar bynciau ysgrythurol. Gan ei fod yn byw yn agos i gapel y Methodistiaid, yn ei dŷ ef y cedwid yr agoriad, ac ef a ofalai am agor a chloi'r adeilad. Dysgai ddosbarth yn yr Ysgol Sul hefyd, dosbarth o fechgyn y câi gryn drafferth i'w cadw mewn trefn. Cymerai'r hogiau fantais ar ei ddiddordeb mewn ieir, a melysach iddynt oedd ei gael i sôn am 'Nansi' a 'Margiad' nag am chwegr Pedr neu wraig Peilat. Geiriadur Charles oedd ei awdurdod ef ar bopeth, a rhoddai ben ar bob dadl ysgrythurol wrth y Bont â'r geiriau 'Wel, mae Charles yn dweud . . .' A phlygai pawb i farn Charles—pawb ond Rhisiart Owen. Nid oedd wahaniaeth ganddo ef "tae 'na ddeg Charles yn dweud yr un peth', ac âi'n gynnen rhwng y ddau yn bur aml. A phan droai William Williams ei gefn, awgrymai Rhisiart Owen y gwnâi fyd o les iddo fo a'i Charles ymgydnabod â'r 'llyfra'.

Os Rhisiart Owen oedd 'enaid' y cwmni, Ellis Ifans Tyddyn Llus oedd ei gorff. Yr oedd yn glamp o ddyn tal a thrwm, yn pwyso cymaint â'r lleill hefo'i gilydd. Nid oedd dim digrifach na dadl rhyngddo ef a Ben Francis, Ben yn parablu pymtheg y dwsin mewn llais soprano uchel, ac Ellis Ifans yn ceisio gweiddi ar ei draws â'r llais bas dyfnaf a glywsoch erioed. Weithiau, pan fyddai Rhisiart Owen yn un o'i hwyliau gorau, clywech ddeuawd chwerthin o gyffiniau'r Bont, bwrlwm meinllais Ben, fel sŵn llygod ar biano, yn cydredeg â brefiadau dwfn Ellis Ifans.

Nid oedd "rhen Êl' yn llawn mor barchus â'r lleill; hoffai ei wydraid, a châi gerydd aml gan William Williams oherwydd y rhegfeydd a ffrwydrai drwy ei iaith. Yr oedd ganddo ffordd bell o Dyddyn Llus i'r Bont neu i Siop Preis, rhyw hanner milltir serth i lawr llethrau Bryn Llus, ond fe'i ceid ef yn y cwmni ar bob tywydd bron. Os byddai ei le wrth y Bont yn wag, gallech fod yn weddol sicr ei fod yn pwyso wrth far y Red Lion ac yn ailadrodd, gydag awdurdod a pheth anghywirdeb, rai o'r pethau doeth a glywsai ar fin Rhisiart Owen.

Unwaith yr wythnos yr âi Ellis Ifans i Siop Preis i eillio'i wyneb, a hynny y peth olaf un ar nos Sadwrn. Âi'r cwmni yno gydag ef i wylio'r gorchwyl, ac i ddadlau bob tro y dylai Preis godi dwbl neu drebl ar ŵr a adawsai i'w farf dyfu am wythnos gyfan. Ar un o'r nosweithiau hyn y chwaraewyd y cast a roes ddeunydd chwerthin i'r ardal am wythnosau lawer.

Buasai Ellis Ifans yn absennol o'r Bont am rai dyddiau, ac nid ymddangosodd wrth far y Red Lion nac yn Siop Preis ychwaith. Aeth nos Sadwrn heibio heb iddo eistedd yng nghadair y barbwr, a mawr oedd yr holi yn ei gylch ymhlith ei gymdeithion. Daeth i lawr i'r Bont brynhawn Mercher a'i farf yn un hir iawn. Buasai, meddai ef, o dan annwyd trwm, a dim ond 'rhyw bicio i lawr i weld yr hogia' yr oedd—a galw am funud yn y Red Lion.

'Beth am iti gael shêf tra wyt ti i lawr, yr hen Êl?' oedd awgrym caredig Ben Francis.

'O, twt, mi wna' i'r tro tan nos Sadwrn, wel'di,' meddai yntau. Ac i ffwrdd ag ef adref ac yn ôl i'w wely i geisio cael llwyr ymwared o'r annwyd.

Bu rhyw sibrwd a wincio a checian chwerthin a phwnio'i gilydd yn mynd ymlaen rhwng Rhisiart Owen a Ben Francis am weddill yr wythnos honno. Gwelwyd y ddau hefyd yn pwnio *Sergeant* Davies yn ei ochr droeon. Yr oedd y *Sergeant* a Rhisiart Owen yn gryn gyfeillion, ac aml yr oedai ef ar y Bont i wrando ar ddoethineb yr hen frawd, gan gymryd arno daflu golwg eryraidd yr un pryd i lawr ac i fyny'r Stryd Fawr.

Yr oedd tyfiant pythefnos ar wyneb Ellis Ifans pan eisteddodd yng nghadair Richard Preis, tad y Preis a geidw'r siop yn awr, yn o hwyr y nos Sadwrn ganlynol. Wedi cynilo gartref am ddyddiau o dan rwymau'r annwyd, cawsai ddau neu dri pheint yn fwy nag arfer yn y Red Lion, ac yr oedd, o'r herwydd, yn hwyliog anghyffredin. Pan oedd Preis ar hanner yr oruchwyliaeth o eillio'r cnwd ar ei wyneb, dyma'r drws yn agor a *Sergeant* Davies yn camu i mewn yn bur awdurdodol.

'Be' 'di hyn, Preis?'

'Be' 'di be', *Sergeant?*'

'Be' 'di be', wir! Y siop 'ma ar agor o hyd.'

'Fydda' i ddim chwinciad, *Sergeant.* Dim ond gorffan Ellis Ifans 'ma.'

'Rhaid i chi gau'r siop ar unwaith.'

'Reit, *Sergeant.* Ar unwaith.'

A phrysurodd Richard Preis i hogi'r rasal i eillio hanner arall wyneb Ellis Ifans.

'Preis!'

'Ia, *Sergeant?*'

'Mi glywsoch be' ddeudis i?'

'Do, *Sergeant.* Dim ond gorffan . . .'

'Ydach chi am gael noson yn y rhinws?'

'Ond *Sergeant* bach, fedra' i ddim gadal yr hen Ellis Ifans heb . . .'

'Y ddeddf ydi'r ddeddf, Preis. Rhaid i chi gau'r siop y munud yma.'

'Ond 'dydi Ellis Ifans ddim wedi cael shêf ers pythefnos, *Sergeant,* a dim ond un ochor i'w wyneb o ydw i wedi'i 'neud.'

'Y munud yma ddeudis i. Neu'r rhinws amdani. Dewiswch chi.'

Ymunodd Rhisiart Owen a Ben Francis yn groyw iawn ym mhrotest y cwmni. Uchel hefyd oedd eu cydymdeimlad ag Ellis Ifans pan gododd y gŵr barfog hwnnw o'i gadair i syllu ar ei wyneb yn y drych. Gan ei fod braidd yn feddw, nid oedd yn rhyw sicr iawn ar y cychwyn ai ei wyneb ef oedd yn y drych ai peidio; rhythodd arno am ennyd, ac yna camodd yn ôl i'w weld o hirbell. Dechreuodd chwerthin tipyn wrth syllu arno, ac yna nodiodd yn gyfeillgar ar y drych ac ar *Sergeant* Davies bob yn ail. Sobrodd lawer wrth olchi'r sebon ymaith â dŵr oer, a rhythodd eilwaith ar yr wyneb yn y drych.

'Hannar lleuad, myn diawl, *Sergeant,*' meddai. 'Hannar mwstas hefyd.'

''Rŵan, adra â chi, Ellis Ifans.'

'Ond *Sergeant* bach, sut gythral y medra' i fynd i'r capal bora 'fory? 'Does gin i ddim rasal na brwsh na sebon-shefio na dim yn y tŷ 'cw.'

Awgrymodd un o'r cwmni y dylai drio pladur am y tro, ac aeth *Sergeant* Davies gydag ef beth o'r ffordd adref gyda gorchymyn swta i Preis i gau'r siop.

Crwydrodd Rhisiart Owen a Ben Francis i fyny i gyfeiriad Bryn Llus bore trannoeth i geisio cymell ''rhen Êl' i ddod gyda hwy i'r capel. Ond clwyfwyd hwy gymaint gan eu derbyniad yno, a chan iaith Ellis Ifans, nes iddynt frysio'n ôl i'r pentrēf i achwyn arno wrth *Sergeant* Davies.

Yr oedd Ellis Ifans yn siop y barbwr dipyn yn gynharach y nos Sadwrn ddilynol. Cododd o'r gadair gydag ochenaid o ryddhad, a sychodd ei wyneb â'r lliain yn araf a gofalus. Gwelodd Richard Preis ef yn cydio yn y silff-ben-tân fel petai rhyw wendid wedi dyfod trosto'n sydyn.

'Ydach chi ddim yn teimlo'n dda, Ellis Ifans?' gofynnodd.

'Rhyw bendro am funud,' meddai yntau. 'Wedi brysio tipyn gormod, wel'di.'

Rhoes ei gôt amdano a tharo'i het am ei ben a pharatoi i gychwyn adref. Ond cydiodd drachefn yn sydyn yn y silff-ben-tân, a gwelodd y cwmni ei goesau'n gwegian oddi tano. Syrthiodd yn swp i'r llawr, a rhuthrodd pawb ato i'w gynorthwyo.

'Ffit,' meddai Richard Preis.

'Strôc,' meddai Ben Francis.

Agorwyd ei goler a thaflwyd dŵr oer ar ei wyneb, ond ni thyciai dim i'w ddwyn ato'i hun. Cofiodd Richard Preis fod ganddo botel o frandi yn y tŷ, a brysiodd i'w hymofyn. Gwnaeth diferyn o hwnnw fyd o les i'r claf; dechreuodd ymysgwyd a mwmian rhywbeth am 'fynd adra'. Yn y cyfamser, rhedasai Rhisiart Owen i dŷ'r meddyg, ond yr oedd Doctor Andrew ar gychwyn allan, a'r cwbl a allai awgrymu oedd i Risiart Owen a'r lleill ofalu mynd ag Ellis Ifans adref ar unwaith a'i roi yn ei wely. Addawodd Rhisiart wneuthur hynny, a rhedodd yn ôl bob cam o dŷ'r meddyg i siop y barbwr.

'Mynd â fo adra a'i roi o yn 'i wely ar unwaith,' meddai, a'i wynt yn ei ddwrn. 'At wans. Ffery sirios.'

Ond sut yn y byd y cludid ef i'w gartref, ryw hanner milltir i fyny ar lethr serth Bryn Llus? Nid oedd cerbydau modur y pryd hwnnw mewn ardal wledig fel Llanarfon, a hyd yn oed pe bai rhai, garw a chul oedd y ffordd i Dyddyn Llus. Beth am gar a cheffyl y Doctor? Yr oedd ef newydd fynd allan i rywle. Caseg Jones y Pobydd? Un go ryfedd oedd Jones, a byddai ganddo, yn bur sicr, ryw esgus mawr tros gadw'r gaseg yn yr ystabl. Ceffyl a char Siop y Gongl? Y ceffyl newydd farw, meddai rhywun, a Huws wedi bod ym Mhontnewydd y diwrnod hwnnw yn chwilio am un arall. Mul Wil Penwaig? Byddai Wil yn feddw gaib erbyn hyn, ac mor ddideimlad â'i ful.

'B . . . b . . . be' wnawn ni, deudwch?' meddai Preis, a'i bryder yn codi atal-dweud arno.

'Berfa,' meddai Rhisiart Owen.

Rhoes y claf ei dafod allan i awgrymu yr hoffai ddiferyn arall o'r brandi. Gloywodd ei lygaid a gwenodd ychydig pan gafodd lawciad ohono.

'Gan bwy mae un, deudwch?' gofynnodd Preis.

'William y Saer,' meddai Ben Francis. 'Mi a' i i'w nôl hi 'rŵan.'

Rhedodd Mrs Preis hefyd i lawr i'r Red Lion i gael potelaid arall o'r brandi; yr oedd yn amlwg fod pob llawciad o'r ddiod honno'n rhoi bywyd newydd yn y gŵr diymadferth. Cyrhaeddodd hi a Ben Francis yn ôl tua'r un adeg—Ben yn gwthio'r ferfa i mewn, ar ôl peth anhawster wrth y drws, i ganol y siop. Cafwyd cryn drafferth i godi'r cawr o ddyn iddi, ond llwyddasant o'r diwedd trwy i Richard Preis a Mrs Preis afael yn ei freichiau ac i Rhisiart Owen a Ben Francis gymryd coes bob un. Yn ffodus, yr oedd cefn go uchel i'r ferfa, a rhoddwyd ef i led-eistedd ynddi, a chlustog gyffyrddus dan ei war.

'O, mi rown ni'r hen Êl yn ei wely'n reit gynnar,' meddai Rhisiart Owen, yn cydio ym mreichiau'r ferfa ac yn ei chodi i deimlo'r pwysau. 'Caria di fy ffon i imi, Ben.'

Gwthiodd y ferfa i'r drws, ond ataliwyd ef rhag mynd gam ymhellach gan ochenaid fawr o enau'r claf. Brysiodd Preis at ben y ferfa i weld tafod fawr Ellis Ifans yn hongian allan a rhuthrodd Mrs Preis am y botel frandi. Esmwythodd diferyn o'r ddiod ef yn arw.

'Gwell inni fynd â'r brandi hefo ni,' meddai Ben Francis, a rhoes y ddwy botel, un bob ochr, ym mhocedi ei gôt.

Noson glòs, drymllyd, yn yr haf oedd hi, rhyw noson lethol y teimlai Rhisiart Owen a Ben Francis—a phawb arall, o ran hynny—yr hoffent eistedd yn eu crysau ar y landing wrth y llyn a'u traed yn chwarae dan y dŵr. Nid noson i wthio cawr o ddyn mewn berfa i fyny Bryn Llus, yr oedd hynny'n sicr ddigon. Ond â'i draed yn mynd yn fân ac yn fuan o dan bwysau'r ferfa, gwthiai'r 'Manawyd' ei lwyth yn bur eofn a medrus. I osgoi'r bobl ar y Stryd Fawr, troes wrth y Bont, er y gwyddai fod allt serth Fron Lwyd o'i flaen. Rhoes y ferfa i lawr wrth waelod yr allt, a sychodd y chwys oddi ar ei dalcen ac oddi ar ei ben moel. Cydiodd Ben Francis ym mreichiau'r ferfa, ac i ffwrdd â hwy i fyny'r Fron.

'Tria'i chadw hi mor wastad ag y medri di, Ben,' meddai Rhisiart Owen, gan gofio bod Ben yn gloff. 'Sut 'rwyt ti'n teimlo 'rŵan, 'rhen Êl?'

Ochenaid fawr oedd yr ateb o'r ferfa, ond gwelai Rhisiart Owen fod tafod Ellis Ifans yn hongian allan ac yn ysgwyd fel fflag mewn gwynt.

'Aros am funud, Ben, inni gael rhoi llymaid o'r brandi 'na iddo fo.'

Er na wthiasai'r ferfa ond ychydig lathenni, yr oedd yn dda gan Ben gael 'aros am funud'. A daeth pwff cas o besychu trosto yn fuan iawn ar ôl iddo ailgydio yn ei waith. Araf iawn, yn wir, fu'r daith i fyny'r Fron Lwyd, ond cyrhaeddwyd ei phen o'r diwedd, ac eisteddodd dau hynafgwr blin yn ddiolchgar ar fin y ffordd.

'Mae 'na hanas yn un o'r llyfra, Ben, am Llywelyn Fawr yn cael 'i gario ddeng milltir gan ddau o'i filwyr. 'Roedd o, fel mae'i enw fo'n deud, yn ddyn mawr iawn, tros 'i chwe troedfadd, wel'di . . .'

'Dim mwy nag Ellis Ifans,' meddai Ben, ac yr oedd yn amlwg nad oedd ganddo ronyn o ddiddordeb yn y stori. Penderfynodd Rhisiart Owen ei chadw at ryw achlysur arall, a chydiodd eto ym mreichiau'r ferfa.

Gwyrai'r ffordd i lawr yn allt fechan o ben Fron Lwyd cyn dechrau dringo Bryn Llus. Yr oedd Rhisiart Owen yn hanner-rhedeg i lawr yr allt, ond baglodd cyn cyrraedd y gwaelod a gollwng ei afael ar y ferfa gan adael iddi lithro'n swnllyd o'i flaen. Yn ffodus, arhosodd y ferfa ar ei thraed, ond galwai'r ysgytiad a gawsai'r claf am ddiferyn arall o'r brandi iddo.

'Gyrru gormod, Rhisiart Owan,' meddai Ben, a gwthiodd ef y ferfa yn araf a gofalus i waelod y lôn serth a ddringai Fryn Llus. Gorffwysodd y ddau yno, gan geisio peidio â meddwl am y llethr o'u blaen.

'Dy dro di, Ben,' meddai Rhisiart Owen o'r diwedd.

'Y?'

'Dy dro di.'

'Tro pwy?'

'Dy dro di. Tyd yn dy flaen.'

'Pwy ddath â hi i fan'ma, Rhisiart Owen?'

'Pwy ddath â hi i lawr Allt Lwyd? Tyd yn dy flaen.'

'Ond damia unwaith, fi oedd yn 'i gwthio hi ddwytha'.'

'Petawn i'n clywed iaith fel'na yn dŵad o'r ferfa, Ben Francis, mi faswn i'n medru madda' i'r truan sy'n eistadd ynddi hi. Un felly ydi Ellis Ifans, hen bechadur o regwr, a mi fydda' i'n meddwl weithia nad ydi o ddim yn llawn llathan ond mae . . .'

Daeth anesmwytho ac ochain ac ysgwyd tafod o'r ferfa,

a rhuthrodd y ddau i roi diferyn arall o'r brandi i Ellis Ifans.

'Fel yr o'n i'n dweud,' meddai Rhisiart Owen, ar ôl i'r gŵr yn y ferfa ymdawelu, 'petaswn i'n clywed Ellis Ifans yn defnyddio iaith fel'na, mi fedrwn i fadda' iddo fo. Un gwyllt, annosbarthus, digrefydd fuo' fo 'rioed. Ond mae clywad geiria fel'na ar dafod blaenor Wesla, a fynta'n hollol sobor, yn rhoi poen nid bychan imi.'

'Poen ne' beidio, Rhisiart Owan, fi ddaru'i gwthio hi ddwytha'.'

Cafodd f'Ewythr Huw hanes y daith honno ugeiniau o weithiau gan Ben Francis, ond go dawel fu Rhisiart Owen wedyn yn ei chylch. Yr oedd y ddau wedi llwyr ymlâdd cyn cyrraedd hanner y ffordd i Fryn Llus, ond yn ffodus iawn, dadebrasai Ellis Ifans gryn dipyn erbyn hynny, a medrodd lusgo adref yn araf a phoenus rhwng y ddau. Wedi cyrraedd Bryn Llus, cawsant fod ei fab a'i ferch-yng-nghyfraith a'u plant yn eu gwelyau, ond yr oedd tân yn y grât a rhai llestri ar y bwrdd.

'Wyt ti isio bwyd, 'rhen Êl?' gofynnodd Rhisiart Owen.

Nodiodd y claf a rhoi ei law ar ei ystumog. Rhoes Ben Francis ddŵr yn y tegell, ac aeth Rhisiart Owen ati i dorri bara-'menyn. Daethant o hyd i wyau ar silff y pantri, a dyna daro dau ohonynt mewn sosban i'w berwi.

'Mae'n rhaid 'i fod o'n well o lawar, wel'di, Ben,' meddai Rhisiart Owen, wrth wylio'r claf yn cael blas anghyffredin ar ei fwyd.

''I roi o yn 'i wely ddeudodd y Doctor, yntê, Rhisiart Owan?' meddai Ben Francis, wedi i'r bara-'menyn a'r ddau wy ddiflannu.

'Ia, ond mi wna'r tro os awn ni â fo i orwadd ar y soffa 'ma. Tyd, 'rhen Êl, iti gael tipyn o orffwys.'

Ufuddhaodd Ellis Ifans, ond wedi iddo orwedd ar y soffa daeth pwl o lawcio'r awyr trosto, a brysiodd y ddau i roi potel o frandi iddo. Ond daliai'r colli-anadl a'r griddfan ar waethaf hynny.

'Be' sy arno fo, tybed, Ben?'

'Y botal yn wag, Rhisiart Owan. Lwc imi ddŵad â'r ddwy hefo mi.'

''Rargian fawr, ydi o wedi yfad potal gyfa'?'

'Ydi.'

'Gwell inni beidio â rhoi chwaneg iddo fo, Ben.'

Ond dal i lawcio'r awyr ac ochneidio ac ysgwyd ei dafod yr oedd Ellis Ifans, ac agorodd Ben Francis yr ail botel a'i rhoi yn ei ddwylo. Tawelodd ar unwaith, ond pan estynnodd Ben ei law am y botel yn ôl, dangosodd y claf ei ddannedd fel anifail, a chwythu fel neidr.

'Gwell inni 'i gadal hi yma, Ben,' meddai Rhisiart Owen, ac wedi llyfnhau'r glustog yn ofalus dan ei ben, llithrodd y ddau yn dawel drwy'r drws ac allan i lwybr yr ardd.

Yr oeddynt wrthi'n cau'r ddôr fechan ar fin y ffordd pan glywsant ddrws Tyddyn Llus yn agor. Brysiodd y ddau yn ôl ar hyd llwybr yr ardd, ond safasant yn syfrdan wrth glywed chwerthin dwfn Ellis Ifans.

'Fedrwn i ddim gadal i chi fynd heb ddiolch i chi, 'rhen hogia.'

'D . . . diolch?' meddai Rhisiart Owen.

'Dim ond diolch yw fy nghân. Am y reid. Am y brandi. Am y swpar. Swpar reit dda hefyd—a chysidro.'

Caeodd Ben Francis ei ddyrnau a'u codi'n fygythiol, ac aeth gafael Rhisiart Owen hefyd yn dynnach yn ei ffon. Ond pa siawns a oedd gan ddau gorrach yn erbyn cawr?

'Tyd, Ben,' meddai Rhisiart Owen. 'Paid â chymryd

dim sylw ohono fo.' A chamodd ei goesau bychain yn urddasol ar hyd llwybr yr ardd ac i'r ffordd.

'Cofiwch am y ferfa, hogia,' gwaeddodd Ellis Ifans ar eu holau o ddôr yr ardd. Troes Ben i ddangos ei ddyrnau, ond ymlaen yr aeth Rhisiart Owen â'i ben yn y gwynt—yn ffigurol, beth bynnag, gan nad oedd chwa o wynt y noson honno.

Cafodd f'Ewythr Huw lawer o hwyl yn adrodd y stori ar ôl Ben Francis wrth fy nhad. Casglodd rai o'r ffeithiau hefyd oddi wrth un o ddeiliaid ffyddlonaf y Red Lion. Gwyddai hwnnw, er enghraifft, i Ellis Ifans, ymhen noswaith neu ddwy, dalu am dri gwydraid i'r Doctor Andrew, ac i'r ddau gael pyliau uchel o chwerthin rhwng pob llymaid.

'"Chi rhoi o yn y gwely," medde fi. "*At once. Very serious.* Fi mynd tros y *mountain* i weld dyn sâl iawn yn Waun Goch. Chi roi o yn y gwely *at once,* Richard Owen. *At once, Very serious!*"'

Yr oedd y ddau yfwr wrth y bar yn hwyr y noson honno, a bu raid i ŵr y Red Lion, o'r diwedd, eu troi allan i'r nos.

Y maent yn eu beddau ers blynyddoedd, y cwmni diddan y soniai f'ewythr gymaint amdanynt, ac y treuliai gymaint o amser yn eu plith pan oeddwn i'n hogyn. Hynafgwyr eraill sy'n pwyso ar y Bont erbyn hyn, ac y mae'n bur debyg y bydd Samuel Roberts yno yfory, yng nghadair f'Ewythr Huw. Aethant o'r Bont Lwyd o un i un.

'Pwy oedd yno heddiw, Huw?' fyddai cwestiwn fy mam pan ddôi f'ewythr i mewn i de neu i swper.

'O, yr hen griw, Elin. Pawb ond yr hen Risiart.'

'Ydi o'n cwyno, Huw?'

'Ydi. Yn 'i wely, medda Ben Francis. 'I galon o, yn ôl y Doctor.'

'Aros di, faint ydi oed 'rhen Risiart, dywed?'

'Mi fydd o'n bedwar ugain mis Ebrill nesa', medda Ben.'

Ond ni welodd Rhisiart Owen yr Ebrill hwnnw. A phesychodd Ben Francis ei besychiad olaf tua'r un adeg. Yr oedd Ellis Ifans yn angladd y ddau, a mynnodd gael rhoi ei ysgwydd o dan yr elor y ddau dro. A'r haf hwnnw, ar ddiwrnod heulog, braf, ac aroglau gwair lond yr awyr, cerddais wrth ochr cadair f'ewythr i waelod y ffordd a ddringai Fryn Llus.

'Dyna'r hen Êl yn mynd i lawr i'r pentra am y tro ola', wel'di,' meddai pan âi'r hers a'r cerbydau eraill heibio ar eu ffordd i'r fynwent. "Mae 'nghyfeillion adra'n myned" ydi hi, John bach.' Ni wyddai yr ymunai yntau â hwy cyn hir.

Cofiaf yr amser hwn yn dda iawn. Teimlwn, fel pob hogyn newydd adael yr ysgol a chael ei drowsus hir cyntaf, yn fwy na llond fy nghroen. A chlir yn fy meddwl yw'r bore hwnnw pan ddechreuais weithio fel 'jermon', a rhyw brentis o chwarelwr, hefo'm tad.

'Rhaid iti godi cyn brecwast 'fory, John bach,' meddai f'ewythr wrthyf y noswaith gynt.

'Cyn i chi roi tro, f'Ewyrth Huw.'

'Gawn ni weld, 'ngwas i,' meddai yntau â winc fawr ar fy nhad.

Codais yn fore drannoeth, ymhell cyn i'm mam fy ngalw, a brysiais i lawr y grisiau yn fy nhrowsus melfaréd newydd, un a luniwyd imi gan fy mam allan o hen drowsus i'm hewythr. Pwy oedd yn y gadair-siglo, yn mwynhau cwpanaid a mygyn, ond f'Ewythr Huw.

'Be' ydach chi'n wneud i fyny mor fora, f'Ewyrth Huw?'

'Dŵad hefo chdi i'r chwaral, debyg iawn, John bach. Dŵad i ddysgu iti sut mae naddu a hollti.'

'Ond f'Ewyrth Huw, fedrwch chi ddim . . .' A thewais.

'Ddim be'?'

'O, dim byd. Mi fasa'n well gin i ddysgu hefo chi na hefo neb.'

Cyn bo hir daeth fy nhad i lawr ac eistedd wrth y bwrdd i fwyta'i bowlaid o uwd trwchus â llwyaid fawr o driagl yn ei ganol, y brecwast a fynnai ef bob bore. Bwyteais innau fy wy ar frys gwyllt tra oedd Mam wrthi'n llenwi'r ddau dun bwyd. Hen dun bwyd f'ewythr oedd yr un a lanwai i mi.

'Weli di'r tolc 'na sy'n y tun bwyd, John bach?'

'Gwela', f'Ewyrth Huw.'

'Dyna be' sy i'w gael am fod yn ormod o lanc, wel'di.'

'O?'

'D'Ewyth' Huw yn mynd i'r chwaral un bora, fachgen, a hitha'n rhew ac yn farrug mawr. Ac wrth waelod y chwaral, yn ymyl Pont y Rhyd, eira wedi toddi'n bwll hir ac wedi rhewi'n wydr. Pawb arall yn 'i osgoi o, wrth gwrs, ond d'ewyth', yn trio dangos 'i hun, yn cymryd gwib gan feddwl cael sglefr ar hyd y rhew. Mi *gafodd* o sglefr, a'i draed a'i dun bwyd yn yr awyr! Paid ti â thrio dangos dy hun, John bach. Ne' codwm gei di.'

Cododd fy nhad oddi wrth y bwrdd a brysio i'r parlwr. Dychwelodd yn gwthio cadair f'ewythr o'i flaen.

'Tyd, Huw,' meddai, 'ne' mi fydd hi'n ganiad arnon ni.' A chynorthwyodd f'ewythr i mewn i'w gadair.

Yr oedd hi'n fore clir, iachus, a sŵn yr esgidiau hoelion mawr yn uchel yn yr awyr denau. Ni sylwaswn i ar y sŵn traed na bore na hwyr cyn hynny, ond gwrandawn arno yn awr â balchder yn fy nghalon. Onid oeddwn innau, bellach, yn un o'r fyddin a droediai'r ffordd i'r chwarel? Yr hoelion yn galed, galed, ar y lôn; ambell droed yn rhyw lusgo'n o drwsgl weithiau; yr eco'n forthwylion metalaidd, llym, ar lechi clawdd a tho—oedd, yr oedd y sŵn yn un melys y bore hwnnw. Gwthiais fy mawd yn ddyfnach i dwll-braich fy ngwasgod, sgwariais fy ysgwyddau, a tharo fy nhraed yn bendant ar gerrig y ffordd. Nodiais hefyd yn bur ddifater bob tro y cyfarchai fy nhad a'm hewythr rai o'r chwarelwyr a frysiai heibio, rhyw nòd cwta a awgrymai fy mod i'n hen gyfarwydd â'r daith hon yn y bore bach fel hyn. Berwodd fy ngwaed ynof pan ddywedodd rhyw ŵr ysmala wrth fy nhad, â thristwch mawr yn ei lais, ei bod hi'n 'biti garw mynd â throwsus glân fel'na i'w faeddu yn yr hen chwarel 'na hefyd'. Gwelodd f'ewythr y gwrid yn fy wyneb.

'John?'

'Ia, f'Ewyrth Huw?'

'Be' sy?'

'Dim byd.'

'Fuost ti'n chwerthin am ben rhywun 'rioed, dywad?'

''Rargian, do, debyg iawn.'

'Fuost ti'n chwerthin am dy ben dy hun ryw dro?'

'. . . Naddo, am wn i.'

'Honno ydi'r gamp, wel'di. A rhaid iti ddysgu chwerthin am dy ben dy hun dipyn yn y chwaral. Ne' mi fyddi'n siŵr o gael dy lysenwi'n John Croen-dene ne' Sion Piwis ne' rwbath tebyg. Ac ond iti weld dy hun yn iawn, wsti, mi ddoi di i ddysgu dy fod ti'n llawn mor ddigri' â neb arall. Weli di'r dyn bach acw sy'n mynd o'n blaena ni?'

'Gwela', f'Ewyrth Huw.'

'Dyna iti Now Hen Lwynog.'

'O!' A syllais gyda diddordeb ar y gŵr byr a hanner-redai wrth ochr dau chwarelwr tal, heini.

'Wyddost ti sut y cafodd o'r enw?'

'Na wn i, wir.'

'Mi ddaeth o yma o Ryd-ddu i weithio ym Mhonc yr Efail. A'r bora cynta' y daeth o i'r Bonc, dyma fo'n deud wrth yr hogia 'i fod o'n gwbod mai lle garw am lysenwa oedd y chwaral, ond 'i fod o'n ormod o hen lwynog i 'neud na deud dim fyddai'n rhoi llysenw iddo fo. "'Rydw i'n ormod o hen lwynog," medda fo. A Now Hen Lwynog fuo fo byth wedyn.'

Daliodd Ifan Môn ni i fyny, a dechreuodd wthio'r gadair i roi tipyn o orffwys i freichiau f'ewythr.

'Trio rhoi cyngor ne' ddau iddo fo, Ifan Jones,' meddai f'ewythr. 'Deud wrtho fo am gadw'i lygaid ar chwarelwyr fel Wil Erbyn Hyn iddo fo gael dysgu'n iawn.'

'Ia, dysgu gyrru'r wagan tros y doman,' meddai Ifan Jones.

Cefais y fraint o gyfarfod Wil Erbyn Hyn y bore hwnnw, gan ei fod yn gweithio yn yr un bonc â'm tad ac Ifan Jones. Dyn mawr, trwsgl, ydoedd, â rhyw wên blentynnaidd bob amser yn ei lygaid gweigion. Cysgai yn y 'barics' yng ngwaelod y chwarel, ond âi adref i Fôn bob prynhawn Sadwrn tan fore Llun, gan deithio, wrth gwrs, yn y trên-lechi, neu'r 'trên-chwarel', a redai i Borth Dinorwig. Haerai na thalai ef byth am groesi Pont Fenai. Y cwbl a wnâi, meddai ef, oedd nodio'n gyfeillgar ar borthor y bont a dweud, 'Sut mae hi erbyn hyn?' i awgrymu mai newydd groesi i'r ochr yma yr oedd.

Bedyddiwyd ef yn Wil Erbyn Hyn y tro cyntaf iddo adrodd y stori yn y chwarel.

Chwarelwr go anfedrus oedd Wil, a phrin y gallai ennill cyflog byw un wythnos. Ond gofalai fy nhad ac Ifan Môn ac un neu ddau arall daro pentwr o lechi wrth ei wal yn ddistaw bach i'w gynorthwyo. Pan ddychwelai Wil at ei res fer o lechi a'i chanfod hi wedi prifio, tynnai ei gap a chrafu ei ben â'i fys bach mewn penbleth fawr . . .

'Diawl, 'ro'n i'n deud o hyd 'mod i'n gweithio'n gletach o beth coblyn nag oedd y tipyn cerrig oedd gin i yn dangos. A fi oedd yn iawn hefyd.'

Enillodd Wil enwogrwydd yn y chwarel unwaith neu ddwy trwy yrru'r wagen a'i llwyth o rwbel yn bendramwnwgl tros y domen. Y tro diwethaf iddo wneuthur hynny, safai Symonds, stiward go lym, gerllaw yn ei wylio'n gwthio'r wagen ar hyd yr heyrn ar y gwastad. Tybiai'r stiward y rhedai'r wagen braidd yn gyflym, a gwaeddodd ar y gwthiwr i arafu tipyn arni. 'Go lew, wir, thanciw,' oedd ateb Wil, gan chwifio'i law yn gyfeillgar ar Symonds. Cyflymai'r wagen a chwibanai Wil. Ond yn lle aros yn y pant a oedd yn yr heyrn ar ben y domen, rhuthrodd yr olwynion ymlaen drosto a rhoes y wagen a'i llwyth lam dros y dibyn. Tynnodd Wil ei gap a chrafu ei ben â'i fys bach wrth edrych ar y wagen yn chwyrlïo i lawr y domen ac ar ei phen i'r llyn.

'Wel, wir, Stiward,' meddai wrth Symonds, pan geisiai'r gŵr hwnnw gael ei wynt ato ar ôl dweud y drefn yn ffyrnig, 'Wel wir, 'tasa Mam ynddi hi, fedrwn i mo'i stopio hi!'

Fel yr aem ymlaen ar hyd y ffordd, cyfarchai rhywun f'ewythr byth a hefyd—'Hylô, 'rhen Huw!' 'Pa hwyl, giaffar?' 'Dim fel codi'n fore, Huwcyn!' Ceisiai ambell un fod yn ddigrif, wrth gwrs, a chlywn bethau fel . . . 'Ewch â fo'n ôl i'w wely, Robat Davies!' neu 'Babi newydd acw, Robat?' neu 'Mynd i ddangos y chwaral i'r gŵr bonheddig, John bach?' Yr oedd gan f'Ewythr Huw ateb llon a pharod i bob un, ond sylwn, er hynny, fod y gadair yn symud dipyn yn arafach, fel petai ei freichiau'n blino'i gyrru.

'Ga' i'ch gwthio chi am sbel, f'Ewyrth Huw?'

'Cei, John bach. 'Rydw i wedi codi'n rhy fora hiddiw, fachgan. Heb ddeffro'n iawn eto.'

Gwthiais innau'n ddygn, gan geisio cadw i fyny â'm tad ac Ifan Jones a gerddai o'n blaenau. Cymerodd f'ewythr fantais ar y cyfle i roi cyngor neu ddau imi.

'Cofia di wrando ar dy dad pan fydd o'n egluro petha iti—gwrando a chau dy geg. Hefo dy glustia mae gwrando, wsti, ac os ceui di dy geg, aiff llwch y chwarel ddim i mewn iddi hi. A phan fyddi di'n dechra dysgu, paid â mynd i feddwl mai chdi sy'n rhedag y chwaral 'rwan; 'roedd yr hen le yno o dy flaen di, John bach, ac mi fydd yno ymhell ar dy ôl di hefyd.'

'Bydd, f'Ewyrth Huw.'

'Ond cofia wneud dy waith yn drwyadl, mor drwyadl â'th dad ac Ifan Môn, dau o'r chwarelwyr gora weli di byth. Paid ti â defnyddio'r frawddeg, "O, mi wnaiff y tro"; brawddeg dyn diog ydi honno, wel'di.'

Aeth Mr Walters, y stiward, heibio a'n cyfarch.

'Mae Tom Walters yn hen fôi iawn, wsti—chwarelwr wedi tyfu'n stiward heb gowtowio i neb. A dyna iti beth arall i'w gofio, 'ngwas i: paid â llyfu llaw un marciwr cerrig, na stiward na neb. 'Dydw i ddim yn cofio be' oedd y saith pechod marwol y byddai'r hen William y Saer yn arfar traethu arnyn nhw yn y seiat, ond 'rydw i'n berffaith siŵr y dylai seboni fod yn un ohonyn nhw. A'r mwya' marwol o'r cwbwl, am wn i. Cythral mewn croen ydi sebonwr, wel'di.'

Ni fyddai f'ewythr byth yn rhegi, a synnwn braidd fod ei iaith mor gref ar fater seboni. Ond gwyddwn nad oedd dim yn fwy atgas gan ei natur annibynnol ac onest ef na'r llyfu-llaw a'r ffuantwch a welid yng ngŵydd stiwardiaid y chwarel.

'Rhed ar 'u hola nhw 'rŵan, 'ngwas i,' meddai wrthyf pan oeddym wrth Bont y Rhyd, ryw ganllath oddi wrth y Neidr, y llwybr a droellai hyd lethr y mynydd ac i'r chwarel. 'A chofia agor dy glustia a chau dy geg.'

Troes y gadair yn sydyn yn ei hôl fel petai ar frys gwyllt, ond nid cyn imi gael cip ar y dagrau a ddechreuai gronni yn ei lygaid. Sylwais hefyd, am y tro cyntaf, mor llwyd ac mor denau oedd ei wyneb, am y tro cyntaf er imi glywed fy mam yn gofidio trosto droeon wrth fy nhad.

Dringai fy nhad ac Ifan Jones y Neidr yn araf a phwyllog ond, ag asbri hogyn ar ei ddiwrnod cyntaf yn y chwarel yn llam yn fy nghalon, brysiais heibio iddynt a brasgamu o'u blaenau. Pwysais yn erbyn y wal i aros amdanynt ymhen tipyn, a dilynodd fy llygaid y ffordd wen a redai wrth ochr afon Rhyd tua'r pentref. Yr oedd y lôn yn wag, bellach, heb neb arni ond f'ewythr yn ei gadair. Araf iawn, mi dybiwn, wrth ei wylio o'r llechwedd, oedd ei hynt ar hyd y ffordd. Gwthiai ag un llaw fel petai am roi gorffwys i'r llall am ennyd, ac yna arhosodd y gadair ar ochr y ffordd. 'F'Ewyrth Huw yn mynd i gael mygyn bach,' meddwn wrthyf fy hun; ond syllais yn hir ar y gadair heb weld dim mwg yn codi ohoni. Aeth fy nhad ac Ifan Môn heibio cyn imi

sylweddoli eu bod wedi fy nal a'm pasio. Brysiais ar eu holau heb wybod mai dyna'r tro olaf y gwelwn i f'ewythr allan yn ei gadair.

Pan ddaethom adref am ein swper-chwarel, gwelwn ar unwaith fod rhyw bryder yn gwmwl yn llygaid fy mam.

'Be' sy'n bod, Elin?' gofynnodd fy nhad.

'Huw,' meddai hithau. 'Mi ddaeth adra bore a gofyn imi 'i roi o'n syth yn 'i wely, Robat. Ac mae o wedi pesychu lot o waed pnawn 'ma. Mi alwais i'r Doctor i'w weld o.'

'Be' ddeudodd Doctor Andrew?'

'Dim llawar o ddim. Digon o orffwys, medda fo. Deud am inni ofalu'i gadw fo yn 'i wely.'

Aethom i'r parlwr i'w weld.

'Gefaist ti dy swper-chwaral, John bach?'

'Ddim eto, f'Ewyrth Huw.'

'Rho fwyd i'r hogyn, Elin; mae o'n siŵr o fod bron â llwgu.'

'Ond dŵad i ddeud tipyn o hanas y chwaral wrthach chi gynta' yr oeddan ni, f'Ewyrth.'

'Mi gei di ddeud y stori i gyd, Sionyn, ar ôl iti gael swpar. Dos i'w nôl, 'rŵan, 'ngwas i. A thitha, Robat.'

Rhaid oedd ufuddhau, ond ni bu cyfle y noson honno i ddweud dim o hanes fy niwrnod yn y chwarel. Yr oedd y peswch fel petai am ei fygu'n lân, ac ni châi ond ychydig funudau o lonydd ganddo.

Bu'n gorwedd ac yn pesychu felly am ryw bythefnos, a gwyddem, heb i'r Doctor ddweud gair wrthym, fod y diwedd yn agos. Arhosais i gartref o'r capel un nos Sul i fod yn gwmni iddo, a gwrandawem ein dau ar yr emynau'n nofio atom o bell drwy'r ffenestr agored. 'O

llefara, addfwyn Iesu', oedd yr olaf, a hymiai f'ewythr hi'n dawel gyda'r gynulleidfa.

'Estyn fy llyfr emyna imi, John bach.'

Rhoddais y llyfr iddo, a chofiaf ddychrynu wrth syllu ar ei ddwylo tenau, tenau, gwyn. Daeth o hyd i'r emyn, a chlywn ei anadl anesmwyth yn sibrwd y geiriau:

> 'O llefara, addfwyn Iesu!
> Mae dy eiria fel y gwin,
> Oll yn dwyn i mewn dangnefedd
> Ag sydd o anfeidrol rin . . .'

Bu tawelwch, heb ddim ond anadlu trwm ac oriog f'ewythr yn torri arno. Edrychais o'r llyfr ar y dwylo a'r breichiau ac i fyny ar yr wyneb main, llwyd. Gwenodd f'ewythr arnaf, ac yna caeodd ei lygaid, a gwlychu ei wefusau. A gwelwn ran olaf yr emyn yn ysgrifen ar y gwefusau egwan, di-waed.

> 'Mae holl leisia'r greadigaeth,
> Holl ddeniada cnawd a byd,
> Wrth dy lais hyfrytaf . . .'

Gwenodd eto ac agor ei lygaid cyn sibrwd y gair 'tawel'. Troes ei ben tua'r ffenestr am ennyd, fel pe i wrando ar sŵn y byd mawr tu allan, ac yna gwenodd drachefn a chau ei lygaid a sibrwd,

> 'Yn distewi a mynd yn fud.'

Gwelais y llyfr yn llithro i'r llawr, a gwyddwn nad oedd yn rhaid brysio am ddoctor na neb. Nid oedd dychryn yn fy nghalon ac nid oeddwn eisiau wylo. Syrthiais ar fy ngliniau, peth na wneuthum erioed o'r blaen ond wrth ddweud fy mhader cyn cysgu, a diolchais i Iesu Grist am imi gael adnabod Huw Davies. Pam y gelwais ef yn 'Huw Davies', ni wn, onid oedd rhyw syniad yng nghyrrau pell

fy meddwl nad adwaenai Iesu Grist mohono pe soniwn am 'f'Ewyrth Huw'.

Cludwyd gwely f'ewythr yn ôl i'r llofft yr wythnos honno, ond gadawodd fy mam y gadair yn ei lle yng nghornel y parlwr. Ac yno y bu hi drwy'r blynyddoedd tan i Wil, hogyn Jim ac Ella, fynd â hi ymaith bore heddiw. Pan dynnai fy mam y llwch oddi ar ddodrefn y parlwr, mor dyner yr âi'r cadach dros gadair f'ewythr! 'Huw druan!' fyddai geiriau fy mam. 'Un o'r dynion nobla' fuo'n anadlu 'rioed.'

Oedd, yr oedd f'ewythr yn un o'r dynion noblaf a fu erioed. Dyn syml, diffuant, dirodres, dewr. Gynnau, fel yr ymdreiglai'r atgofion hyn trwy fy meddwl cydiais yn hen Feibl mawr y teulu a darllenais yr enwau tu mewn i'r clawr. Yn eu mysg, yn ysgrifen fawr a henffasiwn fy nhaid, gwelwn y nodiad:

'Huw Llywelyn Padarn Davies . . . Ganwyd Ionawr 3, 1868.'

Ac oddi tano, yn ysgrifen gadarn fy nhad,

'Hunodd, Medi 29, 1914.'

'Huw Llywelyn Padarn Davies!' Beth, tybed, a ddaeth tros fy nhaid? Llywelyn oedd ei enw ef ei hun, ac y mae'n debyg y swniai 'Padarn' yn o newydd a rhamantus iddo. Poenodd yr enwau gryn dipyn ar fy nhad wedi marw f'ewythr. Os yn 'Huw Llywelyn Padarn Davies' y bedyddiwyd ef, oni ddylid torri'r un enwau ar garreg ei fedd? Gwyddai y casâi f'ewythr y ddau enw canol ac na ddefnyddiai mohonynt byth, ond tybed a oedd rhyw ddeddf neu reol ar y pwnc? Ymgynghorodd â Mr Jones, y gweinidog.

'Enwa crand, Robat Davies,' meddai yntau, 'enwa crand iawn. Ond y pethau a'r bobol syml a dirodres ydi'r rhai crandia' yn y pen draw, wyddoch chi. Dyn syml oedd eich brawd, un o'r dynion mwya' syml a chywir a welodd neb erioed. Rhowch yr enw a hoffai o ar y garreg.'

Oedais am ennyd echdoe, ar ôl claddu fy mam, wrth y lechen las ar fedd fy ewythr. 'Huw Davies' meddai'r garreg yn syml ac yn blaen.

'D'Ewyrth Huw,' meddai Ifan Môn, a gydgerddai â mi drwy'r fynwent.

Nodiais gan gofio'r Sul hwnnw, dair blynedd ar hugain yn ôl, pan fu farw f'Ewythr Huw. 'Yn 46 mlwydd oed' meddai'r garreg, a chofiwn na sylweddolwn i, yn fachgen, mai dyn cymharol ifanc oedd f'ewythr yn marw.

'Dim ond chwech a deugain oedd o, Ifan Jones. A finna, wrth weld 'i gorff o mor fychan ac mor hen yn y diwadd, yn rhyw feddwl 'i fod o'n hen ddyn.'

'Do, mi aeth yn fychan ac yn hen cyn marw, John,' meddai Ifan Môn yn dawel. 'Ond 'roedd 'i enaid o'n fawr ac yn ifanc, wel'di.'

A phlygodd yn dyner i dynnu un o'r ychydig chwyn a ymwthiai drwy'r cerrig gwynion ar droed y bedd.

5 BWRDD Y GEGIN

Wel, dyna fore Gwener heibio, a diolch i'r nefoedd am hynny. Yr oedd y lle yma fel ffair drwy ran olaf y bore, a minnau fel gŵr a godasai stondin yn ei chanol. Teimlwn yn bur euog wrth brisio a gwerthu'r peth hwn a'r peth arall. Nid hawdd yw prisio pethau sydd uwchlaw pob gwerth, yn ddarnau byw o atgofion. Deuai rhyw ysfa trosof i glirio pawb o'r tŷ, fel y taflodd Crist y newidwyr arian allan o'r deml. Ond beth arall a wnaf i hefo'r dodrefn yma ond eu gwerthu? Pe medrwn, awn â hwy i gyd hefo mi, ond nid oes le i fawr ddim yn fy llety, a ffolineb fyddai imi gadw'r tŷ yma yn fy nwylo i warchod tipyn o ddodrefn. Ac yn enwedig gan fod tai yn dechrau mynd yn brin yn yr ardal a'r rhenti, o'r herwydd, yn o uchel. Na, nid oes dim arall i'w wneud er mor anodd ydyw gollwng fy ngafael ar lawer dodrefnyn. Teimlwn i'r byw gynnau pan afaelodd Leusa Morgan, gwraig Now Cychod, mewn clustog a wnïwyd gan fy mam, a'i dal i fyny am ennyd cyn troi ei thrwyn a'i thaflu'n ôl yn ddiseremoni ar un o gadeiriau'r parlwr. Ydyw, y mae hi'n anodd gweld y pethau'n mynd o un i un. Ai dychmygu yr oeddwn pan feddyliais imi ganfod rhith o gerydd yn llygaid Meri Ifans pan werthais i'r gadair-siglo? Ie, y mae'n debyg.

Yn yr hen gadair-siglo yr eisteddai fy mam gyda'r nos, cyn ac ar ôl swper, i wnïo neu drwsio neu weu, gan ei siglo ei hun yn araf a thaflu ambell air tawel i mewn i'r sgwrs. Rhywfodd, ni feddyliai fy nhad na minnau am eistedd yn y gadair honno; cadair fy mam ac nid neb arall oedd hi, er na chofiaf iddi ei hawlio erioed. Os digwyddwn i fod allan yn o hwyr, ynddi hi yr arhosai amdanaf, gan ryw hanner cysgu uwchben ei gweu, a'i chlust yn effro i bob sŵn o gyfeiriad y lôn a dôr y cefn.

Unwaith yn unig, am a wn i, y syrthiodd i gysgu. Aethai'r hen Enoc Jones y Post ar goll ers dyddiau, a thaerai rhai iddynt ei weld â'i wyneb tua'r mynydd. Ymunais innau â'r fintai a aeth i chwilio amdano. Daliwyd ni gan y nos a'r niwl ar ochr y Foel, ac yno y buom, yng nghysgod craig fawr, am rai oriau. Pan gyrhaeddais adref, sleifiais yn ddistaw bach drwy'r ddôr a thrwy ddrws y cefn, a gwelwn, wrth gyrraedd y gegin, fod fy mam yn cysgu yn y gadair-siglo a'r hosan a drwsiai wedi llithro i'r llawr. Deffroes yn sydyn.

'On'd wyt ti'n hen ffŵl gwirion!' meddai'n wyllt. ''Dwyt ti ddim hannar call. Oes 'na ddim byd yn dy ben di, dywed?'

Edrychais braidd yn syn arni, a gwenodd hithau.

'Diolch dy fod ti'n iawn, John bach. 'Ro'n i'n breuddwydio dy fod ti wedi syrthio tros ryw glogwyn mawr ar y Foel 'na, wel'di. Ac Enoc Jones yn dawnsio ac yn gwneud campau uwch dy ben di. Fel 'tasa'r hen Enoc druan yn medru gwneud unrhyw gampau a fynta'n methu symud bron hefo'r cric-cymala! Ddaethoch chi o hyd iddo fo?'

'Naddo, wir, Mam.'

'Oes raid i chi fynd i grwydro'r hen Foel 'na nos 'fory eto?'

'Oes, os na ddaw o i'r golwg cyn hynny.'

Ond ni bu raid dringo i'r mynydd y noson wedyn, oherwydd fe gafwyd y postfeistr druan mewn pwll go ddwfn yn afon Lwyd y bore trannoeth. Yr oedd y pwll hwnnw hanner milltir i fyny'r afon, a synnai pawb i'r hen frawd fagu digon o nerth i grwydro mor bell, yn arbennig gan i Ddoctor Andrew dyngu na allai Enoc lusgo'i griccymalau gam y tu allan i'r pentref. Buasai ef a'r Doctor yn dadlau ac yn ffraeo am flynyddoedd meithion, ac awgrymai rhai iddo'i lusgo'i hun cyn belled gan amau y byddai Andrew, yn ei ffordd bendant ef, yn haeru nad oedd ganddo nerth i hynny.

'Diolch dy fod ti'n iawn, John bach,' meddai fy mam drachefn â dagrau yn ei llygaid. A gwyddwn mai ei phryder amdanaf a roesai fod i'r geiriau gwyllt funud ynghynt.

Ella a wnaeth damaid o ginio imi heddiw. Aethai ei mam i edrych am ryw gyfnither iddi yr ochr draw i'r llyn, ond rhoes siars i Ella, cyn cychwyn am y bws, i ofalu gwneud cinio a the imi.

'Ddaru Mam sôn wrthach chi, John Davies?' meddai hi pan oedd ar ganol gosod y bwrdd.

'Sôn am be', Ella?'

'Am y bwrdd 'ma.'

'Naddo, wir. Ydach chi isio bwrdd?'

'Ydw, yr hen labwst mawr iddo fo!'

'Y?'

'Mi fydda' i'n meddwl weithia nad ydi o ddim llawn llathan, John Davies. Bydda', wir.'

'Pwy?'

'Y Jim acw. Fuo 'na neb mwy di-ben erioed.'

'O?'

'Wyddoch chi be' wnaeth y cradur neithiwr?'

'Be', Ella?'

'Mynd ati i drwsio rhyw hen wats, os gwelwch chi'n dda, yn lle mynd i'w wely i godi yn y bore. A mi fuo'n rhaid i Wil, wrth gwrs, gael aros ar 'i draed hefo fo—i helpu'i dad, medda fo. Mi es i i'r gegin fach i lanhau'r 'sgidia, ac yn sydyn, dyma fi'n clŵad clec dros bob man. A dyma fi'n rhedag ar unwaith i'r gegin. "Be' oedd y glec 'na, Jim?" medda fi. "Clec? Pa glec?" medda fynta, yn edrach mor ddiniwed â babi. Ond mi wyddwn i fod rhwbath wedi digwydd, oherwydd 'roedd Wil yn cymryd arno gau carrai'i esgid. Mi es i'n ôl i'r gegin fach, ond mi rois fy mhen yn slei rownd y drws, a dyna lle'r oedd y ddau yn trio codi ystyllan y bwrdd a gwthio'r ddau bren oedd yn 'i dal hi yn ôl i'w lle.'

'Be' oedd wedi digwydd, Ella?'

'Y creadur mawr dwl! Wedi eistadd ar ochor y bwrdd, os gwelwch chi'n dda, a'r ystyllan wedi rhoi odano fo. Y *wing*, ydach chi'n dallt. "Mi trwsia' i o iti nos 'fory pan ddo' i adra o'r chwaral, 'rhen gariad," medda fo. "Trwsio, wir!" medda finna. "Beth am y ddwy ffenast 'na sy ddim yn agor, y feis yn gollwng drwy'r dydd, y ddôr na fedar neb mo'i chau hi, y dŵr sy'n dŵad i mewn i'r llofft gefn ac i'r cwt-ieir?" Thrwsiodd o ddim byd 'rioed, John Davies, dim ond malu petha. Ac mae'r gegin acw'n edrach yn rhyfadd hefo dim ond tri-chwartar bwrdd ynddi hi. Y ffwlpyn iddo fo! Rhoi'i hen ben-ôl mawr ar le mor wantan! Ymh'le yr oedd synnwyr y dyn, meddach chi?'

Cydymdeimlais ag Ella yn ei phrofedigaeth, a dweud bod croeso iddi gael y bwrdd ond iddi ei adael yma tan yfory.

Pan aeth hi i'r gegin fach i olchi'r llestri ar ôl cinio, syllais yn hir ar y bwrdd ag atgofion yn ffrydio i'm meddwl. Y bwrdd yw brenin y gegin, onid e? 'Gosod y bwrdd', 'clirio'r llestri o'r bwrdd', 'gwneud lle ar y bwrdd' i rywbeth neu'i gilydd, 'rhoi'r lamp ar y bwrdd' gyda'r nos—y mae darlun cynnes, agos-atoch, ym mhob brawddeg. A chofiwn fel y taflwn olwg ar y bwrdd wrth ddod i mewn i'r tŷ bob amser. Y llestri gwynion arno, a'm mam yn gosod lle i dri—dyna ddydd cyffredin, diddigwydd; y llestri gleision a lle wedi ei osod i bump neu chwech—a dyna edrych ymlaen am groesawu dieithriaid. Llyfr y siop neu'r llyfr rhent ar ei gongl, a gwyddwn fod fy mam ar gychwyn allan. Y lamp yn cael ei symud o'r bwrdd i'r harmoniym cyn ac ar ôl swper nos Lun, a dyna wybod bod fy mam am smwddio am awr neu ddwy. Prynhawn Sul, cyn yr Ysgol, fy nhad yn casglu dau neu dri o esboniadau i'r bwrdd; yna, nos Sul, dim ond hanner y bwrdd yn cael ei osod i swper, a'm tad yn cymryd meddiant o'r hanner arall ar gyfer y blwch o dderw du a 'llyfr cownts' y capel. Diwrnod 'cynhebrwng mawr' f'Ewythr Huw, cadach mawr sidan ar ganol y bwrdd ac ugeiniau o bobl, un ar ôl un, yn taro chwech neu swllt arno, yn gymorth parod tuag at dreuliau'r angladd. Oes, y mae myrdd o atgofion yn cronni o amgylch yr hen fwrdd.

Gynnau, codais y lliain i edrych a oedd y marciau arno o hyd. Gwenais wrth weld ôl fy nghyllell gyntaf ar fin y bwrdd, y gyllell fawr honno a yrrodd f'Ewythr Dic imi o'r Sowth un Nadolig. 'Wn i ddim be' oedd Dic isio gyrru hen beth peryglus fel'na i'r hogyn' oedd geiriau fy mam wrth fy nhad, gan ryw hanner bygwth cymryd y gyllell oddi arnaf. Cyn gynted ag y troes hi a'm tad eu cefnau, chwiliais am rywbeth i drio min y gyllell arno, ond ni welwn ddim, ac yr oedd hi'n ormod o drafferth mynd allan i'r cefn am ddarn o bren neu bwt o gangen. Dyma godi'r lliain yn ddistaw bach a gyrru'r llafn i mewn i fin y bwrdd. Ia, yr un lliain sydd ar y bwrdd heddiw, un pinc ac arno batrwm o flodau cochion; ond pe troech ef, gwelech fod yr ochr arall yn goch a'r blodau'n binc. Bydd yn rhaid imi ddygymod â lliain arall yn fy llety, y mae'n debyg, a gwaith go anodd fydd hynny. Ond na, mi af â hwn hefo mi, a bydd y blodau fel wynebau hen gyfeillion yn nieithrwch fy ystafell. Rhyfedd fel y mae peth mor farw â lliain bwrdd yn gyforiog o fywyd yn eich profiad chwi. Cofiaf fy mam yn ei olchi ambell dro ac am ddiwrnod neu ddau, edrychai'r gegin i gyd yn noeth a dieithr a digysur. Af, mi af â'r hen liain hefo mi.

Y mae'r marciau eraill hefyd ar y bwrdd o hyd, ôl hoelion a phedolau fy esgidiau pan oeddwn i'n hogyn-ysgol. Cofiaf fy mam yn dod i mewn i'r gegin yn sydyn, ac yn meddwl fy mod yn dechrau colli arnaf fy hun wrth fy ngweld yn trio dawnsio ar ben y bwrdd. Tynaswn y lliain pinc, wrth gwrs, a'i roi o'r neilltu pan aethai fy mam allan, ond dychwelasai hi braidd yn annisgwyl a'm cael yn dilyn, yn fy esgidiau hoelion-mawr, gyfarwyddiadau Joe Hopkins.

Pa le y mae'r hen Joe Hopkins bellach, tybed? Yn ei fedd ers llawer dydd, y mae'n bur sicr. Yr oedd yn tynnu at ei hanner cant yr amser hwnnw, bum mlynedd ar hugain yn ôl, a phrin y cyrhaeddai un y bu ei fywyd mor grwydrol ac mor ansicr oedran teg. Yn wir, ymddangosai yn o hen pan adwaenwn i ef.

Hogyn ar gyrraedd fy neuddeg oed oeddwn i pan ddaeth Joe Hopkins i'r pentref yn actor hefo *Ted Winter and Winter's Grand Repertory Company.* Pam y talodd Winter a'i griw ymweliad ag ardal mor Gymreig â Llanarfon, ni wn, ond cawsant dderbyniad gwresog ar y cychwyn, a thyrrai'r bobl i'r Neuadd i weld mwrdwr ar ôl mwrdwr ar y llwyfan. Dyn ifanc tal, tenau, oedd Winter, ac ef a gymerai ran yr arwr bob tro, a'i briod, y 'Winter' arall ar yr hysbysiadau, yn actio'i gariad neu ei wraig fel y byddai gofyn y ddrama. Y dihiryn bob gafael oedd Joe Hopkins; ef a edrychai dan ei aeliau ym mhob drama ac a gerddai fel petai newydd ddwyn y casgliad mewn Cyfarfod Diolchgarwch. Ac ef, druan, ar ddiwedd pob chwarae, a gâi fwled neu gleddyf drwy ei galon ac a welid yn honcian yn feddw ar draws y llwyfan cyn syrthio fel sach i'r llawr. Mawr oedd rhyddhad y gynulleidfa pan roddai Joe Hopkins ei chwythad olaf wedi ei holl gynllwynio ffiaidd a'i driciau llechwraidd drwy'r gyda'r nos. A mawr hefyd oedd rhyddhad Joe, ac yntau'n gwybod bod drws y Red Lion heb ei gau.

Coliar o Dde Cymru oedd Joe, ond gadawsai'r lofa yn gymharol ifanc i fynd yn ganwr ar lwyfannau rhai o'r *music halls* yn Llundain. Ond go brin oedd yr arian a ddygasai'r llais tenor cyfoethog i'w logell, a cheisiodd ennill gwell tamaid—a thorri ei syched—trwy droi'n dipyn o actor yn ogystal â chanwr. Ond fel yr heneiddiai, ychydig o waith—ac o ddiod—a gâi Joe, a dechreuodd feddwl am ei throi hi'n ôl i'r Cwm ac i'r lofa, er y gwyddai ei fod, bellach, yn rhy dew ac yn rhy feddal i dorri glo a gwthio dram. Cyfarfu â Winter mewn rhyw dafarn un noson, a chytunodd, uwch peint neu ddau o'r cwrw gorau, i ymuno â'i gwmni a theithio gyda hwy y bore trannoeth i Ogledd Lloegr. Daeth gyda hwy i Lanarfon yn fuan wedyn ond yr oedd hi'n amlwg, hyd yn oed i bobl y pentref, na fyddai Joe gyda hwy yn hir iawn. Yfai braidd ormod i blesio Winter, a mynnai daflu geiriau fel 'mun' a 'gel' a 'boy bach' i mewn i'w iaith ar y llwyfan. Hyd yn oed pan actiai Arglwydd Rhywbethneu'i-gilydd, ni allai Joe ymgadw rhag 'Daro, mun' neu 'Wel, diawch ariôd' ar ddechrau brawddeg go gynhyrfus.

Bu rhyw bythefnos o garu a herio a chynllwynio yn Saesneg yn ddigon i'r ardal, ac âi'r Neuadd yn wacach, wacach, o noson i noson ar waethaf ymdrechion huawdl Jacob-y-Gloch i ailennyn y brwdfrydedd cyntaf. Tua diwedd y drydedd wythnos, gwaeddai Jacob rywbeth am *Grand Farewell Performance,* ac aeth Winter a'i actorion ymaith—gan anghofio talu am fenthyg y Neuadd. Ond gadawsant Joe Hopkins ar eu holau, yn belican unig a sychedig ar ganol yr ysgwâr wrth Siop y Gongl. Yno, yn ôl pob golwg, y treuliai ei ddyddiau, yn troi ei lygaid mawrion i fyny ac i lawr y Stryd Fawr fel un ag awdurdod plismon ganddo.

Gan Joe Hopkins yr oedd y llygaid mwyaf a welais i erioed. Yr oeddynt mor fawr nes gwneud i chwi dybio y gwnâi un ohonynt y tro i bob diben ymarferol. Ar y llwyfan ac ar y stryd troai hwy'n araf ac urddasol, nes gwneud i ni, blant yr ysgol, gredu bod rhyw rym rhyfedd ac ofnadwy yn y llygaid hynny. Pe safech wrth ei ymyl, gwelech nad oedd fawr ddim bywyd na dyfnder yn y llygaid; yr oeddech fel pe'n edrych ar ddwy bêl o wydr lliwiedig. Ond o bellter, aent â'ch sylw ar unwaith, gan ennyn eich diddordeb yn y dyn tew oedd piau hwynt. A gwelech, wrth agosáu ato, farciau gleision y gwaith glo ar ei dalcen ac ar ei drwyn mawr, coch.

Cwmni Joe bob amser oedd ei gi, Sam. Os oedd y meistr yn dew, tenau iawn oedd y ci, ond yr oedd ganddo yntau bâr o lygaid mawr, syn. Annoeth fyddai i chwi holi'n rhy fanwl am linach Sam; mwngrel o'r mwngrelod ydoedd—'anything from Maerdy to Porth, mun', chwedl Joe pan holid ef yn ei gylch. Nid âi Joe i unman heb

Sam—ac nid âi Sam i unman heb Joe. Eisteddai yn swrth a diymadferth wrth ochr ei feistr ar yr ysgwâr gerllaw Siop y Gongl, a throai yntau ei lygaid mawr i fyny ac i lawr y stryd bob tro y gwnâi ei feistr hynny, a chyda'r un drem araf ac awdurdodol. Rhyw gymysgedd o gi defaid a milgi ydoedd Sam; dyna, beth bynnag, a gyhoeddai nodweddion amlycaf ei gorff taeog. Wyneb a phen ci defaid a oedd ganddo, ac i'r un traddodiad y perthynai ei gynffon hir a blewog; ond corff a choesau milgi a oedd rhwng y pen a'r gynffon, er i ddiogi a diffyg ymarfer a bwyta'n o ddiddethol ei amddifadu o'i linellau mwyaf lluniaidd. Dilynai ei feistr yn selog at far y Red Lion, a chyn gynted ag y cyrhaeddai yno, gwlychai ei wefusau â'i dafod i awgrymu bod arno yntau syched. Gofalai Joe roddi i Sam y fraint o lawcio rhyw chwarter modfedd o ddiod ar waelod pob gwydraid a yfai ef, ond yn rhyfedd iawn, troi ei drwyn a wnâi Sam oddi wrth wydryn unrhyw un ond Joe. A phan anghofiai'r meistr neilltuo'r chwarter modfedd ar waelod gwydryn, deuai ebychiad dirmygus o gyfeiriad y ci, a throai ei lygaid mawr yn edliwiol tuag at y gwydryn gwag. Ond pur anaml y digwyddai hynny, gan mai disychedu Sam oedd prif ddiben ymweliad Joe â'r Red Lion, meddai ef; gresyn o beth oedd ei orfodi ef, ddirwestwr selog, i yfed gwydraid aml a rheolaidd er mwyn cyrraedd y gwaddod a fwriadodd Rhagluniaeth i Sam.

Ar un o'i ymweliadau anfynych â'i frawd yn y De y daeth Joe o hyd i Sam—neu y daeth Sam, yn hytrach, o hyd i Joe. Digwyddodd Joe, a gawsai beint neu ddau er mwyn ei iechyd, anwylo'r ci a'i ddenu gydag ef i'r dafarn nesaf; yno prynodd swper o fara a chaws iddo, ac yr oedd hi'n amlwg fod y truan bron â llwgu. Talodd Joe am gyfran o'r bara a chaws eilwaith; talodd hefyd am hanner peint o gwrw i'r creadur anffodus. A throes Joe tua thŷ ei frawd yn llawen, gan deimlo iddo wneud ei ddyletswydd tuag at ddyn—ef ei hun—ac anifail—Sam. Sylweddolodd cyn bo hir fod Sam wrth ei sodlau, a gofynnodd iddo, yn dawel a charedig, fynd adref, os gwelai'n dda. Ond dal i ddilyn a wnâi Sam, a dechreuodd Joe chwilio am reg neu ddwy i'w erlid ymaith. Cododd Sam ei lygaid mawr edliwiol i wyneb y gŵr bonheddig a dalasai am fara a chaws iddo; ond os na fedrai, meddai Joe wrtho'i hun, ennill meistrolaeth ar fymryn o gi, pa siawns a oedd ganddo yn erbyn y byd mawr a godasai ei ddyrnau i'w erlid ef, Joe Hopkins, ers blynyddoedd bellach? Damo, yr oedd yn rhaid iddo ddangos ei nerth; dyna fu ei wendid ef erioed—rhy garedig, rhy garedig o lawer, rhy fwyn a thyner a thosturiol. Pobl galed a digydwybod a oedd yn dod ymlaen yn yr hen fyd yma; a dyna fe, Joe Hopkins, yn ddigon o ffŵl i dalu am swper—na, diawch ariôd, dau swper—i ryw hen gi fel hyn. Troes Joe yn sydyn a chynnig cic ffyrnig i'r ci—cic, pe buasai'n llwyddiannus, a godasai Sam i blith y sêr. Ond taerech, o'i weld yn hofran yn yr awyr am ennyd, mai rhoi cic iddo ef ei hun a wnaethai Joe, a phan ddisgynnodd yn swp ar y palmant, daeth Sam ato i gydymdeimlo ag ef. Chwiliodd Joe wedyn am gerrig i'w taflu at y ci, a chan fod un neu ddwy ohonynt yn beryglus o agos ato, dilynodd Sam o hirbell. A'r bore trannoeth, pan gododd Joe i gychwyn am y trên, sleifiodd Sam i mewn i'r gegin i holi sut noson a gawsai a sut hwyl a oedd arno wedi'r gyfeddach y noson gynt. A phan glybu Joe ei chwaer-yngnghyfraith yn gofidio bod y ci mor amddifad a dibreswyl wedi colli ei feistr, rhyw hen feddwyn o brynwr carpiau ac esgyrn hyd y Cwm, clymodd gortyn wrth ei goler a'i arwain gydag ef i'r orsaf.

Bu Joe a Sam yn rhyw sefyllian ar yr ysgwâr neu wrth far y Red Lion am bythefnos gyfan, a Joe yn edrych yn fwy tlodaidd a di-raen o ddydd i ddydd. Yna, ar ddiwedd yr ail wythnos, cyhoeddodd hysbysiad mawr ym mhob siop yn yr ardal fod Joe Hopkins and Co. yn agor *Living Pictures* yn y Neuadd y nos Lun ganlynol. Sam, y mae'n bur debyg, oedd yr 'and Co.' Wrth gymell gŵr y Red Lion i roddi iddo beint neu ddau ar gownt, haerai Joe y byddai, yn fuan iawn, yn dangos ei haelioni a'i gyfoeth trwy ddisychedu pob enaid byw yn y pentref.

Y Sul a fu, a'r nos Lun a ddaeth. Rhoes Joe sylltyn i ryw fachgen am dderbyn y chwechau wrth y drws, a safai yntau gerllaw yn gwenu a moesymgrymu i bawb o unrhyw bwys. Cawsai goler-big o rywle a bwa bach du, hynod daclus; a disglair iawn oedd y gadwyn loyw ar draws ei wasgod, er bod amheuaeth fawr yn yr ardal a oedd oriawr ynghlwm wrth y gadwyn honno. Yna, ryw ychydig wedi saith, dringodd Joe yn araf ac urddasol i'r llwyfan ac estyn ei law i fyny i gyfeiriad y weiren a oedd yn hongian o'r lamp nwy uwchben. Wedi cyhoeddi enw'r darlun gwych, mawreddog, aruthrol, rhyfeddol, etc., cyntaf, rhoes ei fys yn y fodrwy ar waelod y weiren a thynnu i ddiffodd y golau yn araf, araf. Yna camodd mor urddasol ag y gallai yn y tywyllwch i lawr o'r llwyfan ac ar hyd y llwybr drwy ganol y neuadd at y peiriant a safai ymhlith y seddau cefn. Dyna ysgwâr o olau ar y llen, ac yn fuan wedyn, griw o bobl hynod frysiog ac ysbonclyd yn gweu trwy'i gilydd. A throai Joe handl y peiriant nes ei fod yn chwys diferol.

Rhyfedd oedd ystranciau'r bobl frysiog ambell dro. Deuent i'r llen â'u traed i fyny, efallai, a chymerai Joe arno mai tynnu coes y gynulleidfa yr oedd. Dro arall, rhuthrai'r *cowboys* ar geffylau yn wysg eu cefnau ar draws y gynfas wen, ac uchel fyddai anogaeth y seddau blaen. Torrai'r ffilm yn bur aml, a rhuthrai'r bachgen a oedd wrth y drws i dynnu'r weiren arall a hongiai o'r lamp nwy, tra ceisiai Joe lynu'r ddau ben toredig wrth ei gilydd. Beth bynnag fyddai'r olygfa—dan do neu yn yr awyr agored—llifai'r 'glaw' i lawr tros y llen, a chwistrellai i fyny o'r gwaelod hefyd yn llif dibaid. Byr ac afrwydd oedd pob llun, ond deffroai newydd-deb y peth chwilfrydedd a syndod mawr. Onid oedd y bobl frysiog hyn yn byw ac yn symud? Ac yn ein mysg ni, blant yr ysgol, daeth y *cowboy*, George Anderson, a'r ferch hardd, Florence Turner, a'r hen forwr digrif, John Bunny, a'r ci hynod, 'Jean', yn gymeriadau agos ac annwyl iawn. Beiem Joe Hopkins yn llym, wrth gwrs, os torrai'r ffilm pan fyddai Anderson yn carlamu ar gefn ei geffyl i achub ei gariad o grafangau'r dihirod. Uchel y lleisiem anogaeth i Anderson; uwch y gwaeddem 'Bw!' ar Joe pan dorrai'r ffilm.

Denodd y peiriant a'r darluniau lond y lle o bobl i'r Neuadd bob nos am wythnos gyfan, a breuddwydiai Joe Hopkins freuddwydion melys am ei fywyd newydd yng nghanol yr esmwythderau a'r danteithion a ddygai cyfoeth iddo. A damo, ar ôl yr holl driciau a chwaraesai Ffawd ag ef, oni haeddai ef gysur a digonedd? Talodd am beint bob un i'w gyfeillion diddan yn y Red Lion, ac addawodd, wrth wylio Sam yn llyfu gwaelod ei chweched gwydraid, y codai ysbyty a neuadd newydd a phrom wrth lan y llyn a myrdd o bethau eraill yn yr ardal.

Edrychodd derbynwyr y peint arno gydag edmygedd syn a dwys, a dywedai pob un ohonynt wrth ei gilydd—ond yng nghlyw Joe—nad oedd neb yn y pentref yn deilwng i ddatod carrai ei esgidiau. Ac uwch yr ail beint a roes iddynt, aethant gam ymhellach a haeru nad oedd neb yn y sir yn deilwng o'r fraint honno. Aeth Joe yn rhy feddw—ac yn rhy dlawd—i roddi iddynt drydydd peint a'r cyfle i wneud y 'sir' yn 'Gymru gyfan', ond enillodd Wil Feddw y gymwynas honno trwy ddadlau'n groyw mai dyfais Joe ei hun oedd y peiriant a daflai'r darluniau byw ar y llen. Ni chymerodd Joe ran yn y ddadl, dim ond awgrymu'n gynnil i ba ochr y gwyrai ef trwy dalu am beint arall i Wil.

Ond tua chanol yr ail wythnos, dechreuodd breuddwydion Joe am gyfoeth a braster bylu. Hanner gwag oedd y Neuadd, ac aeth pethau o ddrwg i waeth erbyn diwedd yr wythnos. Beth gynllwyn a oedd yn bod ar y bobl? Oni wnâi ef ei orau glas iddynt? Beth a ddisgwylient am chwe cheiniog, a grot? Yr oedd hi'n wir y torrai'r ffilm yn bur aml a bod aros go hir rhwng pob llun; gwir hefyd y dangosai *Whitewashing the Sweep,* yr unig lun a oedd ganddo beunydd wrth law, bron bob nos i lenwi rhyw fwlch neu'i gilydd. Ond diawch ariôd, onid oedd ef yn arloeswr ac yn anturiaethwr ym myd celfyddyd hollol newydd? Er hynny, crafodd Joe ei ben i geisio darganfod rhyw ffordd o ddenu'r dyrfa i'r Neuadd. Onid oedd Sam yn dechrau mynd braidd yn sychedig?

O'r llu o fechgyn a dyrrai o amgylch Joe—gan obeithio cael mynediad rhad ac am ddim i'r Neuadd—myfi a Dic Ifans oedd y ddau ffefryn ganddo. Bachgen mawr llywaeth babïaidd yr olwg, a chanddo dafod tew, oedd

Dic, ond ar waethaf ei ymddangosiad swrth a phlentynnaidd, yr oedd yn gryf fel tarw, a gallai wasgu eich llaw nes peri i chwi wingo. Aem ni'r bechgyn â Dic o gwmpas iard yr ysgol i ysgwyd llaw yn gynnes â phob un a oedd yn dipyn o lanc. Galwodd Joe ni ato un diwrnod ar ôl yr ysgol a dweud bod arno eisiau ein cymorth. Eglurodd y bwriadai roddi bywyd ychwanegol yn y darluniau byw trwy greu, o'r tu ôl i'r llen, sŵn addas ar gyfer pob llun. Ac i ni, Dic Ifans a minnau, o holl blant y pentref, y cyflwynai'r fraint aruchel honno.

Criais am oriau gyda'r nos honno i geisio cymell fy mam i adael imi wasanaethu Joe Hopkins; ildiodd, o'r diwedd, pan welodd na fwytawn damaid o swper ac na chysgwn ddim nes cael caniatâd i fynd i'r Neuadd bob nos. A'r wythnos wedyn, dyna lle'r oeddwn i a Dic Ifans yn curo dau hanner cneuen goco wrth ei gilydd bob tro y carlamai *cowboy* neu Indiaid ar draws y llen, neu'n taro cansen ar glustog ledr bob tro y disgwylid ergyd o wn, neu'n taflu clamp o foncyff i gafn o ddŵr pan syrthiai rhywun i fôr; yn ôl y gofyn, canem fel ceiliogod, cyfarthem fel cŵn—yn wir, yr oeddym fel dau fwnci ysgafndroed a swnllyd y tu ôl i'r llen. Dangosai Joe y lluniau inni ymlaen llaw, wrth gwrs, a gwnaem ninnau nodiadau swnyddol (os oes y fath air) arnynt. Ond ar waethaf pob nodiad, syrthiai'r gansen ar y glustog ledr neu'r blocyn i'r dŵr eiliadau yn rhy hwyr yn bur aml. A deuai 'Rhy hwyr, Johnny' neu 'Deffra, Dic' neu ''Roedd o'n gelain ers meitin, hogia' yn uchel o blith y seddau blaen.

Nid ychwanegodd ein hymdrechion at nifer y gynulleidfa, a chrafodd Joe ei ben eilwaith. Ymgynghorodd hefyd â rhai o'i gyfeillion doeth yn y Red

Lion, a'u barn unfrydol hwy oedd mai'r aros hir rhwng pob darlun ydoedd y gwendid mawr. Awgrymodd un neu ddau y dylai Joe ganu o'r llwyfan i lenwi'r bwlch, ond atebodd yntau fod edrych ar ôl y peiriant yn unig yn ddigon o waith i unrhyw fod meidrol. Cynigiodd Wil Feddw ddweud stori neu ddwy rhwng y darluniau, ond edrych i lawr eu trwynau i'w gwirod a wnâi pawb. Pan welodd un ohonynt yr her yn llygaid Wil, brysiodd i fynegi barn y cwmni nad oedd amheuaeth o gwbl, dim gronyn o amheuaeth, am athrylith Wil fel storïwr, ond nad oeddynt yn sicr, yn hollol sicr, fod chwaeth cynulleidfa mor afrywiog â honno a geid yn y Neuadd wedi cyrraedd safon mor uchel ag un y Red Lion. Trueni fyddai i ŵr galluog fel ef wastraffu ei ddoniau mewn lle anghymwys, taflu ei berlau o flaen moch, rhoi cyfle i broffwyd gael ei anwybyddu yn ei wlad ei hun, a . . . ac felly 'mlaen. Ymdawelodd Wil ac ordro peint arall. Yna digwyddodd Ellis Ifans, Tyddyn Llus, daflu ei lygaid i gyfeiriad Sam, wedyn o Sam at Joe ac o Joe at Sam. Beth am ddysgu i Sam wneud triciau—eistedd i ymbil, cyfrif â'i bawen, neidio trwy gylch, cludo pethau yn ei geg, cerdded ar ei draed ôl? Fe gofiai ef am hen gi yn yr Hafod erstalwm a fedrai ddal ffon ar flaen ei drwyn. Talodd Joe am beint i Ellis Ifans, a throes tua'i lety yn berffaith sicr mai Sam oedd ei gyfaill pennaf yn y byd.

Bu wrthi hyd berfeddion y nos yn ceisio gwneud Sam yn deilwng i ymddangos ar lwyfan, ond aeth i'w wely o'r diwedd yn argyhoeddedig mai gorweddian yn swrth, hel ei damaid o dŷ i dŷ, a llawcio diferyn o gwrw'r Red Lion oedd yr unig driciau yr enillai Sam lwyr feistrolaeth arnynt byth. A'r bore Llun canlynol, pan ddaeth Dic Ifans a minnau adref o'r ysgol am damaid o ginio, cyhoeddodd Joe wrthym fod ganddo anrhegion inni ac yr hoffai ein gweld amser te.

Hir fu'r ddwyawr tan ddiwedd y prynhawn. Aethom yn syth o'r ysgol i'r Neuadd, ac arweiniodd Joe Hopkins ni i'r ystafell fechan a oedd ganddo y tu ôl i'r llen. Ar y bwrdd, yn barod inni eu gwisgo, yr oedd dau bâr o esgidiau-dawnsio, gweddillion o'r dyddiau pan ganai ac y dawnsiai Joe hyd lwyfannau Llundain. Gwisgodd Joe un pâr a dechreuodd ddawnsio yn y lle clir rhwng y bwrdd a'r drws, a mawr oedd ein hedmygedd o sioncrwydd ei draed ac o sŵn y bedol fechan a glepiai o dan yr esgidiau. Wedi iddo eistedd a chael ei wynt ato, eglurodd ei fod am hyfforddi Dic a minnau yn y gelfyddyd a rhoddi inni'r anrhydedd o ddiddori'r gynulleidfa rhwng pob darlun. Buom yn y Neuadd bob gyda'r nos yn ystod yr wythnos honno, ac er bod yr esgidiau-dawnsio braidd yn fawr inni, llwyddodd ein traed chwim i ddenu'r glep o'r gwadnau'n bur fedrus, a rhwbiodd Joe ei ddwylo ynghyd â boddhad mawr. Cyn diwedd yr wythnos symudodd fwrdd i ganol y llwyfan, ac uchel oedd ei glod a'i gymeradwyaeth wrth ein gwylio'n dawnsio arno. Oeddym, yr oeddym yn ddigon da i ymddangos o flaen unrhyw gynulleidfa, ac aeth Joe i'r Red Lion i ordro peint i bawb a ddigwyddai fod yno.

Yn ffodus i Dic a minnau—ac i enw da ein rhieni—ni bu galw am ein gwasanaeth fel dawnswyr proffesedig. Yr oeddym i gychwyn ar ein gyrfa gyhoeddus y nos Lun ganlynol, ond hysbysodd Joe ni gyda'r nos fod ei ffilmiau heb gyrraedd er iddo yrru tri theligram i'r dosbarthwyr yn Llundain. Cafodd lythyr swta drannoeth yn gofyn iddo dalu ei ddyledion yn gyntaf, a sylweddolodd Joe fod y byd yn cau ei ddyrnau yn ei erbyn unwaith eto ar ôl ei ymdrech deg fel arbrofwr ym myd celfyddyd. Damo, 'roedd ymhell o flaen ei oes, dyna'r drwg, 'roedd genhedlaeth neu ddwy o flaen ei oes.

Gwerthodd Joe ei beiriant a phopeth arall y gallai daro ei law arno er mwyn cael arian i droi'n ôl i'r Cwm at ei frawd. Ac ar ddiwedd yr wythnos honno, â bag brethyn yn un llaw a basged wellt fawr yn y llall, camodd yn urddasol o ddifater i'r trên a'i cludai i'r Sowth. Yr oedd y cerbyd yn wag, ond pan oedd y trên ar gychwyn neidiodd Doctor Andrew i mewn yn gwmni i Joe. Pan dynnodd y meddyg ei sylw at aroglau ci a ddeuai o rywle, anadlodd Joe fel un yn ffroeni holl gŵn y greadigaeth; ffroenodd drachefn a thrachefn yn hir a swnllyd, ond yr oedd ef yn berffaith sicr mai dychymyg y Doctor a greai'r aroglau. Pan ddaeth rhyw swnian a symud go annisgwyl o gyfeiriad y fasged wellt, rhoes y meddyg ei drwyn yn ei bapur newydd heb gymryd dim sylw o'r triciau hyn a chwaraeai ei ddychymyg ag ef. Ond sylwodd, wedi iddynt gyrraedd Caernarfon, y cariai Joe y fasged fel petai ei llond o wyau.

Ydyw, y mae ôl fy esgidiau hoelion-mawr ar wyneb yr hen fwrdd o hyd, o dan y lliain pinc. Ond nid oes arno ddim o ôl y nosweithiau ofnadwy hynny pan roddai'r meddyg neu'r nyrs y nodwydd ddur ym mraich fy mam. Dyna, am a wn i, yr atgof mwyaf poenus sydd gennyf am y bwrdd. Aethai fy mam i wneud jam yn y gegin fach un noson, ac wrth iddi wyro i bwnio'r tân digwyddodd gyffwrdd â'r sosban, a syrthiodd llif berwedig ar ei braich chwith. Yr oeddwn i allan ar y pryd, ond pan ddychwelais, gwelwn fod fy mam druan mewn poenau arteithiol. Daeth Doctor Andrew i'w gweld ar unwaith, ac am rai wythnosau wedyn galwai ef neu'r nyrs bob gyda'r nos. Cliriwn i a'm tad y bwrdd tua chwarter i saith, rhoi lliain glân ar ei gongl, gofalu am ddysglaid o ddŵr cynnes i wlychu a rhyddhau'r hen rwymau, cael y rhwymau newydd—fel rheol, cydau blawd wedi eu golchi a'u berwi'n wyn—a phowlen i ddal yr hen rai yn barod, ac yna estyn i'r bwrdd y gannwyll a'r nodwydd ddur. Cyn gynted ag y clywem gnoc ar ddrws y ffrynt, brysiai fy nhad i'w ateb, a phrysurwn innau i oleuo'r gannwyll er mwyn i'r meddyg gael diheintio'r nodwydd yn y fflam. Yna deuai ing tynnu'r rhwymau, a loes y nodwydd yn gollwng y drwg allan o bob chwysiglen.

Rhyw ddeunaw oed oeddwn i pan roed yr hen fwrdd i'r defnydd hwn. Y mae bachgen yn ddyn hynod eofn a chadarn yn ddeunaw oed, ac yn enwedig bachgen o chwarelwr wedi hen arfer, bellach, â hongian ar y rhaff i dyllu a saethu darnau go beryglus o'r graig. Yn ddeunaw oed, y mae her yn y llygaid a'r llais a'r ysgwyddau, ac nid oes yn y galon rith o ofn. Yn wir, y mae llefnyn o chwarelwr wrth ei fodd pan fo ar y rhaff ac ar glogwyn uchel a garw; nodia a chwifia'i law yn dalog ar bob henwr sy'n ymlwybro'n araf ymhell oddi tano. Felly, beth bynnag, y teimlwn i yn ddeunaw oed; ond pan alwai'r meddyg i drin braich fy mam, y mae'n rhaid imi gyfaddef fy mod fel babi.

Sleifiwn allan i'r cefn a phwyso ar y ddôr, gan geisio meddwl am bopeth ond yr hyn a âi ymlaen ar fwrdd y gegin. Dioddefai fy mam yn ddewr a thawel, ond dychmygwn i yn bur aml fy mod yn clywed cri a griddfan o'r tŷ. Pan glywn i ddrws y ffrynt yn clepian, brysiwn yn ôl i'r tŷ i gynorthwyo fy nhad i glirio'r bwrdd a pharatoi cwpanaid o de a thamaid o swper i'm mam.

Dyna lle byddai'r ddau ohonom fel dau was mewn

gwesty yn 'dawnsio tendans', chwedl hithau, ar fy mam. Rhoem baned o de iddi yn gyntaf, ac yna ei gyrru i'r gwely tra paratoem ryw fath o swper iddi hi ac i ni ein hunain. Dau was go flêr ac afrwydd oeddym, y mae arnaf ofn, heb lawer o syniad am gelfyddyd cadw tŷ ac yn rhyw faglu ar draws ein gilydd yn ein heiddgarwch, ond teimlem fod ynom rinweddau aruchelaf pob arwr a phob sant wrth inni ferwi wyau neu olchi llestri. Fy nhad fyddai'r prif was, a phe barnech oddi wrth ei ymddygiad, taerech ei fod o leiaf yn gapten llong, a'r llong honno ar wib wyllt tua'r creigiau mewn ystorm. Taflai allan orchmynion pwysig a ffwdanus, a brysiwn innau, rhyw fath o fêt ar y llong ffigurol hon, i ufuddhau. Rhuthrai hefyd i waelod y grisiau bob hyn a hyn i ofyn cyngor neu wybodaeth gan fy mam. Rhywbeth yn debyg i hyn fyddai'r geiriau a ffrydiai o enau fy nhad—'Ydi'r dŵr yn berwi, John? Wel, rho'r wyau yn y sosban 'ta. Gofala di 'rŵan; gofala. Paid â'u taflu nhw i mewn. Hwda, dyma iti lwy; rho di nhw fesul un yn hon. Reit . . . Ara' deg 'rŵan . . . ara' deg . . . ara' deg. Dyna ti; i mewn â fo. Ydi o'n iawn? Ddaru ti mo'i gracio fo? Wyt ti'n siŵr 'rŵan? Reit; dyma'r ail wy iti. Estyn y llwy 'na. Ara' deg eto, John, ara' deg. Paid â bod mor fyrbwyll, hogyn. Daria, dyna ti wedi'i dorri o, yr ydw i'n siŵr. Aros am funud inni gael gweld. Na, mae o'n gyfa' ne' mi fuasa wedi rhedag allan erbyn hyn, wel'di. 'Rŵan, y trydydd wy, yr wy bach brown hwnnw. Lle rhois i o, dywed? 'Roedd o ar y bwrdd 'ma funud yn ôl. Ydi o gen ti? Wel, lle gynllwyn y gall o fod? Wyt ti'n siŵr na roist ti mono fo yn y sosban? Daria, dyma fo, fachgan, yn fy mhocad i. Dal y llwy i'w roi o yn y sosban. Reit. I mewn â fo. Ara' deg eto, John, ara' deg. Wel, dyna'r tri i mewn, fachgan. Aros di, faint ydi hi o'r gloch, dywed? Chwarter i wyth i'r funud. Cadw di dy lygaid ar y cloc 'rŵan . . . Pedwar munud, yntê, Elin? . . . 'Ro'n i'n meddwl 'mod i'n iawn. Chwartar i wyth a phedwar munud, dyna . . . dyna un munud ar ddeg i wyth. Rhaid inni ofalu 'u tynnu nhw un munud ar ddeg i wyth, John. Twt, be' mae'r merched 'ma yn gwneud cymaint o ffys am gadw tŷ, dywed? Aros di, roist di ddŵr yn y tegell inni gael paned? Wel, na, mae o'n wag, fachgan. Llanwa fo, John; mi gadwa' i fy llygaid ar y cloc am funud . . . Oes 'na ragor o halen yn y tŷ 'ma, Elin? Ymh'le? Wel, dyna le dwl i gadw halen. Lle mae'r papur hefyd, Elin? Fy mrathu i? . . . Dwn i ddim lle i roi fy llaw ar ddim yn fy nhŷ fy hun . . . Mae arna' i ofn bod y llefrith 'ma wedi suro, Elin. Y? Tun o *gondense?* Ymh'le? . . . Dos i nôl tun o *gondense* o'r silff ucha' yn y cwpwrdd dan grisia, John . . . Lle'r wyt ti'n cadw'r peth agor tunia, Elin? Yn y drôr? Reit . . . Estyn y tun-opnar o'r drôr 'na imi, John. Na, agor di'r tun tra bydda' i yn torri tipyn o fara-'menyn. Mi gawn ni *champion* o swpar 'rŵan, wel'di. Tyd â phot jam hefo chdi pan fyddi di wedi gorffan agor y tun 'na. A thamaid o gaws hefyd. 'Rargian, ydi'r wyau 'na'n dal i ferwi gen ti o hyd? A finna wedi gofyn iti gadw dy lygaid ar y cloc. Un munud ar ddeg i wyth ddeudis i wrthat ti. Un munud ar ddeg i wyth, a dyma hi bron yn wyth bellach. On'd wyt ti yn un da i helpu dy dad? Estyn wy arall inni gael ei ferwi o i dy fam, a rho fo ar y tân tra bydda' i'n torri bara-'menyn go dena' iddi hi. Tyd, cyffra, John . . .'

Ac wedi'r holl ffwdan eisteddem i lawr, a hithau'n tynnu at naw o'r gloch, wrth fwrdd heb liain arno i fwyta dau wy fel bwled a bara-ymenyn fel gwadnau clocsiau, ac i yfed te â blas mwg yn gryf arno. Edrychai'r dorth druan fel petai byddin o ddynionach wedi cloddio ogof ynddi. Na, nid ydym ni'r chwarelwyr o fawr werth yn y tŷ, y mae arnaf ofn. Efallai mai ar y mamau a'r gwragedd y mae'r bai; pan gynigiwn helpu, ni chawn ond ein gyrru 'o'r ffordd' neu ein gorchymyn i 'beidio piltran'. Dyna a gawn i a'm tad, beth bynnag, bob amser gan fy mam.

Pe digwyddai rhyw ddieithryn alw yn y tŷ pan fyddai fy nhad wrthi'n paratoi swper ar un o'r nosweithiau hynny, credai iddo gyfarfod dyn siaradus a ffwdanus dros ben. Ni fyddai dim mwy anghywir na hynny. Dyn tawedog, yswil, myfyrgar, oedd ef, a'i drwyn mewn llyfr neu bapur newydd byth a hefyd. Dieithrwch y gwaith o lunio swper neu olchi llestri neu wneud gwely a'i gwnâi mor dafodrydd. Ac er y cymerai ef a minnau arnom ein bod yn mwynhau'r ymroddiad i waith tŷ, cofiaf mor falch oeddym o'r cyfle i ymddiswyddo pan wellhaodd fy mam; yn wir, teimlem fel dau forwr yn croesawu'r llong-achub ar draeth rhyw ynys anial.

Go debyg, y mae'n bur sicr, fydd helyntion Jim a Wil uwchben yr hen fwrdd os digwydd i Ella gael pwl o afiechyd. Petai bwrdd yn medru chwerthin, fe chwarddai hwn yn ei ddyblau wrth glywed Jim—yn hanner-meddw, efallai—yn gosod swper ac yn rhoddi gwersi i Wil yn y gelfyddyd seml o gadw tŷ. Os clywaf ryw nos fod Ella'n wael, mi biciaf draw i edrych am Jim ac i'w weld ef a Wil yn arlwyo gwledd ar yr hen fwrdd.

6 LLESTRI TE

Pan osodai'r bwrdd i de, taflodd Ella olwg hiraethus i gyfeiriad y llestri sydd ar silff uchaf y cwpwrdd gwydr. Llestri te ydynt â rhosynnau rhuddion yn blaguro uwch gwyrdd ac aur y cefndir, rhosynnau hynod hardd a'r tipyn gwyrdd danynt yn ymdoddi i'r aur sy'n ymestyn i fin y gwpan neu'r plât neu'r jwg.

'Be' newch chi hefo'r llestri crand 'na, John Davies?'

'Mynd â nhw hefo mi, Ella. Wna' i ddim gwerthu'r rheina.'

Tawodd hithau, a gwelwn oddi wrth ei phrysurdeb yn paratoi'r bwrdd i de, a'r modd yr oedd ei llygaid yn osgoi edrych arnaf, y teimlai'n ddig wrthi ei hun am dynnu fy sylw at y llestri.

'Y mae'n ddrwg gen i imi sôn am y llestri wrthach chi, John Davies,' meddai ymhen ennyd. 'Yr ydw i yn un ddifeddwl, on'd ydw?'

Chwerddais innau, a dweud nad oedd yn rhaid iddi ei beio'i hun o gwbl.

'Pan fydd rhyw ferch ifanc go smart yn galw i'm gweld yn fy llety, Ella, mi rown ni'r llestri crand 'na ar y bwrdd,' meddwn.

Crwydrai fy llygaid o'r bwrdd i silff uchaf y cwpwrdd gwydr trwy amser te. Ac wedi imi orffen bwyta, eisteddais yn ôl yn fy nghadair a syllu'n hir ar y llestri a'u rhosynnau hardd. Cofiwn y diwrnod yr aeth fy mam a'm tad i Gaernarfon i'w prynu yn anrheg priodas imi.

'Gobeithio y bydd hi'n 'u licio nhw, John,' meddai fy mam. 'Mi fuon ni'n dau hyd yr hen dre 'na i gyd, a'r rhain oedd y crandia'—a'r druta'—welson ni. O diar, yr ydan ni'n sâl isio panad.'

Rhoes fy nhad y pecyn ar y bwrdd i'w ddatod yn bwyllog a gofalus. Gwelwn y balchder yn llygaid y ddau wrth i'r llestri crand ddod i'r golwg, a phan ddaliodd fy mam gwpan i fyny yng ngolau'r ffenestr a denu tinc ohono â'i hewin, gallwn dyngu oddi wrth wedd fy nhad mai ef a luniodd y gwpan ac a beintiodd y rhosynnau. Aeth fy mam â'r llestri i'r parlwr i'w gosod ar y bwrdd bach wrth y ffenestr, a galwodd amryw i'w gweld gyda'r nos. Ymunai fy nhad hefyd â'r ymwelwyr, gan sefyll wrth y bwrdd bach—fel awdur a pherffeithydd y llestri.

Diar annwyl, y mae'r dyddiau hynny fel doe er i bymtheng mlynedd lithro ymaith. Yr oeddwn i newydd gyrraedd fy nhair ar hugain, a thros fy mhen a'm clustiau mewn cariad. Am Nel y meddyliwn drwy'r dydd wrth fy ngwaith, ac fel yr hiraethwn am i gorn y chwarel ganu ar ddiwedd y prynhawn imi gael brysio adref i lyncu tamaid cyn cychwyn dros y mynydd i'w gweld! Cyn hynny, cerddaswn adref hefo'm tad ac Ifan Jones bob dydd, ond brysiwn o'u blaenau yn awr. Yn wir, byddwn hanner y ffordd i fyny i'r mynydd cyn i'm tad orffen bwyta'i swper-chwarel. Cyflym yw traed llanc mewn cariad.

Clir yw'r atgof am ei chyfarfod gyntaf. Yr oedd eisteddfod yn Llan-y-bwlch, ac euthum yno i gystadlu ar adrodd. Cofiaf ddringo llwybr y mynydd y prynhawn Sadwrn hwnnw o wanwyn, ac adrodd englynion R. Williams Parry ar ôl Hedd Wyn wrth y grug a'r creigiau ar fin y ffordd. Enillaswn ar y darn mewn eisteddfod yn Llanarfon, ac un diwrnod yn y chwarel, cymhellodd fy nhad ac Ifan Môn fi i ymgeisio yn Llan-y-bwlch.

'Fyddi di ddim gwaeth o drio, wel'di,' meddai fy nhad.

''Rwyt ti'n bownd o ennill, John,' meddai Ifan Jones.

Yn y capel, yn hogyn, y dechreuaswn adrodd, mewn ambell Gyfarfod Amrywiaethol yn perthyn i'r Gymdeithas Lenyddol. F'Ewythr Huw a'm dysgai, ond wedi iddo ef farw, gyrrodd fy nhad fi un noson at John Lloyd, yr Adroddwr lleol. Yr oedd ef yn adroddwr hynod o boblogaidd, a mawr oedd y galw am ei wasanaeth yng nghyngherddau'r ardal ac fel arweinydd mewn eisteddfodau. 'Ioan Llwyd' y'i galwai ei hun, ac ymddangosai ambell bwt o gerdd yn y papurau lleol o dan yr enw hwnnw. 'Y Bradwr' oedd y darn y mynnai fy nhad imi ei feistroli wrth draed John Lloyd, a chofiaf y noson o aeaf y curais yn bryderus wrth ei ddrws. Daeth y gŵr mawr ei hun i ateb fy nghnoc ac i agor imi.

'Aros di, hogyn Robat Davies, yntê? Tyd i mewn. Mi fu dy dad yn siarad hefo mi neithiwr.'

I mewn â ni i'r gegin fach at y tân.

''Dydw i ddim am ddeud y medra' i 'neud adroddwr ohonat ti, cofia. Mae isio llais a phersonoliaeth a phresenoldab i 'neud adroddwr. Paid â chrymu dy ysgwydda gymaint; tafl dy frest allan.'

Rhoes fi i sefyll wrth y drws, a safodd yntau â'i gefn at y tân a'i ddau droed ar led. Yr oedd John Lloyd yn ŵr hardd i edrych arno—a gwyddai yntau hynny. Dyn tal, cydnerth, ydoedd, a chroen ei wyneb cyn iached â chroen afal. Gwisgai sbectol â'i ffrâm lydan o gorn du, ac aml y rhoddai ei fys a'i fawd am fraich y ffrâm i dynnu'r sbectol ymlaen ar ei drwyn mawr er mwyn iddo gael edrych arnoch trosti. Ei wallt a dynnai eich sylw gyntaf oll; gadawai iddo dyfu ar ei ruddiau hyd at waelod ei glustiau, ac uwchlaw'r clustiau a thu ôl i'w ben ymwthiai'n gnwd beiddgar, trwchus. Mwstas fel brwsh dannedd, un dant aur ym mlaen ei geg, gwên a oleuai ac a ddiffoddai yn annaturiol o gyflym, môr o lais, pob cam a phob ystum yn ymwybodol a gorffenedig—dyna Ioan Llwyd. Yr oedd ei wisg bob amser yn deilwng o'i urddas fel Adroddwr ac Arweinydd Swyddogol pob cyngerdd yn y lle—coler big, côt a gwasgod ddu, a throwsus du ac arno resi tenau, gwyn. Buasai'n chwarelwr yn ei ddyddiau ifainc, ond casglu yswiriant oedd ei waith ers blynyddoedd bellach.

'Reit,' meddai, gan edrych arnaf dros ei sbectol. 'Sgwaria d'ysgwydda . . . Dyna well. Gwthia dy frest allan; gwthia hi allan yn iawn 'rŵan . . . Dy ên i fyny; i fyny â fo. 'Rŵan, y droed dde 'na hanner cam ymlaen . . . Dyna ti. Rhaid imi dy gael di i *edrach* fel adroddwr i ddechra, wel'di—os medra'i hefyd. Dy law ar dy frest 'rŵan. Fel hyn—dy fawd o dan fotwm ucha' dy wasgod a'r pedwar bys allan cyn belled ag y medri di'u gwthio nhw. Na, cadw'r bysedd hefo'i gilydd yn lle'u bod nhw'n hongian fel bysedd o does ar dy frest di . . . Reit. 'Rŵan y papur 'ma yn dy law chwith—rhaglen y 'steddfod wedi'i rholio'n dwt fydd gen ti fel rheol, wrth gwrs . . . Reit; dyna welliant. 'Rŵan, pesychiad bach i dynnu sylw'r gynulleidfa. . . . Na, rhaid iti roi dy law chwith wrth dy geg pan fyddi di'n pesychu, a dim ond clirio dy wddw yn lle tuchan fel petai rhyw glefyd ar dy frest di . . . Reit, tria eto. Ac wedi iti besychu, tafl dy lygaid i'r galeri am eiliad ac wedyn i lawr i'r sedda blaen . . .'

Teimlwn mor anghysurus â phetawn i'n noethlymun o flaen torf.

''Rŵan, dos allan i'r gegin am eiliad, a thyd yn dy ôl fel 'taet ti'n camu i lwyfan ac yn cymryd dy le o flaen cynulleidfa. Tria di gofio'r cwbwl ddeudis i wrthat ti—dy frest allan, dy law dde arni hi, dy droed dde hanner cam ymlaen, y papur yn dy law chwith, pesychiad bach, golwg go ddifater i'r galeri ac i lawr i'r sedda blaen . . . 'Rŵan, gad imi dy weld ti'n dŵad i'r llwyfan.'

Go ddienaid a thrwsgl oedd fy ymgais i ddilyn y cyfarwyddiadau, y mae arnaf ofn, a rhoes John Lloyd ochenaid fawr.

'Rhaid inni fynd tros y wers yma eto. Gad imi dy glywad ti'n adrodd. Y testun i ddechra.'

'"Y Bradwr",' meddwn innau yn weddol dawel.

'Mi wn i mai dyna ydi testun y darn. Dywed o'n uchel i'r gynulleidfa gael dy glywad ti.'

'"Y Bradwr",' meddwn drachefn, dipyn yn uwch.

'Twt, mae gen ti fwy o lais na hynna. Cymer d'anadl, a saetha'r testun allan iddyn nhw.'

'"Y Bradwr",' meddwn y trydydd tro, ond nid oedd fy llais lawer yn uwch.

Safodd Ioan Llwyd yn ei ystum arferol fel adroddwr, pesychodd, taflodd olwg i fyny ac wedyn i lawr, ac yna, â tharan o lais, hyrddiodd y ddau air, 'Y Bradwr', ataf. Bu bron imi neidio o'm croen, a chodais olwg cynhyrfus i fyny rhag ofn bod y nenfwd yn dechrau ymddatod ac ymollwng arnaf.

''Rŵan, y darn,' meddai. 'Gad imi glywad y pennill cynta'.'

Adroddais innau'n syml a thawel gan geisio cofio pob awgrym a roesai f'Ewythr Huw imi.

> 'Daw i dy dŷ fel cyfaill,
> Swpera wrth dy fwrdd,

A dwed, "Mor hyfryd ydyw gweld
Cyfeillion wedi cwrdd!" '

Rhoddai fy wyneb a'm llais syndod ac atgasedd yn y geiriau 'fel cyfaill' a 'swpera', a cheisiwn ddynwared gweniaith y Bradwr wrth ddweud ei frawddeg yn y drydedd linell.

'Mwy o lais, mwy o lais,' meddai John Lloyd. 'Nid deud dy badar yr wyt ti. A be' mae isio codi dy lais ar "fel cyfaill" fel 'taet ti 'rioed wedi clywad y geiria o'r blaen?'

'Fel'na y dysgodd f'Ewyrth Huw fi,' meddwn innau. ''Roedd o'n deud mai nid fel bradwr y mae'r Bradwr yn dŵad i'r tŷ ond *fel cyfaill,* a bod isio rhoi pwyslais ar y ddau air. Ac 'roedd o'n deud hefyd . . .'

'A phwy, os ca' i fod mor hy â gofyn, pwy ddaru ddweud bod dy ewyrth, Huw Davies, yn adroddwr?'

Gwelais y wên sbeitlyd ar ei wyneb, a gwylltiais yn gacwn.

''Roedd 'na fwy ym mys bach f'Ewyrth Huw nag sydd yn y feipan o ben sy gynnoch chi. Chi â'ch gwallt fel tas wair a'ch hen giamocs i gyd! Pam na rowch chi wersi i Jacob y Gloch? Mae gynno fo ddigon o lais i wneud adroddwr i chi.'

A theflais ei rôl o bapur i'w wyneb a rhuthro allan.

Pan gyrhaeddais adref, yr oedd Mr Jones, y gweinidog, yn y tŷ. Synnodd fy nhad imi ddychwelyd mor fuan.

''Doedd John Lloyd ddim gartra?' gofynnodd.

'Oedd, 'Nhad.'

'Be' sy, John?' meddai fy mam ar unwaith.

'Dim byd.'

'Oes, mae rhwbath yn bod. Fuost ti ddim yn ffraeo hefo John Lloyd?'

'Do.'

'O'n wir?' meddai fy nhad. 'A finna wedi trefnu iti fynd yno eto nos Wenar.'

''Da' i ddim ar 'i gyfyl o eto,' meddwn innau.

'Be' ddigwyddodd, 'machgen i?' gofynnodd Mr Jones.

Adroddais hanes yr helynt. Ni ddywedodd fy nhad ddim, ond credwn i ar y pryd imi weld rhyw hanner gwên yn ei lygaid am eiliad.

'Mi ddeudaist yn iawn wrth yr hen lolyn gwirion,' meddai fy mam. 'On'd do, Mr Jones?'

'Wel, 'roedd hi'n anodd peidio â cholli amynedd, yr ydw i'n siŵr. Aros di, pryd mae 'Steddfod Bethania, dywed?'

'Nos Fercher, wsnos i heno, Mr Jones.'

'Wel, tyd di acw nos Wener yn lle mynd at John Lloyd. Mi awn ni drwy'r darn hefo'n gilydd, 'machgen i. Tyd tua hanner awr wedi chwech.'

Curais wrth ddrws Mr Jones y nos Wener ganlynol, a daeth Emrys, ei fachgen, i agor i mi. Buasai Emrys a minnau yn yr ysgol hefo'n gilydd, ond erbyn hyn, euthum i i weithio i'r chwarel ac aeth yntau i'r Ysgol Ganolraddol.

'Tyd at Olwen a finna i'r gegin am funud,' meddai. 'Mae rhywun newydd alw i weld 'Nhad.'

Yr oedd y ddau, Emrys a'i chwaer, wrthi'n brysur yn gwneud eu tasg. Edrychais innau, yn glamp o chwarelwr bellach, braidd yn ddirmygus tua'r llyfrau ar y bwrdd.

'Be' wyt ti'n wneud, Emrys?'

'*Latin.*'

'O! Iaith pwy ydi honno, dywed?'

'Wn i ddim wir, John. Iaith pobol erstalwm, medda 'Nhad.'

Gwyrais uwchben y llyfr a oedd o'i flaen, gan ddangos ag osgo ac edrychiad nad oedd gennyf lawer o feddwl o fechgyn a wastraffai eu hamser hefo iaith 'pobol erstalwm'.

'A be' ydach chi'n wneud, Olwen?'

'*History*,' meddai hithau. 'Sgwennu *essay*.'

'Ar be', deudwch?'

'*House of Lancaster*.'

'O? Yn lle'r oedd hwnnw?'

'Pobol oeddan nhw, nid tŷ. Nhw oedd yn ymladd yn erbyn yr *House of York*.'

'O? Pryd oedd hynny?'

'Dwn i ddim . . . ym . . . Hannar munud imi gael edrach ar y llyfr 'ma . . . Yn 1455 y daru nhw ddechra ymladd.'

'Mae lot o amsar er hynny, on'd oes? Oeddan nhw tua'r un amsar â'r Owan Gwynadd 'na y byddai Rhisiart Owen yn sôn amdano fo?'

'Wn i ddim, wir. Na, mae'n debyg fod hwnnw ymhell ar 'u hola nhw, ne' fasa Rhisiart Owen yn gwbod dim amdano fo.'

Daeth Mr Jones i ddrws y gegin.

'Dowch i mewn i'r stydi, John.'

Yno, rhoes fi i eistedd mewn cadair gyffyrddus, ac eisteddodd yntau gyferbyn â mi. Teflais lygaid syn ar y silffoedd o lyfrau a lanwai ddau fur yn gyfan, ac ar y llyfrau eraill a oedd yn bentyrrau twt ar waelod y trydydd mur. A oedd Mr Jones wedi darllen y rhain i gyd, tybed? Clywswn fy nhad droeon yn dweud y dylai'r capel roi mwy o gyflog i'r gweinidog, a'i fod yn methu â deall sut y gallai gadw Emrys ac Olwen yn yr Ysgol Ganolraddol a gwisgo mor barchus a phrynu llyfrau a chyfrannu mor hael at hyn a'r llall. A brynasai ef yr holl lyfrau yma, tybed? Sylwais mai go hen a llwyd oedd y dillad duon amdano, a bod godre'r fraich ddeau yn dechrau dadweu.

'"Y Bradwr", yntê? Gad imi weld y llyfr, 'machgen i.'

Rhoddais y llyfr iddo, a phwysodd yntau ymlaen yn ei gadair i fwrw golwg tros y darn. Gwelwn fod ei wallt yn dechrau gwynnu'n barod er nad oedd ond rhyw dair neu bedair a deugain; gwelwn hefyd fod llinellau amlwg yng nghroen ei wyneb tenau, myfyrgar. Fel pregethwr yn y pulpud neu fel ymwelydd â'm tad a'm mam yr edrychais arno o'r blaen; pregethwr tawel a dwys ac ymwelydd y brysiai fy mam i'w anrhydeddu trwy fy ngorchymyn i glirio fy 'hen dacla' o'r bwrdd. 'Un sâl gynddeiriog am ddeud gair wrth y plant,' oedd y farn y clywswn Ifan Jones yn ei mynegi droeon wrth fy nhad; 'dim digon o dân', 'byth yn mynd i hwyl', 'dim llais gwerth sôn amdano fo', a phethau tebyg a glywid yn aml yn yr ardal. Ond gwyddwn fod fy nhad a'm mam yn meddwl y byd o Mr Jones, a buasai ef a'm Hewythr Huw yn gyfeillion mawr. Deuai i mewn yn rheolaidd i roi benthyg llyfrau i'm hewythr neu i chwarae *draughts* neu am sgwrs ag ef. Synnwn, a minnau ond hogyn, fod f'ewythr mor 'hy' ar y gweinidog wrth ei herio am gêm o'r *draughts* neu wrth ddadlau ar farddoniaeth neu grefydd. Yn ystod y flwyddyn y bu'n byw hefo ni, darllenai f'ewythr lawer iawn, ac aml y codai ei lygaid o'i lyfr â gwên ar ei wyneb. 'Os gwn i be' fydd gan Jones-y-Gweinidog i'w ddweud 'rŵan?' fyddai ei sylw wrth daro ar ryw ymresymiad a ategai ei safbwynt ef ei hun. 'Mi ro' i 'i draed o yn y fagl y tro yma.'

Rhoes Mr Jones fy llyfr ar ei lin a suddodd yn ôl yn ei gadair, gan blethu ei ddwylo.

''Rŵan, John, gad imi dy glywed ti'n adrodd.'

Sefais innau wrth y bwrdd i adrodd 'Y Bradwr'. Caeodd Mr Jones ei lygaid, a gwelwn ef yn nodio'n foddhaus ar ddiwedd pob pennill. Ac wedi imi orffen, gwenodd yn garedig arnaf.

'Wel, wir, 'rwyt ti'n adrodd yn dda, 'machgen i. Mi fydda' i'n licio clywed adroddwr sy'n *deall* yr hyn mae o'n 'i adrodd, yn rhoi ystyr a synnwyr ym mhob llinell.'

'F'Ewyrth Huw ddaru fy nysgu i, Mr Jones. Dyna oedd o'n ddeud hefyd. Dim isio tynnu 'stumia, medda fo.'

''Roedd 'na athrylith yn d'Ewyrth' Huw, wel'di. Petai o wedi cael ysgol a choleg fel rhai ohonom ni, John, mi fasai'n un o arweinwyr Cymru, 'machgen i.'

'F'Ewyrth Huw sy'n iawn felly, Mr Jones?'

'Yn iawn?'

'Am yr adrodd 'ma. Nid John Lloyd?'

'Wel, yn fy marn fach i, ia, d'ewyth' sydd yn iawn.'

'Ydach chi ddim isio imi wneud 'stumia, felly? Rhoi fy llaw ar fy mrest a . . . a phesychu a . . . gweiddi?'

'Ym mhob pen y mae piniwn, 'machgen i, ac mae gan Mr John Lloyd hawl i'w farn. 'Fallai fod 'na lawer i'w ddweud dros 'i ffordd o o adrodd; y mae Ioan Llwyd yn medru tynnu crowd, beth bynnag, ac mi wyddost na wnes i hynny erioed wrth bregethu. Mi glywais stori y diwrnod o'r blaen am ryw hen weinidog ym Môn yn penderfynu trio defnyddio'i lais. 'Roedd o'n gwybod bod y gynulleidfa'n anfodlon ac anesmwyth, wedi hen flino ar 'i ddull tawel o o bregethu. "Mae gen i bedwar pen bora 'ma," medda fo ar ôl rhoi'i destun allan. "Yn y lle cynta . . ." A dyma fo'n cyhoeddi'r pen cynta'. "Yn yr ail le . . ." A dyma gyhoeddi'r ail ben. "Yn y trydydd lle . . ." A dyna ddweud y trydydd pen ac aros wedyn â'i law i fyny cyn gweiddi ar dop 'i lais, "Yn bedwerydd, BLOEDD er mwyn effaith!"'

Aeth Mr Jones trwy'r darn hefo mi yn hynod ofalus, er iddo gyfaddef nad oedd ganddo lawer i'w chwanegu at awgrymiadau f'Ewythr Huw. A'r nos Fercher ganlynol, brysiais drwy fy swper-chwarel er mwyn cyrraedd y 'prelim' yn festri Bethania mewn pryd. Yno, yr oedd rhyw hanner dwsin o fechgyn a genethod yn aros eu tro, a phan euthum drwy'r drws atynt, suddodd fy nghalon o'm mewn. Clywn, o'r ystafell nesaf, lais Arfon Hughes yn taranu'r ddau air 'Y Bradwr'. Arfon oedd disgybl disgleiriaf John Lloyd, a gwnaethai enw iddo'i hun yn barod yn eisteddfodau a chyngherddau'r cylch. Eisteddais ar gongl y sedd hir, wrth ochr y plant eraill, a gwrandewais ar y llais yn treiglo fel afon o olew am ennyd cyn hyrddio'i nerth yn rhaeadr anferth tros glogwyn mawr. Llithrodd Robin Llew, hogyn newydd ddechrau gweithio yn yr un bonc â minnau yn y chwarel, ar hyd y sedd ataf.

"Sgynnon ni ddim siawns, was,' meddai. 'Be' ma' hwnna isio trio a fynta newydd ennill ar yr un darn yn 'steddfod Capal Mawr?'

Agorodd drws yr ystafell fewnol a galwodd llais am yr adroddwr nesaf. Daeth ofn i'm calon wrth imi glywed y llais hwnnw, a throais fy mhen yn sydyn tuag ato. Safai John Lloyd wrth y drws, a chefais gip ar wên ddirmygus a ddaeth i'w wyneb am eiliad wrth fy ngweld i ar gongl y sedd. Ond dim ond am ennyd y bu'r wên honno yn ei lygaid, a'r foment nesaf, nodiai'n dadol tuag atom oll cyn arwain merch fach o flaen y beirniad. Beth oedd John Lloyd yn ei wneud yn y prelim? Yna cofiais ei fod yn ŵr blaenllaw yng nghapel Bethania ac mai ef oedd ysgrifennydd yr eisteddfod.

'Hei, was!' meddai Robin Llew wrth Arfon Hughes pan oedd yr adroddwr hwnnw ar ei ffordd allan, yn wên i gyd.

'Ddaru ti watsio'r beirniad? Ddaru ti sylwi lle'r oedd o'n sgwennu rhwbath? Ddaru ti watsio'i wyneb o? Ddeudodd o rwbath wrthat ti?'

Ond taro'i gap ar ei ben a chamu allan gyda rhyw ymgais at urddas a wnaeth Arfon Hughes. Rhoes Robin ei ddwrn o dan ei drwyn.

'Aros di imi gael gafal yn y Cochyn diawl,' sibrydodd wrthyf. 'Mi ddangosa' i iddo fo faint sy tan Sul.'

Daeth fy nhro innau i ymddangos o flaen y beirniad cyn bo hir.

'John Davies,' meddai Ioan Llwyd wrth fy nghyflwyno iddo. 'Wedi cal 'i ddysgu gan 'i ewyrth, un o adroddwrs gora'r lle 'ma.'

Gwelodd y beirniad, gweinidog o gyfeiriad Pwllheli, y tân yn fy llygaid a rhuthr y gwrid i'm hwyneb.

'Yn yr ysgol yr ydach chi, 'machgen i?' gofynnodd, er mwyn imi gael cyfle i ddod ataf fy hun.

'Naci, yn y chwaral, syr.'

'Ydi'ch ewyth' yn y chwaral hefyd?'

'Nac ydi. Mae o wedi marw, syr. Dri mis yn ôl.'

'O, y mae'n ddrwg gen i. Beth oedd 'i enw fo?'

'Huw, Huw Davies.'

'Mi glywis Mr Jones, gweinidog y Bedyddwyr, yn sôn amdano fo. Fo ydi'ch gweinidog chi?'

'Ia, syr.'

'Wel, gadewch imi'ch clywed chi yn adrodd y darn yma. Sefwch yn y fan acw wrth y gadair 'na.'

Ac adroddais 'Y Bradwr', yn syml a thawel a naturiol, gan geisio cofio popeth a ddysgasai f'Ewythr Huw a Mr Jones imi.

'Diolch, 'machgen i,' meddai'r beirniad, gan wenu'n garedig arnaf. 'Oedd, yr oedd eich ewyth' yn un o adroddwyr gora'r lle 'ma.'

Ni wyddwn yn y byd beth a olygai wrth hyn, a thrown y frawddeg yn fy mhen drwy awr gyntaf yr eisteddfod. O'r diwedd, clywn lais yr arweinydd, John Lloyd, yn cyhoeddi'r 'adroddiad dan un ar bymtheg—"Y Bradwr"', a deliais fy anadl.

'Y mae'r rhai a ganlyn i ymddangos ar y llwyfan,' meddai, 'Arfon Hughes, Enid Owen, a John Davies.'

'Go dda, was,' sibrydodd Robin Llew yn fy nghlust. 'Cofia di roi coblyn o gweir i'r hen Gochyn bach 'na.'

Yr oedd holl driciau John Lloyd yn amlwg yn null Arfon Hughes o adrodd y darn—ym mhob osgo ac ystum a goslef. Wedi i'r daran o gymeradwyaeth ddistewi, rhoes Ioan Llwyd Enid Owen ar flaen y llwyfan, a chododd ei law fel plisman yn atal llif o foduron ar groesffordd. Yr oedd yn amlwg fod Enid yn bur nerfus, a thua chanol y darn, anghofiodd y llinell nesaf yn llwyr ac ailadrodd pennill cyfan. Yna daeth fy nhro innau, a chemais yn bryderus i flaen y llwyfan. Gwelwn fôr niwlog o wynebau oddi tanaf, a dechreuwn edifarhau imi ymgeisio o gwbl. Pam y gyrasai fy nhad fi i le fel hyn? Yr oeddwn i'n adnabod pawb yn y Cyfarfod Amrywiaethol yn ein capel ni, a safai Ifan Jones wrth fy ochr i sibrwd gair calonogol yn fy nghlust ac i'm hatgoffa os digwyddwn anghofio. Ond yma, torf fawr o'm blaen, ac wrth fy ochr, drowsus streip yr hen John Lloyd 'na. Daliodd law i fyny'n awdurdodol, ac yna taflodd olwg mingam i lawr arnaf. Yr oedd hynny'n ddigon i godi fy ngwrychyn; ymwrolais, caeais fy nyrnau y tu ôl i'm cefn, a gwelais, fel fflach, ystyr y frawddeg olaf a ddywedasai'r beirniad wrthyf. Trois fy llygaid at y bwrdd bychan ar ochr y llwyfan lle'r eisteddai ef, a gwenodd yntau arnaf. A oedd ef, tybed, yn hoffi fy ffordd i o adrodd, yn cyd-fynd â'r dehongliad a roesai f'Ewythr Huw i'r darn? Oedd, yr oedd yn rhaid ei fod, neu ni fuasai wedi fy ngalw i'r llwyfan. Edrychais yn syth o'm blaen ar y cloc, a chlywn fy llais i fy hun yn dweud 'Y Bradwr' yn grynedig ond yn glir. 'Daw i dy dŷ,' meddwn wedyn wrth y cloc, ac aros ennyd, 'Nid fel bradwr, nid fel gelyn, nid yn gas, nid yn bowld, nid yn slei, nid yn eiddigus, nid yn anghysurus,' meddai llais f'Ewythr Huw wrthyf yn nhawelwch y saib. 'Fel cyfaill,' meddwn innau wrth y cloc a rhyw syndod mawr yng nghodiad fy llais.

Yr oedd hi'n weddol hawdd wedyn, ar ôl imi dorri'r ias, ac euthum o'r llwyfan yn teimlo imi ddilyn cyfarwyddiadau f'Ewythr Huw a Mr Jones yn bur lwyddiannus.

'*Champion,* was,' meddai Robin Llew wrthyf pan ddychwelais i'm sedd. 'Fel'na 'ro'n inna'n 'i adrodd o—ond imi anghofio. Dyna dro yntê? Anghofio yn y pennill cynta' hefyd! Ond aros di imi gael gafal yn y Cochyn bach 'na ar 'i ffordd adra heno. Mi ro' i Fradwr iddo fo!' A cheisiodd, â'i ddwrn dan ei drwyn, ddal llygad Arfon Hughes.

Go ddiamynedd oeddym yn gwrando ar gystadleuaeth canu'r piano, ond rhoesom gymeradwyaeth uchel i'r ymgeisydd olaf. Galwyd ar feirniad yr adrodd ymlaen i draddodi ei feirniadaeth, a gallech feddwl oddi wrth ystumiau anesmwyth Robin Llew mai rhyngddo ef ac

Arfon Hughes yr oedd y ras. Dywedodd y beirniad i'r gystadleuaeth fod yn un ddiddorol iawn ac iddo roi cyfle i'r gynulleidfa wrando ar ddau fath o adroddwr, un yn fflamychol a dramatig a'r ddau arall yn syml a thawel. Trueni, meddai, i'r ail ymgeisydd anghofio ac ailadrodd; fe wnaethai hi ei gwaith yn hynod o dda yn y rhagbraw, a phetai wedi adrodd cystal ar y llwyfan, go anodd fyddai iddo ef ddewis y gorau. Y mae'n bur debyg y gorfodid ef i rannu'r wobr. Ni ofynnai'r darn hwn, yn ei dyb ef, am fflamychu a chodi'r llais yn felodramatig; hawliai, yn hytrach, sobrwydd tawel ac onestrwydd diffuant. Ni wyddai Robin Llew beth oedd ystyr geiriau felly, am a wn i, ond casglodd ddigon i sylweddoli na hoffai'r beirniad ddull Arfon Hughes o adrodd y darn. Yr oedd fel cnonyn wrth fy ochr, a chiciai fi i atalnodi pob brawddeg o'r feirniadaeth. A phan gyhoeddodd y beirniad mai'r ymgeisydd olaf oedd y gorau, rhoes y fath gic i'r sedd o'i flaen nes i'r bobl a eisteddai ynddi neidio fel petaent newydd eistedd ar binnau.

Bûm yn adrodd ar ôl hynny bob gaeaf am flynyddoedd yn eisteddfodau'r pentref, ond ni fentrais y tu allan i'r ardal. Yn wir, gan fod eisteddfodau yn Llanarfon yn weddol aml, ni feddyliais am ymgeisio yn unman arall hyd nes i'm tad ac Ifan Môn fy nghymell i fynd tros y mynydd i Lan-y-bwlch ar y prynhawn Sadwrn braf hwnnw o wanwyn. Yr oeddwn, bellach, yn llanc tair ar hugain ac yn dipyn gwell adroddwr—diolch i Mr Jones, y gweinidog—na'r hogyn a gurasai Arfon Hughes ar 'Y Bradwr'. 'Ymson Wolsey' wedi ei gyfieithu gan Anthropos, 'Araith Llywelyn', darn o 'Ddinistr Jerusalem', a phethau tebyg fuasai'r cerddi amlaf mewn cystadleuaeth am flynyddoedd, ond erbyn hyn, cawn drio fy llaw—neu fy llais, yn hytrach—ar ganeuon gan T. Gwynn Jones a W. J. Gruffydd ac R. Williams Parry. Englynion R. Williams Parry ar ôl Hedd Wyn oedd y testun yn Llan-y-bwlch, a theimlwn yn weddol ffyddiog, gan imi ennill arno ychydig wythnosau cyn hynny mewn eisteddfod yn y Capel Mawr yn Llanarfon.

Cyrhaeddais festri'r capel yn Llan-y-bwlch tua dau, a'r rhagbrawf ar ddechrau. Gwelwn fod rhyw ddwsin ohonom yn cystadlu, ond nid adwaenwn yr un o'r lleill. Eisteddais, braidd yn unig a digyfaill, ar sedd wrth y drws. Yn y pen arall, gyferbyn â mi, safai ysgrifennydd yr eisteddfod, dyn bach ffwdanus a phwysig, a dyrnaid o bapurau yn ei law, ac ymhen ennyd, galwodd enwau'r ymgeiswyr allan mewn llais main, difater, fel siopwr yn cyfrif ei nwyddau. Atebais i'm henw, ac yna collais ddiddordeb yn yr oruchwyliaeth nes clywed y dyn bach yn galw 'John Lloyd'. Nid oedd ateb, a galwodd yr enw drachefn. Galwodd ef y trydydd tro, a chwarddodd pawb wrth i'r drws agor yn sydyn ac i gorwynt o lais fod bron â hyrddio'r dyn bach oddi ar ei draed â'r un gair 'YMA'. Eisteddodd Ioan Llwyd i lawr i sychu'r chwys oddi ar ei dalcen a chael ei wynt ato. Sylwais ei fod wedi heneiddio cryn dipyn yn ddiweddar, a bod y cnwd o wallt wedi diflannu; yr oedd ei gorun yn foel, a thenau a brith oedd y twf uwch ei glustiau a thu ôl i'w ben. Go esgyrniog, bellach, yr ymddangosai'r gwddf yn y goler big, ac er bod croen ei wyneb o hyd fel croen afal, clir oedd llinellau oed neu bryder ynddo. Rhywfodd, teimlwn yn flin amdano ac yn edifar imi ei gasáu a'i anwybyddu drwy'r blynyddoedd. Penderfynais chwilio am gyfle i siarad ag ef yn ystod y dydd.

Daeth y beirniad, dyn prysur a phwysig ei ymddangosiad, i mewn ac eistedd wrth fwrdd bychan ym mhen yr ystafell. Galwodd yr ysgrifennydd yr enwau drachefn, gan orchymyn inni gymryd ein lle yn y drefn honno ar y sedd hir wrth fur chwith yr ystafell. Y tro hwn, darllenodd i lawr yn lle i fyny'r rhestr, a'm henw i oedd yr olaf ond un. Galwyd enw John Lloyd yn un o'r rhai cyntaf, a cherddodd yntau'n hamddenol ac urddasol i'w le ar y sedd.

Wrth fy ochr i yr oedd merch o'r enw Nel Owen. Eisteddais braidd yn swil wrth ei hymyl, ond cyn bo hir sibrydodd,

'Mae arnon ni i gyd eich ofn chi.'

'Fy ofn i? 'Rargian, pam?'

'Am i chi ennill ar y darn yma yn Llanarfon.'

'Pwy ydi'r beirniad 'ma?' sibrydais.

'Ifan Ifans o Lan-y-bwlch 'ma.'

'O?'

'Fo sy'n hel siwrin yma. Ŵyr o ddim mwy am adrodd na dylluan.'

Wedi ateb i'r enw 'Tegwen Eryri', camodd rhyw ferch addurnol, orwych, i ganol y llawr, ac ar ôl saib dramatig rhuodd y geiriau 'In Memoriam—Hedd Wyn' tros ben y beirniad a'r ysgrifennydd at y mur gyferbyn â hi.

'Bloedd uwch adfloedd,' sibrydodd Nel Owen yn fy nghlust.

Cymerodd 'Tegwen Eryri' gam yn ôl ac estyn ei dwy law o'i blaen fel pe i ddenu'r beirniad i'w breichiau. Yna, â rhyw gryndod anferth yn ei llais,

'Y bardd trwm dan bridd tramor . . .'

Gwyddwn y dylwn wylo, ond yn lle hynny, daeth rhyw bwl afreolus o chwerthin trosof. Cymerais arnaf rwbio fy llygaid i guddio fy wyneb, ac ni wnaeth y pwniad a roes Nel Owen imi yn fy ochr ond gyrru pethau o ddrwg i waeth. Gwelais trwy fy mysedd fod y beirniad wedi suddo'n ôl i'w gadair a chau ei lygaid, a phan glywais galon 'Tegwen Eryri' yn torri wrth sôn am 'y llygaid na all agor', bu raid imi chwilio am fy nghadach poced â'r llaw arall a chuddio fy wyneb ynddo.

Enw John Lloyd a alwyd yn ail, a chododd yntau yn araf ac urddasol o'r sedd. Agorodd y beirniad ei lygaid i wenu'n gyfeillgar ar un o'r frawdoliaeth 'hel-siwrin', a goleuodd y wên wneud am eiliad ar wyneb Ioan Llwyd. Cerddodd ar draws y llawr fel petai ar hynt urddasol tua'r mur gyferbyn, ond arhosodd yn sydyn ar y canol fel milwr a glywsai *'Halt!'* o enau sarsiant. *'Left turn!'* oedd y gorchymyn dychmygol nesaf, ac yna aeth y droed dde hanner cam ymlaen a'r llaw i'w lle ar ei frest. Pesychiad, trem i fyny, trem i lawr, ac yna'r cawr o lais yn cyhoeddi 'In Memoriam ar ôl Hedd Wyn'. Yr oedd taflen yr eisteddfod yn rhôl dwt yn ei law chwith, ac ar y llinell 'Hunaist ymhell ohoni' caeodd ei ddwy law am y rhaglen a'i gwasgu a'i chrafangu fel y gwelswn ddwylo fy mam am ei chadach poced pan fu farw f'Ewythr Huw. Ofnwn fod Ioan Llwyd am dorri allan i wylo, ond yr eiliad nesaf, codai ei lais fel utgorn a'i law fel llaw pregethwr yn gollwng oedfa, ar y llinell 'Ha frodyr! Dan hyfrydwch . . .'

'Mae o'n bechod, wyddoch chi,' sibrydodd y ferch wrth fy ochr.

'Be'?'

'Adrodd y darn yma o gwbwl.'

'Diar annwl, pam?'

Chwythodd yr ysgrifennydd 'Sh' ffyrnig tuag atom, a thawsom ninnau. Gwgodd y beirniad arnom.

Anniddorol fu gweddill y prynhawn. Taranodd y rhan fwyaf o'r ymgeiswyr eu teyrnged i Hedd Wyn, ac wedi i bawb adrodd, gwthiodd y beirniad bapur bach i'r ysgrifennydd. 'Y mae'r tri a ganlyn i ymddangos ar y llwyfan yn yr eisteddfod heno,' meddai hwnnw. 'Tegwen Eryri, Ioan Llwyd ac O.P.' Ac yna, ar yr un gwynt, 'Paned o de i bawb yma, yn y festri, am hannar awr wedi pedwar.'

Aeth Nel a minnau allan gyda'n gilydd.

'Ydach chi am aros i'r te yn y festri?' gofynnais.

'A finna'n byw yma! Na, yr ydw i'n mynd adra i de.'

'Lle ydach chi'n byw?'

'Tan-y-fron. I fyny acw ar waelod y Bwlch.'

'Mi ddo' i hefo chi ran o'r ffordd, os ca' i.'

Ac i ffwrdd â ni drwy ffordd gul tua'r mynydd. Cofiaf fod y gwrychoedd yn llawn blagur a'r llygaid-y-dydd yn garpedi gwynion ar rai o'r caeau. Trawai'r haul ar wyneb creigiog y Bwlch ac ar y cewri o fynyddoedd y tu ôl iddo. Yr oedd rhimynnau o eira yn aros o hyd ar y copaon.

Wedi cerdded tua hanner milltir, oedasom ar y bont garreg a groesai'r afon.

'Rhaid i chi fynd yn ôl 'rŵan,' meddai'r ferch, 'rhag i 'Nhad eich gweld chi.'

'O'r gora. Ond be' oeddach chi'n feddwl gynna' wrth ddweud 'i bod hi'n bechod adrodd yr englynion 'na?'

'Mi fûm i yn Nhrawsfynydd unwaith, ryw flwyddyn yn ôl. Ac mi aeth fy nghyfnither â fi cyn belled â'r Ysgwrn, cartref Hedd Wyn.' Syllodd yn freuddwydiol i'r afon islaw.

'Wel?'

'Ffarm fach 'run fath â sy gynnon ni adra ydi'r Ysgwrn. Ffarm fach go dlawd, popeth yn syml a naturiol a di-lol ynddi hi. Pobol syml a naturiol a di-lol ydi'i dad a'i fam o hefyd. A hogyn felly oedd Hedd Wyn. Wel, dyma gyfaill iddo fo yn cyfansoddi englynion er cof amdano fo, englynion syml a thawel a hiraethus. I be'?'

Nid atebais, dim ond syllu i lawr i'r afon a gwylio'r dŵr yn ymdroelli'n wyn o amgylch un garreg fawr. Ni feddyliaswn i am y peth.

'Nid i rai fel yr hen Degwen Eryri 'na gael gwisgo fel sipsi mewn sioe i dynnu 'stumia uwchben y darn. 'Ro'n i'n teimlo y pnawn 'ma 'i bod hi'n tynnu 'stumia ac yn areithio uwchben bedd.'

Edrychais ar y ferch wrth fy ochr. Yr oedd fflach yn ei llygaid, a chaeai ei llaw yn ffyrnig am garreg ar fur y bont. Oedd, yr oedd hi'n eneth dlos—llygaid o las golau, golau, a rhyw olwg pell, breuddwydiol, ynddynt; gwallt brown ysgafn yn llywethau wedi eu troi o amgylch ei chlustiau; talcen uchel a llydan; gwefusau meddal, direidus; gên gadarn, benderfynol. Un sâl iawn fûm i erioed am sylwi ar wisg neb, a phan ofynnai fy mam imi beth a wisgai hon-a-hon yn rhywle, ni fyddai gennyf syniad yn y byd. 'Het goch, os ydw i'n cofio'n iawn, Mam,' fyddai fy ateb efallai. ''Neno'r Tad! Yn 'i hoedran hi?' Ac ystyriwn innau am ennyd cyn penderfynu mai du, wedi'r cwbl, oedd lliw yr het. Ond cofiaf mai côt las a wisgai Nel y diwrnod hwnnw o wanwyn yn Llan-y-bwlch, ac i las ei gwisg wneud i las ei llygaid ymddangos yn ddyfnach. Braidd yn eiddil oedd yr ysgwyddau a gariai'r gôt, ac er bod cymeriad a phenderfyniad ym mhob osgo o'i heiddo, ymddangosai ei chorff yn egwan. Cariai ei het yn ei llaw, a chwaraeai'r gwynt â gwawn ei gwallt a'i chwythu tros ei thalcen.

'Wel, rhaid imi fynd,' meddai'n sydyn. 'Mae rhyw bobol yn dŵad acw i de.'

'Fyddwch chi yn y 'steddfod heno?'

'Bydda', wrth gwrs.'

'Ddowch chi i eistedd hefo mi?'

'Fedra' i ddim, wir. Mae'n rhaid imi eistedd hefo 'Nhad a Mam.'

'Ga' i'ch gweld chi ar ôl y 'steddfod, ynta?'

'Mi fydd hi'n hwyr iawn arnoch chi, a chitha isio cerddad adra bob cam i Lanarfon.'

'Dim ots am hynny.'

'Mi fydda' i'n eistadd uwchben y cloc, yn y galeri. Mi dria' i sleifio allan cyn y diwadd. Wel, rhaid imi roi ras 'rŵan cyn i'r bobol 'na ddŵad acw i de.'

Cychwynnais innau yn ôl tua'r festri, ond trois ymhen ychydig i'w gwylio'n dringo'r llwybr drwy'r caeau tua'r tyddyn gwyn ar lethr y Bwlch. Troes hithau ei phen, a chwifiais fy llaw arni. Chwifiodd hithau'n ôl.

Pan gyrhaeddais y festri, gwelwn fod twr o ymgeiswyr ar ganu ac adrodd yn ymwthio at y ddwy wraig a ofalai am y te. Cymerais innau fy lle wrth y bwrdd, a phwy a oedd wrth fy ochr ond John Lloyd. Penderfynais siarad ag ef.

'Llongyfarchiada, Mr Lloyd.'

'Y?' Ac edrychodd tros ei sbectol arnaf.

'Llongyfarchiada i chi.'

'Am be', dywad?'

'Am gael eich dewis i'r llwyfan heno.'

'Oeddat ti'n meddwl na faswn i ddim yn cael y *stage?*'

'Wel, na, ond . . .'

'Ond be', os ca'i fod mor hy â gofyn?'

'Dim byd.'

Euthum i eistedd i ochr y galeri yn y capel er mwyn cadw fy llygaid ar y seddau uwchben y cloc. Cyn bo hir gwelwn Nel yn dod i mewn ar ôl ei mam a'i thad, ac wedi iddi eistedd yng nghongl ei sedd, gwenodd arnaf. Dyn bychan â golwg go eiddil arno oedd ei thad, ond yr oedd ei mam yn ddynes fawr ag wyneb gwritgoch.

Araf fu'r hwyrnos honno imi, a gwrandawn ar y canu a'r adrodd a'r beirniadu ag un llygad o hyd ar y cloc ac ar yr het las yn un o'r seddau uwchlaw iddo. O'r diwedd, pan oedd y côr cyntaf yn tyrru tua'r llwyfan, gwelwn yr het las yn codi a'i pherchen yn ei gwneud hi am y drws. Gafaelais innau yn fy nghap a tharo fy nghôt tros fy mraich, a brysio allan. Deliais Nel ar risiau'r galeri, ac aethom i lawr a thrwy'r drws hefo'n gilydd.

Yr oedd lleuad newydd fel pe wedi ei hongian mewn coeden heb fod ymhell o'r capel, a phlethai'r cangau am berlau'r sêr. Aethom i oedi o dan y goeden honno, gan wrando ar y côr cyntaf yn canu 'Yr Haf' yn yr eisteddfod.

'Yn y chwaral yr ydach chi'n gweithio?'

'Ia,' atebais. 'Ar y ffarm gartra yr ydach chi?'

'Na, *teachio* ydw i.'

'O? ymh'le?'

'Yma, yn Llan-y-bwlch. *Uncertif.*'

'Be' ydi hynny?'

'Heb fod yn y Coleg. Ond mae Hywel yn mynd i'r Coleg y flwyddyn nesa'.'

'Pwy ydi Hywel?'

'Fy mrawd. Mae o yn y Cownti yng Nghaernarfon ac yn eistadd 'i *Higher* 'leni.'

‘Oes gynnoch chi frawd ne’ chwaer heblaw Hywel?’

‘Tri. Dafydd, newydd ddechra yn y Cownti, a Hannah ac Ifan yn yr ysgol lle’r ydw i. Mae Ifan yn fy nosbarth i. Cena bach ydi o hefyd.’ A chwarddodd wrth feddwl am ei brawd.

Buom yno, o dan y goeden, nes i’r gynulleidfa ddechrau llifo allan o’r eisteddfod. Addawodd fy nghyfarfod yng Nghaernarfon y Sadwrn wedyn, a brasgemais innau yn hoyw a llon hyd ffordd y mynydd tuag adref.

‘Mae arna’ i ofn fod John ’ma mewn cariad, Robat,’ oedd sylw Ifan Môn droeon wrth fy nhad yn y chwarel yn ystod yr wythnos wedyn. Yr *oeddwn* mewn cariad, dros fy mhen mewn cariad, ac araf y llusgai traed plwm y dyddiau tua’r Sadwrn a’r siwrnai i Gaernarfon.

Safwn ar Faes y dref hanner awr cyn i fws Llan-y-bwlch gyrraedd y prynhawn Sadwrn hwnnw. Ymunais â’r dorf fechan a glosiai o amgylch rhyw Iddew tew a werthai lestri a matiau a phob math o fanion. Galwodd ar ddeuddeg o ‘gyfeillion’ ffyddiog i roddi benthyg ceiniog bob un iddo, ac â’m llygad ar oriawr fach aur a wnâi anrheg brydferth iawn i Nel, estynnais geiniog i’r hen fachgen gwywedig a’u casglai. Ond troi’r stori a wnaeth yr Iddew a mynd ati i werthu matiau ar uchaf ei lais. Rhyw ystryw i gadw deuddeg ohonom yno oedd benthyg y ceiniogau, ac ymhen tipyn, gan nad oedd gennyf ddiddordeb arbennig mewn matiau, brysiais ymaith i aros yn anniddig am y bws. Deuddeg munud eto, meddai bys araf y cloc ar lythyrdy’r Maes, a throis yn ôl at yr Iddew a’i fatiau am ychydig.

‘I b’le’r awn ni?’ meddai Nel, wedi iddi ddisgyn o’r bws.

'I lawr i lan y môr.'

Ac i ffwrdd â ni ar draws y Maes a throi heibio i'r castell tua'r Cei. Teimlwn braidd yn swil wrth gyfarfod un neu ddau o Lanarfon ar y ffordd, a phwy oedd wrth Bont yr Aber ond Wil Davies neu 'Wil Hen Geg', chwedl pawb yn y chwarel. Gweithiai Wil bonc yn uwch na mi, ac yr oedd ganddo athrylith hel a chario straeon i'r caban. Gwyddwn y byddai fy hanes innau drwy'r chwarel fore Llun. Ond pa wahaniaeth?

Yr oedd hi'n ddiwrnod braf, a haul y gwanwyn yn chwarae ar yr Aber ac yn ddisglair ar draethau Môn.

'Beth am fynd allan ar y cwch am awr?'

'Mi fyddai'n braf,' meddai Nel.

Wedi inni eistedd yn y cwch, digwyddais daflu fy llygaid i fyny a gweld bod Wil Hen Geg â'i bwysau ar y wal uwchben. Ond syllu'n freuddwydiol i bellteroedd y môr yr oedd Wil.

Go swil a thawedog y buaswn ar y ffordd i'r Cei, ond yn y cwch, dug atgofion am y prynhawn hwnnw ar y môr yng ngofal f'Ewythr Huw wên i'm hwyneb. Gwelodd Nel y wên, a dywedais yr holl stori wrthi. Yn wir, am f'Ewythr Huw y bu'r sgwrs drwy'r rhan fwyaf o'r prynhawn.

'Piti, yntê?' meddai hi yn sydyn pan oeddym bron â chyrraedd yn ôl i'r Cei.

'Be'?'

'Iddo fo farw mor ifanc.'

'F'Ewythr Huw?'

'Ia. 'Roeddach chi'n hoff iawn ohono fo, on'd oeddach? Mae o'n swnio'n un tebyg iawn i 'Nhad. Mi fedra' i ddychmygu 'Nhad yn gwneud popeth y daru chi sôn am eich ewyrth yn 'i wneud. Yn enwedig colli'r rhwyf.' A chwarddodd, ond gwelwn fod rhyw gysgod tu ôl i'r chwerthin.

'Be' sy?' gofynnais.

'Be'?'

''Rydach chi'n drist iawn wrth sôn am eich tad. Oes 'na rywbath yn bod?'

'Oes. 'Dydi o ddim hanner da. 'I galon o, medda'r doctor. Mae o yn y dre'r pnawn 'ma yn gweld doctor arall.'

'O?'

Rhygnodd y cwch yn erbyn mur y Cei, a dringasom ohono a brysio i fyny'r ffordd tua'r tŷ-bwyta hwnnw lle'r aethai f'ewythr â mi ddiwrnod yr anturiaeth ar y môr. Safodd Nel yn stond yn y drws, a chydiodd yn fy mraich.

''Nhad!' meddai, gan droi i'w gwadnu hi ymaith.

Ond yr oedd hi'n rhy hwyr. Cefais gip ar rywun wrth fwrdd heb fod ymhell o'r drws yn chwifio'i law yn wyllt arnom. Yn wrid at ei chlustiau, gwthiodd Nel draw at y bwrdd lle'r eisteddai ei thad. Dilynais innau braidd yn drwsgl a phetrus, heb fod yn sicr pa un ai dianc ai aros a oedd ddoethaf.

'Be' ddeudodd o, 'Nhad?'

'Ddim llawar o ddim, Nel. Deud 'i fod o am sgwennu at Doctor Jones. Fy nghalon i'n un fawr iawn, medda fo—*fery larch harrt.*'

Cyflwynodd Nel fi i'w thad, a mynnodd yntau inni eistedd wrth ei fwrdd ef i gael te. Teimlwn yn swil ac annifyr wrth siarad ag ef, a phur anesmwyth yr ymddangosai yntau. Wedi inni'n dau roi barn ar y tywydd ryw hanner dwsin o weithiau ac argyhoeddi'n gilydd o'r diwedd ei bod hi'n ddiwrnod braf, gofynnodd imi ymh'le y gweithiwn.

'Yn chwaral Llanarfon,' meddwn innau, 'yn y Bonc Fawr.'

''Rargian! Yn y Bonc Fawr? Ydach chi'n nabod Ifan Jones?'

'Mae o'n gweithio yn y wal nesa' i mi. A fo fuo'n athro Ysgol Sul arna' i am flynyddoedd.'

'Tewch, da chi! Ydach chi'n 'nabod Robat Davies?'

'Mi ddylwn 'i nabod o! Fo ydi 'nhad.'

'Wel, 'rargian! Hogyn Robat Davies! Un o'r dynion gora' fuo' yn yr hen chwaral 'na 'rioed, 'machgan i. Deudwch wrtho fo fod Gruffydd Owan, Llan-y-bwlch, yn cofio ato fo—Gruffydd Tan-y-fron, deudwch wrtho fo. 'Rargian, hogyn Robat Davies! Ydach chi'n cofio'ch ewyrth, Huw Davies?'

Dywedais wrtho mai am f'Ewythr Huw y buasai'r sgwrs rhyngof a Nel drwy'r prynhawn.

'Huw Ruskin,' meddai yntau'n dawel â gwên ar ei wyneb.

'Y?'

'Huw Ruskin oeddan ni yn 'i alw fo ym Mhonc yr Efail yn y diwadd. 'Roedd o wedi mwydro'i ben yn lân hefo llyfra rhyw John Ruskin, yn darllan 'i weithia fo byth a hefyd, ac yn sôn amdano fo o hyd yn y caban. Diar, 'roedd 'na ddynion nobl ym Mhonc yr Efail yr amsar hwnnw—Huw Davies, eich ewyrth; yr hen Ddafydd Ifans, "Dafydd Bardd", chwedl ninna; ac Wmffra Jones, y pwyswr, i enwi dim ond tri. Dynion heb 'u gwell nhw yn y byd.'

A rhoes Gruffydd Owen ochenaid fawr. Gwelwn fod ei lygaid yn gwlitho wrth iddo ddilyn ei atgofion yn ôl i Bonc yr Efail, a cheisiais newid y sgwrs.

‘'Rydach chi wedi troi'n ffarmwr ers tipyn 'rŵan?' meddwn wrtho.

'Wedi gorfod rhoi'r gora i'r chwaral, fachgan. Y gwaith yn ormod imi, medda'r doctor.'

'Sut yr oeddach chi'n gwneud? Aros yn y Barics yn y chwaral?'

'Ia, o fora Llun tan bnawn Sadwrn. 'Ro'n i'n cerddad tros y mynydd i Lanarfon acw ac i'r chwarel bob bora Llun, cysgu yn y Barics bob nos drwy'r wsnos, a cherddad yn ôl adra bob pnawn Sadwrn. Ond 'rŵan, rhyw biltran o gwmpas y tyddyn acw yr ydw i bob dydd.'

A rhoes ochenaid fawr arall. Yr oedd ei galon yn y chwarel.

Diflanasai'r swildod rhyngom; dau chwarelwr oeddym bellach, a phryderwn am na châi Nel ei phig i mewn i'r sgwrs. Sut hwyl a oedd ar hwn-a-hwn? A oeddynt yn dal i dyllu'r hen graig honno yn Nhwll Dwndwr? A oedd Robins y Stiward, yr hen gena iddo, yn fyw o hyd? A orffennwyd torri'r lefel honno yng ngwaelod Twll Mawr? A oedd yno le gwlyb o hyd? Nid oedd diwedd ar ei gwestiynau, a cheisiais newid y sgwrs droeon er mwyn i Nel gael cyfran ynddi. Ond pan gododd ei thad i gyfarch rhywun a adwaenai wrth fwrdd arall, sibrydodd wrthyf am ddal ati i ymgomio am y chwarel; fe wnâi fyd o les iddo, meddai, gan mai cogr-droi o amgylch ei afiechyd y buasai ei feddwl a'i sgwrs ers misoedd bellach.

Daeth Gruffydd Owen a minnau yn gyfeillion mawr yn ystod y te hwnnw. Hoffais ef ar unwaith—dyn mwyn a thawel a chywir fel fy nhad, gŵr diffuant ym mhob gair a phob osgo. Tipyn o anturiaeth iddo oedd dyfod i lawr i'r dref fel hyn a throi i'r tŷ-bwyta am bryd o fwyd, a chasglai Nel a minnau iddo eistedd yno'n unig a thrist cyn inni ymddangos. Daethai yn syth o dŷ'r meddyg, ac ni chawsai unrhyw newydd calonogol yn y fan honno. Amheuthun iddo oedd cael cwpanaid yng nghwmni ei ferch a mwynhau sgwrs am y chwarel; yn wir, yr oedd, yn ôl Nel, yn llonnach nag y buasai ers tro byd.

Aethom ein dau gydag ef at y bws, a chynigiodd Nel droi adref yn gwmni iddo. Ond yr oedd ef yn iawn, 'yn *champion,* hogan', a mynnodd ein gyrru ymaith i'n mwynhau ein hunain. Pan droesom i ffwrdd, gwaeddodd ar ein holau o risiau'r bws,

'Pryd ddowch chi i fyny i Lan-y-bwlch 'cw am dro, 'machgan i? Dowch i edrach amdanon ni. Be' am y Sadwrn nesa'?' Ac addewais innau y down.

'Fedra' i ddim dŵad dros 'Nhad,' meddai Nel. 'Fuo' neb mwy *strict* na fo 'rioed. 'Roeddwn i ofn edrach ar hogyn pan fyddai o o gwmpas, a dyma fo yn rhoi gwahoddiad i chi adra y tro cynta' iddo fo'ch cwarfod chi!'

'Mae o'n sâl isio cael hanas y chwaral,' meddwn innau.

'Ac wedi cymryd atoch chi yn rhyfadd. Be' ddeudith Mam tybad?'

'Am be'?'

'Amdanoch chi'n dŵad acw'r Sadwrn nesa'. Ond 'does gen i ddim ofn Mam; ofn 'Nhad fu arna' i 'rioed.'

'Ac yntau'n un mor fwyn a thawel?'

'Dyna pam efalla'. Dweud y drefn y byddai Mam ac addo rhoi cweir imi. Addo, a pheidio. Ond dim ond edrach y byddai 'Nhad, ac 'roedd arna' i fwy o ofn yr edrychiad hwnnw na dim. Ofn 'i frifo fo ac ynta mor garedig ac mor ofalus ohonon ni. Unwaith erioed y ces i gweir ganddo fo—am ddwyn ceiniog o drôr y dresal—ond fe aeth ati mor ddifrifol nes imi gredu bod dwyn ceiniog yn bechod ofnadwy. Ches i fawr o gweir ganddo fo, ond yr oedd 'i ffordd o o fynd ati yn wers imi am byth, Ac mae'r plant erill yr un fath adra—mwy o ofn 'Nhad o lawar nac o ofn Mam. Ac eto, fuo' neb 'rioed yn fwy diniwed a thawal 'i ffordd na fo.'

Daeth Nel i'm cyfarfod hyd lwybr y mynydd y Sadwrn dilynol, ac eisteddasom am dipyn ar ddarn o graig i syllu ar yr olygfa eang danom, a heulwen Ebrill yn loywder arni. Gwelem y llwybr yn troelli'n gyflym oddi tanom trwy greigiau eithinog, heibio i domenni a thyllau hen chwarel a gaewyd ers blynyddoedd, dan dderi'r gwastad uwchben Llanarfon, yna o'r golwg tros drwyn y bryn lle cysgodai'r pentref. Nofiai mwg fel tarth ysgafn uwch simneiau cudd y Llan, a thu draw iddo ymledai glesni disglair y llyn tua mynydd llwydlas y chwarel. Rhyfedd mor bell a thrist yr ymddangosai'r chwarel; a oedd ei chreigiau anferth yn synfyfyrio'n lleddf wedi holl ddoluriau'r wythnos? Ai magu ei chlwyfau yr oedd?

''Roeddwn i'n dangos llunia o'r Swistir i'r plant yn yr ysgol ddoe,' meddai Nel, 'ond mae'r olygfa yma mor hardd â'r un ohonyn nhw. Mae hi'n hen bryd inni weld ein gwlad ein hunain, wyddoch chi. Edrychwch, mewn difri', ar yr haul yn taro ar yr eira sy'n aros ar y mynyddoedd acw.'

Oedd, yr oedd fy ardal yn un hardd, ond ni feddyliaswn ryw lawer am ei thegwch erioed. Nac am ei hanes ychwaith. Yn yr ysgol, brenhinoedd a brwydrau Lloegr oedd o wir bwys, ac ni feddyliai'r un ohonom am holi gair am hanes Llanarfon a'r cylch. A phe gwnâi, buan y tynnid ei sylw afradlon yn ôl at Harri'r Wythfed neu Frwydr Trafalgar. Wedi'r cwbl, helyntion Harri'r Wythfed a stori Trafalgar a ddysgasai'r athro yn y Coleg, a'i waith a'i ddyletswydd oedd cyflwyno'r 'addysg' ardderchog honno ymlaen i blant Llanarfon a phob Llan arall. Yr oedd ei sefyllfa'n bur debyg i un y gŵr papur-newydd a aeth i roddi hanes rhyw gyfarfod diwygiadol. 'A ydych chi wedi'ch achub?' oedd cwestiwn dwys rhyw wraig ddefosiynol a ddaeth i'w sedd. 'Na, dyn papur-newydd ydw i,' oedd yr ateb. A chafodd lonydd wedyn.

Crwydrodd Nel a minnau yn araf o'r mynydd i Lan-y-bwlch ac yna drwy'r caeau i gyfeiriad Tan-y-fron. Dywedai wrthyf fod ei mam fel petai'n paratoi gwledd i'r brenin ac wedi gorchymyn i Hannah ac Ifan, y ddau leiaf o'r plant, ymolchi'n lân a gwisgo'u dillad gorau.

'Pam yr holl ffys?' gofynnais.

'O, dim ond am fod 'Nhad wedi siarad lot amdanach chi drwy'r wsnos a dweud mai fo sy wedi'ch gwadd chi acw. Fu 'Nhad ddim hannar da yr wsnos yma, a synnwn i ddim nad ydi Mam yn gwneud ffys er mwyn mynd â'i feddwl o i ffwrdd oddi wrth 'i afiechyd am dipyn.'

Melys fu oedi eto ar y bont am ennyd cyn cymryd y llwybr drwy'r caeau tua Than-y-fron. Yr oeddym yn agosáu at y tyddyn pan safodd Nel yn sydyn a brawychus.

'Edrychwch!' meddai. 'Y cena bach!'

Gwelwn fachgen bach yn llechu tu ôl i'r berth wrth y llidiard, fel petai'n ofni mynd i olwg y tŷ.

'Yn 'i ddillad gora hefyd,' meddai Nel. 'Mi *fydd* o'n 'i chael hi 'rŵan.'

'Wedi syrthio i'r afon,' meddai Ifan, ei brawd saith neu wyth oed, pan ddaethom at y llidiard. 'Slipio ar ryw hen garrag, Nel.'

'Be' oeddat ti'n wneud i lawr wrth yr afon?' gofynnodd ei chwaer.

'Dal brithyll hefo 'nwylo. A dyma 'nhroed i . . . Ar 'rhen 'sgidia newydd 'ma 'roedd y bai.'

'Tyd i'r tŷ i newid cyn iti gael annwyd ne' rwbath gwaeth. Tyd.'

Daeth ei thad i'n cyfarfod ar hyd y llwybr a redai trwy fymryn o gae o'r tyddyn. Cerddai'n araf, gan ymddangos yn llesg ac oediog.

'Ar 'rhen 'sgidia newydd 'na 'roedd y bai, 'Nhad,' meddai Ifan ar unwaith.

'Dos i'r tŷ i newid. Faint o weithia mae isio imi ddeud wrthat ti am beidio â mynd yn agos i'r afon 'na? Dos! Brysia.'

Cyfarchodd fi'n gyfeillgar a holi sut yr oedd fy nhad ac Ifan Môn. Wedyn aethom i fyny heibio i'r tyddyn a thrwy glwyd fechan i'r cae uwchben y tŷ. Yno, ar fin ffordd garegog, yr oedd y beudy, a dangoswyd y tair o wartheg duon imi. Nid oeddwn i yn ffarmwr nac yn fab i ffarmwr, ond ceisiais ddangos diddordeb aruthrol yn yr anifeiliaid hyn, ac yn y ddau fochyn a'r ddau ddwsin o ieir a welais ar fy ffordd yn ôl tua'r bwthyn. Cyn troi i'r tŷ, aethom i gael cip ar yr ardd fawr a ymledai tu ôl iddo. Yr oedd ynddi goed afalau a choed eirin a darn da o dir newydd ei balu a'i rychu.

'Hywel, yr hogyn hyna' 'ma sy wrthi yn yr ardd yn fy lle i 'leni,' meddai Gruffydd Owen. 'Y doctor am imi beidio â straenio fy hun. Hogyn da ydi Hywel.'

'Lle mae o heddiw?' gofynnais.

'Wedi mynd i chwara' *football* i'r ysgol,' meddai Nel. 'Mae o'n chwaraewr reit dda, ac mae Dafydd, fy mrawd arall sy'n y Cownti, wedi mynd hefo fo—i weiddi tros 'i frawd, medda fo.'

Daeth Hannah Owen, mam Nel, i'r drws cefn i alw arnom i'r tŷ. Dynes fawr, wynebgoch, oedd hi, yn llawn ynni a llonder. A phan groesais y trothwy i'r gegin, gwyddwn na buaswn mewn tŷ glanach erioed. Disgleiriai'r triongl hir o ganwyllbrenni ar y silff-ben-tân, pob canhwyllbren loyw o'r ddwy ochr yn dalach na'i chymar nes i chwi gyrraedd y dalaf yn yr un ganol. Bron na loywai derw'r hen dresal Gymreig lawn cymaint â'r jygiau copr a hongiai tros ei silffoedd a thros y rhesi heirdd o blatiau gleision. Sylwais ar silff fawr y dresal—ar y Beibl mawr ar un gongl iddi a'i gas lledr yn ddigon gloyw i chwi weld eich llun ynddo, ar y botel werdd ac ynddi long yn llawn hwyliau, ar yr iâr o tsieni gwyn yn gori ar ryw ddwsin o wyau ffres bob dydd, ar y cadi te â llun y Frenhines Victoria arno, ac ar y bowlen fach bres a ddaliai dusw o friallu newydd eu casglu o'r cloddiau.

'Dyma Hannah,' meddai Nel, gan gyflwyno merch fach ryw ddeg oed imi. Merch fawr, yn hytrach, oherwydd yr oedd Hannah yn debyg i'w mam ac yn addo tyfu'n glamp o hogen. Prydwedd ei mam oedd ganddi hefyd—wyneb mawr, gwritgoch; llygaid duon, duon; gwefusau llon, chwareus; talcen uchel, llydan; gwallt du fel y frân. Sylwais ar unwaith ar y gwahaniaeth rhyngddi hi a Nel. Yr oedd mwy o ddifrifwch tawel a dwyster myfyrgar ei thad yn Nel, a'r un pellter breuddwydiol yn llygaid y ddau.

Daeth Ifan i mewn, erbyn hyn yn ei ddillad bob-dydd a chlwt mawr ar gefn ei drowsus.

'Tyd i eistadd wrth y tân, hogyn, rhag ofn dy fod ti wedi oeri,' meddai ei fam wrtho.

Rhoddwyd Ifan i eistedd wrth ben y bwrdd, a'i gefn at y tân. Gruffydd Owen a minnau un ochr i'r bwrdd, Nel a Hannah yr ochr arall, a chymerodd y fam ei lle wrth y pen nesaf at y drws. Ifan a feddiannodd ran gyntaf y sgwrs; yr oedd ganddo stori hir am ryw hogyn arall o'r enw Huw Tyn-coed wedi cael beic, a gwyddai i sicrwydd y gallai yntau reidio beic yn llawn cystal â Huw Tyn-coed a phob Huw arall. Ond rhoes ei dad daw arno a throi'r sgwrs i hynt a helynt y chwarel. Go swil a nerfus oeddwn i uwchben y te, er bod yno wledd heb ei hail—bara cartref ac ymenyn ffarm yn dew arno, cacenni bychain, crynion wedi eu gwneud ar y radell, teisen afalau yn llenwi plât mawr, a digon o fara brith. Gloywai llygaid Gruffydd Owen wrth iddo sôn am y chwarel, a gwelwn fod ei wraig a Nel yn ei borthi'n selog ac yn cymryd diddordeb aruthrol ym mhob gair. Casglwn iddo bendrymu a gofidio tros gyflwr ei iechyd ers dyddiau, ac mai mawr eu rhyddhad o'i weld yn llonni fel hyn.

Aeth Nel a minnau am dro gyda'r nos ac oedi'n hir yn sŵn yr afon y syrthiasai Ifan iddi. Ac am wythnosau wedyn, rhuthrwn adref o'r gwaith bron bob gyda'r nos a llyncu fy swper-chwarel ar frys gwyllt cyn newid a dringo'r mynydd tua Llan-y-bwlch. Llithrodd Ebrill i Fai a Mai i Orffennaf, a llithrais innau'n ddyfnach mewn cariad â Nel. Yna, un hwyrddydd braf pan ddaeth i'm danfon hyd at lôn y mynydd, addawodd fy mhriodi.

Yr oeddym i briodi yn nechrau Awst, ac ar brynhawn Sadwrn poeth yn niwedd Gorffennaf yr aeth fy nhad a'm mam i Gaernarfon i brynu'r llestri te acw. Mor ofalus y rhoddwyd hwy ar y bwrdd bach wrth ffenestr y parlwr! Daeth amryw i'w gweld gyda'r nos, a galwodd eraill ar eu ffordd o'r capel bore trannoeth. 'Crand gynddeiriog,' oedd barn Ifan Jones.

A'r bore wedyn, yn fuan iawn ar ôl imi gyrraedd y Bonc Fawr, galwodd Ifan Môn fi i'w wal.

'Mae gen i newydd go ddrwg iti, John,' meddai.

'O?'

''Rwyt ti'n 'nabod Danial Lewis, Llan-y-bwlch, on'd wyt ti?'

'Ydw.'

'Mi ddaeth Danial i'm gweld i funud yn ôl. Negas oddi wrth dy gariad. 'I thad hi . . .' A thawodd Ifan Môn.

'Yn wael?'

'Fe'i trawyd o'n wael ar 'i ffordd adra o'r Ysgol Sul ddoe. Ac mi fuo . . . farw cyn pen awr.'

Cefais ganiatâd y Stiward i fynd adref ar unwaith, ac wedi imi newid, brysiais tros y mynydd i Lan-y-bwlch. Ymledai cwmwl mawr rhwng yr haul a'r Bwlch, ac ymddangosai Tan-y-fron, a'r llenni i lawr tros ei ffenestri, fel rhyw fwthyn dall yn ceisio rhythu tros y caeau tua'r pentref. Nid oedd llawer o ddim y gallwn i ei wneud, ond arhosais yno drwy'r dydd yn gwmni i Nel a'i mam a'r plant. Gwir a ddywedasai Gruffydd Owen, fod Hywel yn 'hogyn da'; er nad oedd ond bachgen ar fin gadael yr Ysgol Ganolraddol, cymerodd y baich ar ei ysgwyddau, ac ef a drefnodd bopeth ynglŷn â'r angladd.

Euthum i'r cynhebrwng y prynhawn Mercher hwnnw yng Ngorffennaf, a chefais roddi fy ysgwydd o dan yr arch yn y tŷ ac o dan yr elor yn y fynwent. Yna, gyda'r nos, daeth Nel i'm danfon at lôn y mynydd. Sylwais ei bod hi'n dawel iawn a bod yr olwg bell-freuddwydiol yn llond ei llygaid.

''Rydach chi'n dawel iawn, Nel,' meddwn.

'Ydw. Gadewch inni eistedd ar y grug yma am funud. Mae arna' i isio siarad hefo chi, John.'

Wedi inni eistedd, syllodd yn hir i'r pellter, fel petai'n ceisio gweld trwy'r tawch a orweddai uwch y llyn a thros wyneb mynydd y chwarel.

'Wel?'

'Mi wn i fy mod i am eich brifo chi, John. A'ch brifo chi ar ôl i chi fod mor garedig wrth Mam a finna. Ond . . .' Gwelwn y dagrau yn cronni yn ei llygaid.

'Ond be', Nel?'

'Mi fûm i'n meddwl yn galad dros betha ers dyddia, a chysgais i'r un winc neithiwr. 'Rydw i wedi penderfynu, John, na fedrwn ni ddim priodi.'

'Ddim priodi? Yn enw popeth, pam?'

'Mae Hywel yn mynd i'r Coleg ym mis Hydref, ac 'rydw i'n benderfynol y caiff o fynd yno. Wedyn, mae Dafydd yn y Cownti ac yn gwneud yn reit dda yno. Mi liciwn i 'i weld ynta yn mynd yn 'i flaen ac i'r Coleg. Ac ar ôl iddyn nhw gael 'u siawns, mae'n rhaid imi feddwl am Hannah ac Ifan.'

'Ond Nel annwyl, yr ydw i'n ennill cyflog reit dda 'rŵan yn y chwaral, a fasa dim yn rhoi mwy o blesar imi na . . .'

'Cardod fyddai hynny, John. Na, y mae'n rhaid imi aros yn yr ysgol a thrio helpu Mam hefo'r ffarm bob gyda'r nos.'

'A thyfu yn hen ferch o athrawes, heb gael dim sbort allan o fywyd. Na, Nel, mi briodwn ac mi ofala' i y bydd Hywel a Dafydd a'r ddau arall yn cael chwarae teg.'

Ond dywedai'r llygaid di-syfl wrthyf mai taflu pluen yn erbyn y gwynt yr oeddwn.

Wel, bu'r llestri te acw ar silff uchaf y cwpwrdd gwydr ers tair blynedd ar ddeg, bellach, ac y mae coch eu rhosynnau mor hardd ac mor loyw ag erioed. Tynnai fy mam hwy i lawr weithiau i'w golchi, a rhoddai ochenaid fawr bob tro wrth sychu eu crandrwydd rhosynnog ar y bwrdd. Ni welais i fawr ddim ar Nel drwy'r blynyddoedd, dim ond rhyw daro arni ar ddamwain unwaith neu ddwy yng Nghaernarfon. Credaswn, y nos Fercher honno pan gerddais adref dros y mynydd, fod y byd ar ben ac na allwn wynebu'r dyfodol trist a diramant. Ond fe ddyry Amser ei falm ar bob clwyf.

7 *Y LLIAIN*

Yr oedd Ella newydd orffen golchi'r llestri te pan ddaeth ei mam i mewn.

''Rydach chi'n ôl yn gynnar, Meri Ifans,' meddwn.

'Ydw. Mi ges i fws handi iawn yn f'ôl. 'Roedd o'n aros reit o flaen tŷ fy nghnithar, a phan gyrhaeddais i'r groesffordd, dyna lle'r oedd y bws o Gaernarfon yn aros imi . . . Roes Ella ddigon o de i chi, John Davies?'

'Do, wir, a thamaid o ginio reit flasus.'

'Dos di adra 'rŵan, Ella,' meddai wrth ei merch. 'Dos i ofalu am swpar-chwaral Jim. Mi wyddost fel y mae o bron â llwgu pan ddaw o adra o'r gwaith.'

'Gwn yn iawn, ac os na fydd y bwyd yno ar y bwrdd o'i flaen o, mi fydd yn well ganddo fo lwgu na pharatoi dim iddo fo'i hun.'

'Roist ti de i Wil?'

'Do, y mwnci bach iddo fo.'

'Be' mae o wedi'i wneud 'rŵan?'

''Roedd o'n llwch blawd i gyd yn dŵad adra o'r ysgol. Ned Stabal yn cario sachaid o flawd ar gefn y gaseg o'r stesion ac wedi rhoi reid i Wil ar ben y sach, os gwelwch chi'n dda. Mi ro' i Ned Stabal iddo fo pan ga' i afael ynddo fo!'

'Cofia di ddweud 'i hanes o wrth Jim.'

'Hy, wnaiff y cradur hwnnw ddim ond chwerthin am ben y peth. Dim ond cymryd arno 'i fod o am hannar lladd Ned—a rhoi winc fawr ar Wil. Wn i ddim pam y priodis i ffŵl 'run fath â fo. Na wn i, wir.'

'Fuo' 'na lawer o bobol yma?'

'Do, amryw, Mam. Mi werthis i'r cloc bach oedd yn y llofft i Mrs Davies, Tŷ Ucha', carped y grisia i Susan Griffiths, lamp i Lewis Tŷ Coch, y ci tsieni hwnnw oedd yn y parlwr i hogan Dic Steil, gwely'r llofft fach i Leusa Morgan, a . . .'

'I bwy?'

'I Leusa Morgan.'

'A finna wedi dweud wrthat ti am beidio â gwerthu dim iddi hi. Thalodd hi ddim amdano fo, 'rydw i'n siŵr.'

'Mi ddaw hi â'r pres yma y peth cynta' bora 'fory, medda hi. Now wedi dal deg 'sgodyn cymaint â hyn, ac wedi mynd i lawr i'r dre i'w gwerthu nhw.'

'Faint o bysgod ddeudist ti?'

'Deg.'

'Hy! Rhai cymaint â be'?'

'Cymaint â hyn.'

A rhoes Ella ei bys ym mhlyg ei phenelin a dal ei braich allan. Gwgodd ei mam arni.

'Wel,' meddai Meri Ifans, 'mae'r gwely yn y llofft fach, ac yno y bydd o nes daw Leusa Morgan yma â'r pres yn 'i llaw. Cymaint â hyn, wir!'

Wedi i Ella frysio adref, aeth ei mam ati i rifo'r cynfasau a'r llieiniau a ddug o'r llofft. Gwelwn hi'n cydio mewn un lliain gwyn ac yn ei agor allan a'i ddal i fyny.

'Mi ddylech chi gael arian da am hwn, John Davies. Lliain damasg digon o ryfeddod. Un mawr hefyd.'

Lliain mawr gwyn ydoedd, a'i wynder yn ariannaidd wrth iddi ei ddal yn y golau. Rhedai patrwm o ddail a blodau drwyddo.

'Heb 'i iwsio o gwbwl, am wn i,' meddai Meri Ifans.

'Diar, on'd ydi o'n grand? Lle cafodd eich mam o, tybed?'

''Dydw i ddim yn siŵr, ond mae gen i ryw go iddi'i gael o gan 'i meistres cyn priodi.'

'Pan oedd hi'n gweini yng Nghaernarfon?'

'Ia, os ydw i'n cofio'n iawn. Mi glywais i hi'n dweud droeon 'i fod o'n rhy fawr i fwrdd y gegin, ac mi fuo'n bygwth 'i dorri o'n ddau. Ond wnaeth hi mo hynny; 'roedd hi'n biti 'i sbwylio fo, medda hi.'

'Pwy fasai'n 'i brynu o, tybad? Gwraig y Person, 'falla. Wyddoch chi be', mae o bron yr un fath yn union â'r lliain Cymundeb sy yn y capal, ond bod hwnnw wedi mynd yn dena' ac wedi dechra raflio. Diar, fel y byddai'ch mam druan yn 'i olchi o ac yn 'i smwddio fo bob yn ail Cymundeb! Mor ofalus y byddai hi!'

''Roeddach chi'n dweud bod hwnnw'n mynd yn dena' ac yn dechra raflio, Meri Ifans?'

'Ydi, ers tro bellach. Ond be' arall sy i'w ddisgwyl? Mae o gynnon ni yn y capal ers—O, ers tros ddeng mlynadd. Mi fuo'ch mam yn hynod ofalus ohono fo, ond 'does dim disgwyl i liain bara am byth.'

'Wnâi hwn y tro, Meri Ifans?'

'I'r Cymundeb? 'Rargian fawr, gwnâi. Ond . . .'

'Mi ro' i o i'r capal. Mi wn y basai Mam yn licio hynny.'

'Mi fydd Ifan Jones wrth 'i fodd. Ond ydach chi'n siŵr . . .?'

'Ydw.'

Aeth Meri Ifans i'r llofft yn fuan wedyn, a gadael y lliain gwyn ar silff y dresal. Ia, ei roi i'r capel a wnawn, er cof am fy mam, er cof am Mr Jones y Gweinidog—er cof am Twm Twm. A ffrydiodd atgofion i'm meddwl, am y Cymundeb, am Mr Jones—ac am Twm Twm.

Y mae'n rhaid imi gyfaddef mai testun chwerthin gogleisiol oedd y Cymundeb imi pan oeddwn i'n hogyn.

Fy nhad ac Ifan Jones, un bob ochr i'r capel, a ddygai blât arian y bara a chwpan arian y gwin o amgylch y seddau. Yr oedd traed Ifan Môn yn rhai trymion iawn, a'i esgidiau Sul yn gwichian fel y camai'n araf o sedd i sedd; rhoddai ei bwys hefyd ar ben y sedd a gwyro ymlaen fel petai'n gofalu na chymerai un o'r cymunwyr fwy na'i siâr o'r bara ac o'r gwin. Ymsythai ennyd wedi derbyn y plât neu'r cwpan yn ôl, ac yna torrai gwich ingol yr esgidiau ar y distawrwydd sanctaidd. Rhoddai fy mam bwniad imi bob tro y deuai'r ysfa i chwerthin trosof, ond gwyddwn oddi wrth yr hanner-gwên yn ei llygaid nad ydoedd yn wir gas wrthyf. Am fy nhad, swil a nerfus oedd ef ar ei hynt gymundebol. Ni wyddai i ba le yr edrychai na pha beth a wnâi â'i ddwylo. Fel rheol, taflai ei olygon i fyny i'r nenfwd fel petai rhyw gamwri mawr yn digwydd yn y sedd ac yntau wedi ei gyflogi i'w anwybyddu; plethai ei ddwylo o'i flaen am ennyd, yna gafaelai yn ei dei, wedyn plethai ei fysedd drachefn, ac yna tynnai allan yr hances goch sidan a gadwai fy mam iddo ar gyfer y Sul. Tynnwn innau fy nghadach poced allan pan gychwynnai fy nhad o'r sêt fawr tua'r seddau; gwyddwn y byddai ei angen arnaf i guddio'r wên lydan a fynnai ddyfod i'm hwyneb. Ni feiddiwn droi fy ngolwg yn ôl i gyfeiriad sedd Defi Preis; pan wneuthum hynny un tro, tynnodd y wich hirfaith o esgidiau Ifan Jones ystumiau un mewn poenau arteithiol i wyneb Defi, ac ni fedrais innau ymgadw rhag pwff o chwerthin cyhoeddus.

Dyletswydd a gymerasai Ifan Môn arno ef ei hun yn ddiwyd a difrifol iawn oedd ceisio chwanegu at rif aelodau'r capel, efallai am fod Mr Jones y Gweinidog braidd yn ofnus a hwyrfrydig yn hyn o beth. Credai Ifan Jones y dylid cael Bedydd bob hanner blwyddyn, os oedd modd yn y byd, ac âi o gwmpas y rhieni i'w hargyhoeddi ei bod hi'n hen bryd i'r mab neu'r ferch ymaelodi. Cyn gynted ag y dechreuais i weithio yn y chwarel, gwyddwn fod y pwnc hwn yn gysgod rhyngddo ef a'm tad, ef yn bendant y dylwn gael fy medyddio, a'm tad am i mi fy hun chwennych hynny yn gyntaf. Yr oedd Defi Preis, ac yntau yr un oed â mi, i gael ei fedyddio un nos Sul, a chofiaf y taflai Ifan Jones sylwadau go awgrymog tuag ataf drwy'r wythnos honno yn y chwarel. Daliai at y testun, mor gyndyn â chi wrth asgwrn, y prynhawn Sadwrn hwnnw pan euthum i'w helpu ef a'm tad i baratoi'r 'seston', fel y galwem y fedyddfa dan lawr y pulpud, ar gyfer trannoeth. Ond ni thyciai ei gyndynrwydd ddim; teimlwn y dylwn gael rhyw weledigaeth ar y pwnc, ac yr hoffai Mr Jones imi weld ystyr y Bedydd yn gliriach.

Y Sadwrn hwnnw y bedyddiwyd Defi Preis ddiwrnod cyn ei amser. Digwyddais daro arno yng nghanol y pentref a sôn imi fod yn cynorthwyo fy nhad ac Ifan Jones i redeg dŵr i'r fedyddfa.

'Ydi hi'n ddofn iawn?' gofynnodd Defi.

'At dy 'sgwydda di, was,' meddwn innau.

'Tyd draw imi gael 'i gweld hi.'

Ac i ffwrdd â ni i'r capel. Safodd Defi yn synfyfyriol ar fin y seston, ac eisteddais innau ar sedd Mr Jones y Gweinidog.

'Dew, mae hi'n edrach yn oer, 'achan,' meddai Defi, a phenliniodd i roi ei fys yn y dŵr.

Codais innau a mesur â'm llygaid y ffordd o ymyl y sedd dros y fedyddfa i'r rhimyn llawr dan ganllaw'r pulpud.

'Mi fedra' i neidio tros hon,' meddwn.

'Hy, medri ar dy dafod.'

'Oreit, 'ta.' A rhoddais naid o fin y sedd tros y dŵr, gan gydio'n dynn yn rheilen y pulpud yr ochr arall.

'Dyna fo iti. Mi fetia' i na fedri di ddim.'

Os medrwn i, fe fedrai Defi, a safodd wrth ymyl sedd y pregethwr yn ystum un a oedd ar fin neidio, nid yn unig tros y dŵr, ond tros ganllaw'r pulpud, a thros y seddau oll i ben arall y capel. Poerodd ar ei ddwylo, taflodd un golwg i'r dŵr oddi tano, ac yna neidiodd. Cyrhaeddodd ei draed yr ochr arall yn ddiogel, ond yn anffodus, ni chydiodd ei ddwylo yn y ganllaw, a syrthiodd yn ôl ar ei gefn i ddŵr y fedyddfa. Yno y sblasiai ac y tagai pan ddaeth Ifan Môn i mewn i gloi'r capel; gwadnodd Defi hi am ei fywyd, gan adael ei ôl dyfrllyd ar lawr y festri.

Ni chefais i fy medyddio nes oeddwn dros ddeunaw oed. Ar waethaf cymhellion aml Ifan Môn, dal i ohirio'r dydd a wnawn, a chwarae teg iddo, gadawai fy nhad fi'n llonydd. Ni soniodd Mr Jones air wrthyf ychwaith, ac nid edrychai'n achwynol i'm cyfeiriad pan fedyddiai eraill. Yr oeddwn i'n meddwl y byd o Mr Jones; ef oedd fy arwr er pan oeddwn yn hogyn bach. Pan alwai ar fy nhad ynglŷn â rhyw fater ariannol yn y capel, neu pan ddeuai i chwarae *draughts* hefo'm Hewythr Huw, gwyliwn bob ystum ac osgo o'i eiddo a daliwn ar bob gair o'i enau. 'Un o'r dynion nobla' oedd disgrifiad cyson f'Ewythr Huw ohono, ac nid gwiw i neb ddweud gair yn ei erbyn yn ein tŷ ni. 'Gwyn eu byd y rhai pur o galon,' oedd ei destun y nos Sul ar ôl marw f'ewythr, a thorrodd i lawr ar ddechrau ei bregeth. 'Dim llawar o bregethwr' oedd barn amryw amdano, ond ni feiddiai neb ddweud hynny yng nghlyw fy nhad. Ac fel y tyfwn, awn innau yn fwy chwyrn o hyd os digwyddwn glywed rhyw anair iddo ar y stryd neu yn y chwarel neu yn y capel. Onid oedd yn ysgolhaig ac yn llenor? Oni roddai'n hael, o'i arian prin, at bob achos teilwng? Oni frysiai i bob tŷ lle y clywsai fod afiechyd neu dristwch? Onid arhosai ar ei draed hyd oriau mân y bore, ac weithiau drwy'r nos, wrth ambell wely cystudd? Ac onid oedd yr un fath bob amser wrth bawb—yn syml a charedig a chywir?

Rhyw nos Sadwrn oedd hi pan benderfynais gymryd fy medyddio. Aethai fy nhad i'r capel gydag Ifan Jones i daflu golwg olaf tros y trefniadau yno, ac eisteddais wrth y tân yn gwylio fy mam yn smwddio lliain y Cymundeb ar gyfer trannoeth. Edrychodd braidd yn swil arnaf wrth ofyn,

'Wyt ti ddim wedi meddwl am gael dy fedyddio, John?'

''Sdim brys, Mam. Pam oeddach chi'n gofyn?'

'O, dim byd.' Ac aeth ymlaen â'r smwddio.

'Mam?'

'Ia?'

'Ydach chi isio imi gael fy medyddio?'

'Wel, na, ond . . .'

'Ond be'?'

'Dim ond 'mod i'n meddwl y gall y peth fod yn poeni tipyn ar Mr Jones.'

'Poeni Mr Jones? Ddeudodd . . . ddeudodd o rywbeth wrthach chi?'

'Naddo, dim ond . . .'

'Dim ond be', Mam?'

'Dim ond gofyn oeddat ti wedi sôn rhywbath wrtha' i.'

Poeni Mr Jones! Ni feddyliaswn am hynny.

'Mam?'

'Ia, John?'

''Rydw i am fynd draw i dŷ Mr Jones.'

'O?'

'A dweud wrtho fo y liciwn i gael fy medyddio nos yfory.'

'Ti ŵyr ora, John bach.' A gwenodd yn dyner uwchben y lliain gwyn a smwddiai.

Ond wedi imi gael fy medyddio, ni olygai'r Cymundeb lawer imi. Gwrandawn yn astud iawn ar Mr Jones yn darllen y bennod—y XXVI o Fathew, yn ddieithriad—a dilynwn ei bregeth yr un mor eiddgar, gan benderfynu glanhau fy meddwl ar gyfer yr ordinhad. A chyn gweinyddu'r sacrament, cynorthwyai Mr Jones fi a phawb arall trwy ddyfynnu yn hynod dawel a dwys yr adnod, 'Eithr holed dyn ef ei hun; ac felly bwytaed o'r bara ac yfed o'r cwpan.' Ond cyn gynted ag y rhoddwn y darn o fara rhwng fy nannedd, diflannai fy nuwioldeb oll. Trown y frawddeg 'Hwn yw fy nghorff' yn fy meddwl, ond lladdai rhyddiaith y briwsion ar fy nhafod holl farddoniaeth y peth. Digwyddai'r un peth pan yfwn y gwin, 'Hwn yw fy ngwaed'—ond, â melyster y gwin yn fy ngenau, pell ac atgas oedd y syniad o 'waed'. Gwnawn fy ngorau glas i gael golwg glir ar y drychfeddwl sanctaidd, i syllu trwy wydr cymylog y ddefod, ond methu, methu a wnawn. Hyd nes dyfod helynt Twm Twm.

Thomas Edward Thomas oedd yr enw a roes ei rieni arno, ond prin y gwyddai neb hynny nes i'r geiriau gael eu torri ar garreg ei fedd. 'Twm Twm' oedd ef i bawb, i hen ac ifanc, i barchus ac amharchus, ac y mae'n bur debyg y llewygai Twm pe galwai rhywun ef yn Thomas Edward. Lletyai hefo Cadi Roberts, hen wraig a oedd yn byw ar y plwy' ers blynyddoedd; yno, beth bynnag, i lawr wrth y llyn, y cysgai ac y llyncai damaid o frecwast, ond dyn a ŵyr ymh'le y câi fwyd trwy weddill y dydd. Hel ei damaid fel rhyw gardotyn answyddogol o wnâi, a gofalai llawer un am gadw bara a chaws neu ddarn o gig ar gyfer Twm Twm. Nid bod arno eisiau llawer o fwyd; yr oedd yn well ganddo yfed na bwyta, a llymeitian o fore hyd hwyr oedd ei wynfyd ef. Ni welais mohono erioed yn feddw—nid oedd ganddo ddigon o arian i hynny; ac ni welais mohono erioed yn hollol sobr. Enillai ychydig o bres trwy lanhau ystabl Siop y Gongl, ac ychwanegai atynt trwy gario rhyw nwydd neu fag o'r Orsaf i rywun, neu trwy ddifodi'r naddion i Huw Saer, neu helpu Now Morgan i beintio'r cychod, neu hel grug gwyn a'i werthu i ddieithriaid. Mewn gair, rhyw fyw o ddydd i ddydd a wnâi Twm Twm, a digon i'r diwrnod ei ddrwg ei hun.

Gwisgai Twm Twm fel cardotyn, ac ni phoenai am eillio'i wyneb ond rhyw unwaith bob wythnos. Câi rodd o gôt neu drowsus neu wasgod neu gap gan rywun byth a hefyd, ac ni welid neb yn y pentref â chymaint o amrywiaeth yn ei wisg. Ond er ei holl wendidau, yr oedd Twm Twm yn hoff gan bawb, yn arbennig gan blant a chŵn yr ardal. Rhoddai gwraig Siop y Gongl ddyrnaid o dda-da iddo bron bob dydd, ac âi Twm Twm am dro damweiniol i fyny'r Stryd Fawr pan âi'r plant i'r ysgol a digwydd iddo gofio bod ganddo dda-da yn ei boced. Llanwai ei bocedi eraill â darnau o gig a mân esgyrn, ac ysgydwai pob ci ei gynffon pan welai Twm Twm yn agosáu. A'r ystabl tu ôl i Siop y Gongl oedd meddygfa ymlusgiaid ac ehediaid; yno y dygai plentyn gi â draenen yn ei bawen, neu lyffant â'i droed yn gwaedu, neu aderyn â'i adain yn friw.

Achosodd ymddangosiad Twm Twm yn sedd olaf y capel un nos Sul gyffro mawr. Prin y credai Ifan Jones ei lygaid ei hun pan gododd i ganu ac i wynebu'r gynulleidfa, a daliai i rythu'n syn o'i lyfr emynau i gyfeiriad y dieithryn. Ni chreasai ymweliad y Gŵr Drwg ei hun fwy o syndod, a throai aml un ei ben yn ystod y gwasanaeth, yn arbennig yn ystod y weddi, i edrych a oedd Twm Twm yno o hyd. A phan ddychwelodd Dafydd Owen i'r sêt fawr hefo'r casgliad, taflodd Ifan Môn olwg pryderus i'r blwch. Yr unig un na chymerai ddiddordeb o gwbl yn yr ymwelydd annisgwyl oedd William Preis, y barbwr, a sleifiodd i mewn i'r un sedd yn ystod yr emyn cyntaf; yn ôl y rhai a eisteddai yng nghefn y capel, ymwthiodd William Preis i ben arall y sedd gan anwybyddu'n llwyr un o'i gymdeithion yn y Red Lion.

Pe digwyddai rhyw ddieithryn fod yn y capel, y mae'n sicr y credai mai pregethwr a gyrhaeddodd yn o hwyr, ac a lithrodd yn ddisylw i'r sedd gefn rhag creu cynnwrf, a eisteddai yn y sêt. Oherwydd yr oedd gwisg orbarchus am gorff tenau Twm Twm, côt a gwasgod ddu hynod henffasiwn, trowsus llwyd-olau, coler big a ffrynt eang ynghlwm wrthi, a thei du anferth ac ynddo bin a ryddhâi ddisgleirdeb gemau lawer. Y mae'n wir na ffitiai'r dillad fel y dylent, bod y goler lawer yn rhy fawr i'r gwddf esgyrniog ac y mynnai'r ffrynt galed blygu ac ymwthio allan o'r wasgod, a gwir hefyd fod yn rhaid i Dwm Twm dorchi ei lewys bob tro y dymunai ddyfod o hyd i'w ddwylo—ond craffu'n fusneslyd yr oeddych i ddarganfod rhyw fanion felly. Sleifiodd allan—yng nghwmni William Preis, efallai—yn ystod yr emyn olaf, gan adael o'i ôl derfysg o gwestiynau. Pa gorwynt a chwythasai Dwm Twm i'r oedfa? Ai William Preis a'i harweiniodd yno? Ymh'le y cawsai'r dillad? Ai Cadi Roberts a'u dug i'r golau o ddyfnderoedd rhyw gwpwrdd a fuasai'n gwarchod trysorau ei gŵr ers ugain mlynedd? Atebodd pob un yn ôl y doethineb a roddwyd iddo.

Pam y daethai Twm Twm i'r capel, ni wn. Dywedai rhai i Mr Jones y Gweinidog ddilyn rhyw blentyn a gludai gath glwyfedig i ystabl Siop y Gongl, ac iddo synnu a rhyfeddu at ddeheurwydd a thynerwch y dwylo anffaeledig yno. Ni wn, ond deuai i'r addoliad Sul ar ôl Sul yn ei wisg hynafol, a sleifio'n dawel, ar ôl y noson gyntaf honno, i'r sedd gefn yr ochr arall i'r capel rhag i William Preis deimlo'n anghysurus o'i arddel. Yr oedd William Preis ac yntau'n gyfeillion mawr yn y Red Lion, ond y mae'n bur debyg y teimlai'r barbwr na ddylai'r cyfeillgarwch hwnnw ddatblygu yng nghwmni'r saint, a thyfodd rhyw gytundeb greddfol rhwng y ddau i anwybyddu ei gilydd. Neu efallai fod Twm Twm, yn holl ogoniant ei ddillad Sul, am fod yn llawn mor annibynnol â William Preis.

Rosie Hughes a gychwynnodd y gwrthryfel yn erbyn Twm Twm. Hen ferch biwis ac addurnol oedd Rosie, un bwysig ac urddasol iawn yn ei thyb ei hun. Eisteddai, yn dlysau a sidanau i gyd, yng nghongl y flaenaf o'r pedair sedd a ffurfiai ysgwâr i'r chwith o dan y pulpud a gwelai o'r fan honno bawb yn y gynulleidfa. Aeth y cyffro drwy ei holl blu sidanog pan ganfu Dwm Twm, y nos Sul gyntaf honno, a rhoes dro sydyn yn ei sedd a chodi ei gên i ddangos yn eglur i bawb yr ystyriai beth fel hyn yn warth ac yn sarhad personol. 'Be' oedd y bwgan-brain 'na yn wneud yn y capel, Robert Davies?' oedd ei chwestiwn i'm tad cyn brysio'n fân ac yn fuan, fel iâr ar ei hurddas, allan o'r capel. Ond dal i ymddangos yn y sedd olaf a wnâi'r 'bwgan-brain', a phenderfynodd Rosie Hughes gysegru holl egnïon ei morwyndod gwyw i'r uchel swydd o'i yrru ymaith i'w ffordd a'i fyd ei hun.

Y cam cyntaf a gymerodd Rosie oedd ymweld â'm tad, trysorydd y capel, a digwyddwn innau fod yn y tŷ ar y pryd.

'Dŵad i'ch gweld chi ynglŷn â'r capel, Robert Davies,' meddai yn ei ffordd gyflym, gymhenllyd, gan frathu pob gair.

'Eisteddwch, Miss Hughes,' meddai fy mam.

'Thanciw.'

''Roedd yn ddrwg gynnon ni glywed am eich profedigaeth chi, Miss Hughes,' meddai fy nhad, mewn tôn a awgrymai mai rhyddhad iddo oedd deall i'w modryb, yr hen Edith Hughes, ymdawelu ar ôl ei holl swnian.

'Ia, *auntie* druan, *poor dear.* Ond 'roedd hi bron yn *seventy-nine, you know,* ac wedi cael bywyd reit *happy.* Amdani hi yr oeddwn i eisio'ch gweld chi, Robert Davies.'

'O?'

''Roedd hi'n *well off, as you know,* ac mae hi wedi gadael 'i harian i mi. Am imi edrach ar 'i hôl hi ers blynyddoedd, *of course.*'

'Mi wnaethoch chi eich gora iddi hi, Miss Hughes,' meddai fy mam.

''Ro'n i'n ffond o'r hen *lady* ac yn falch o'i chwmni hi ar ôl i *father* druan farw. *Poor father,* 'roedd o'n meddwl y byd o'r hen gapel, on'd oedd, Robert Davies?'

'Mae hi'n golled inni ar 'i ôl o, Miss Hughes. Cyfrannwr hael iawn—fel chitha, o ran hynny.'

Colled ar ôl arian Ifan Hughes, y groser, a olygai fy nhad, gan mai gŵr di-asgwrn-cefn a hollol ddiddychymyg a fuasai ef, un â'i athrylith yn cael llawn fynegiant mewn pwyso te a naddu cig moch. Gadawsai yntau rai miloedd o bunnoedd i Rosie, a rhwng y ffortiwn honno ac arian ei modryb, yr oedd hi, bellach, yn bur gyfoethog.

'Meddwl yr oeddwn i, Robert Davies, y liciwn i roi rhyw *hundred pounds* o arian Anti Edith i'r capel. Mi wn i y buasai hi a *father* yn hoffi imi wneud hynny, *d'you see.*'

'Wel, wir, Miss Hughes,' meddai fy nhad, 'fe fydd y brodyr yn falch iawn. 'Dydi'r sefyllfa ariannol ddim yn rhy lewyrchus fel y gwyddoch chi.'

'*Quite*, ac mae'r hen gapel eisio'i beintio ers tro. Ond mae 'na un peth sy'n poeni tipyn arna' i, Robert Davies, yn *worry* mawr imi.'

'Be' ydi hwnnw, Miss Hughes?'

'Y Tom Tom 'na sy'n dŵad i'r capel ar nos Sul.'

'O!'

'Ydi, mae'r peth yn *worry* mawr imi. 'Dydw i ddim yn licio'i weld o yno *at all.*'

'O?'

'Ac mae eisio i rywun ddweud wrtho fo am beidio â dŵad yno, Robert Davies.'

'O?'

'Meddwl yr oeddwn i na fasai Anti Edith druan ddim yn licio imi roi *hundred pounds* o'i harian hi i'r capel a phobol fel'na yn dŵad yno i amharchu'r lle.'

'O?'

'Ac 'roeddwn i'n meddwl hefyd, Robert Davies, mai chi ydi'r dyn gora i fynd at y Tom Tom 'na a siarad hefo fo.'

'O?'

Yr oeddwn i a'm mam yn adnabod fy nhad yn ddigon

da i wybod bod huodledd ysgubol yn yr unsillafau hyn. Ofnem glywed y dicter cudd yn ffrwydro.

''Roeddwn i'n siarad wrth Mrs Howells y *Bank* am y peth gynna', ac 'roedd hitha yn teimlo yr un fath, *you know,* Robert Davies.'

Gwelwn fy nhad yn codi i roi pwniad i'r tân, peth anghyffredin iawn iddo ef ei wneud. Fel rheol, gallai'r tân fynd allan ar ddim a wnâi ef iddo, a haerai fy mam mai'r ffordd orau i ddiffodd tân oedd rhoi fy nhad i eistedd wrtho.

'Wel, Miss Hughes,' meddai, wedi dychwelyd i'w gadair, 'mae'r hen Dwm Twm yn ddigon diniwad.'

'*Drunkard,* Robert Davies, *drunkard. Scamp* a dim arall.'

'Ond pa ddrwg mae o'n 'i wneud yn y capal, Miss Hughes? Fedra' i ddim gweld bod . . .'

'Drwg! Neithiwr ddwytha' yr oeddwn i'n meddwl am y dynion *noble* oedd yn y capel pan o'n i'n hogan—llond y sêt fawr ohonyn nhw—Richard Evans, Edward Jones, yr hen Robert Owen, David Lloyd. Be' fasan nhw'n ddweud? 'Ro'n i'n meddwl be' fasa *father* druan yn 'i ddweud. Mae'r peth yn *worry* mawr i mi, Robert Davies, yn *worry* mawr iawn. A fedra' i ddim, *on my conscience,* roi *hundred pounds* Anti Edith druan i'r capel os ydi o i fod yn lle i bobol fel yr hen Tom Tom 'na. *I just can't do it,* ydach chi'n dallt. Y mae *smell* diod arno fo hyd yn oed ar y Sul.'

Daeth Mr Jones y Gweinidog i mewn i'r tŷ y munud hwnnw, a chododd Rosie Hughes ar dipyn o frys. Ysgydwodd Mr Jones law â hi, gan ddweud mai dim ond galw am funud yr oedd ac na fynnai iddi gychwyn ymaith er ei fwyn ef. Ond yr oedd Rosie newydd gofio ei bod hi ar frys gwyllt.

'Be' sy, Robat Davies?' gofynnodd Mr Jones ymhen ennyd, gan sylwi bod fy nhad yn dawel iawn.

'Ydach chi isio canpunt at gronfa'r eglwys, Mr Jones?' oedd ateb fy nhad.

'Gan Miss Rosie Hughes?'

'Ia.'

'Wel, oes, debyg iawn, Robat Davies. Mi fedar hi fforddio'r arian, yn enwedig 'rŵan ar ôl marw'i modryb.'

'Medar. Ond mae 'na un amod, Mr Jones.'

'Amod?'

'Ein bod ni'n gofyn i Twm Twm aros i ffwrdd o'r capal.'

'O?'

'Be' ydi'ch barn chi, Mr Jones?'

'A oes angen i chi ofyn, Robat Davies?'

A llanwodd y ddau eu pibellau i gael mygyn uwchben un neu ddau o faterion eraill yn ymwneud â'r capel.

Colli ei dymer ar unwaith a wnaeth Ifan Môn pan aeth Rosie Hughes ato ef ynglŷn â'r un pwnc, ac adroddai'r hanes wrthyf i a'm tad ar y ffordd i'r chwarel gyda balchder mawr. 'Mi ddeudis i wrthi hi am gadw'i hen bres, Robat,' meddai, 'ac 'mod i'n gobeithio gweld Twm Twm yn flaenor hefo ni cyn bo hir. Mi ges i row gynddeiriog gan y ferch 'cw ar ôl i Rosie fynd.'

Bob bore ar y ffordd i'r gwaith, Twm Twm oedd testun y sgwrs rhwng fy nhad ac Ifan Môn. A phan ddechreuodd Rosie Hughes ac eraill sorri ac aros gartref o'r capel, tyfodd Twm Twm eu hymgom yn arwr i farw drosto, yr hen bechadur yn sant a erlidid, y dihiryn yn wron, y meddwyn yn ferthyr o'r merthyron. Esgynnodd Twm Twm o ddinodedd glanhawr ystabl Siop y Gongl i fod yn Achos cysegredig, yn ymgorfforiad o ddioddefaint pob gwrthodedig, ac ymhell cyn iddynt gyrraedd y bonc, yr oedd fy nhad ac Ifan Môn yn barod i gael eu llosgi wrth y stanc tros y truan dirmygedig hwn. Ac ar eu ffordd adref o'r chwarel, daliai fflam eu sêl; yr oeddynt o hyd, pe deuai'r gofyn, yn barod i farw trosto. Llymeitian yn hamddenol a phoeri sug baco i ddysglau-blawd-llif y Red Lion, heb wybod dim am y cynnwrf a'r huodledd hwn, a wnâi Twm Twm.

Ymunodd Mrs Howells y Banc a gwraig arall o'r enw Susan Jones ym mhrotest Rosie Hughes, ac arhosodd y tair o'r capel am ddau Sul. Rhywfodd neu'i gilydd, daeth Twm Twm i wybod am y terfysg a achosai, a diflannodd yntau'n llwyr o gyffiniau'r addoldy a dychwelyd i'w garpiau ac i gwmni Capten, ceffyl Siop y Gongl, ar nos Sul. Ac yna, yn sydyn hollol, bu farw Twm Twm.

Cofiaf y bore Sul hwnnw'n dda. Edrychai Mr Jones, wrth iddo ddringo i'r pulpud, yn llwyd a lluddedig, ac ymddangosai yn bell a breuddwydiol yn ystod ei bregeth. Byr iawn oedd yr oedfa, a throes fy nhad a minnau tuag adref yn dyfalu beth a oedd yn poeni'r gweinidog. Goleuwyd ni yn fuan iawn, oherwydd galwodd Cadi Roberts cyn cinio i weld fy nhad. Dywedodd i Dwm Twm gael ei daro'n wael y noson gynt, ac i Mr Jones fod wrth erchwyn ei wely trwy'r nos yn ei gysuro ac yn gweinyddu arno. Cysgodd Twm Twm ryw ychydig yn y bore bach, ond agorodd ei lygaid i weld goleuni cyntaf y wawr, ac yna eu cau am byth. Mynnai Mr Jones, meddai hi, dalu holl dreuliau'r cynhebrwng a'r claddu, ac aethai ati y bore hwnnw i ofalu am yr holl drefniadau.

Yr oedd hi'n Gymundeb y nos Sul honno, a dyna'r tro cyntaf i'r ddefod olygu rhywbeth mewn gwirionedd imi. 'Cyfaill publicanod a phechaduriaid' oedd testun pregeth Mr Jones, a chrynai rhyw drydan trwy dawelwch dwys ei lais. 'Dim llawar o bregethwr' oedd y farn gyffredin amdano, ac y mae'n debyg fod gwir yn y ddedfryd. Dilynai ei nodiadau'n rhy fanwl, a phetrusai beunydd, fel petai'n ymbalfalu am eiriau. Ond y nos Sul honno, ni phetrusai ddim, ac ni phoenai am ei nodiadau. Prin y credem, wrth glywed yr huodledd syml o'i enau ac wrth weld fflach y dicter dwyfol yn ei lygaid, mai Mr Jones a bregethai. Diolchodd Rosie Hughes yn fawr iddo ar ôl y gwasanaeth; ni chlywsai hi well pregeth erioed.

'Holed pob dyn ef ei hun,' meddai Mr Jones yn dawel wrth fwrdd y Cymundeb, gan edrych, mi debygwn, i gongl y sedd bellaf un. Yn ei weddi, diolchodd am y Gŵr a fu farw tros drueiniaid y byd, tros bublicanod a phechaduriaid, tros yr amharchus eu gwisg a'u gwedd. Erfyniodd ar Dduw am ddeffro'r Samariad yn ein calonnau ac am faddau inni ein parodrwydd i fyned 'o'r tu arall heibio'. Cofiaf hyd heddiw un frawddeg o'r weddi seml honno. '*Gweld* pobl yr ydym ni, ein Tad,' meddai. 'Dyro ras inni i geisio'u *deall.*'

Pan estynnodd Ifan Môn blât y bara imi y nos Sul honno teimlwn, am y tro cyntaf, fy mod yn cymryd rhan mewn ordinhad sanctaidd iawn. Wrth blygu fy mhen, daeth imi ddarlun o Dwm Twm wedi ei ddiosg a'i archolli gan ladron ei bechodau ei hun a'i adael yn hanner marw ar fin y ffordd. A cheisiais innau, fel y Samariad trugarog hwnnw gynt, groesi ato i rwymo'i archollion ac i dywallt ynddynt olew a gwin.

Byth er hynny, am Mr Jones ac am Dwm Twm y

meddyliaf yn ystod y Cymundeb. Y mae hi'n dair blynedd bellach er pan fu farw Mr Jones, ac ni alwyd gweinidog gennym i gymryd ei le. Ymddengys y tair blynedd imi fel ddoe, ac felly hefyd y deng mlynedd er pan fu'r helynt ynglŷn â Thwm Twm. Gwelaf, wrth syllu ar y lliain gwyn acw a drawodd Meri Ifans ar silff y dresel, wyneb main a gwelw Mr Jones wrth fwrdd y Cymundeb y nos Sul honno, a chlywaf eto gryndod ei lais yn erfyn am ddeffro'r Samariad ynom. 'Roedd ei wallt, a fuasai'n ddudew ychydig flynyddoedd cyn hynny, bron yn wyn, a rhedai dwy rych ddofn i lawr hyd bob ochr i'w wyneb cerfiedig.

Rhof, mi rof y lliain gwyn i'r capel, er cof am fy mam a olchai liain y Cymundeb drwy'r blynyddoedd, er cof am Mr Jones, 'un o'r dynion nobla',' chwedl f'Ewythr Huw—ac er cof am Dwm Twm.

8 LLYFRAU

Galwodd Llew Hughes yn gynnar gyda'r nos ar ei ffordd adref o'r stesion. Clerc yn yr orsaf yw Llew, ac ef sy'n canu'r organ yn y capel. Y mae'n fachgen byw ei feddwl ac yn ddarllenwr mawr. 'Yr hen lyfra 'na,' medd ei fam, gweddw unig y bu Llew yn gefn iddi ers blynyddoedd bellach, a'i gorfu i wisgo sbectol ac a wnaeth ei wyneb mor llwyd a thenau. Llew yw ysgrifennydd dosbarth y W.E.A. hefyd, a heb ei ynni ef prin y byddai dosbarth felly yn yr ardal. Ef, beth bynnag, a'm perswadiodd i ymuno ag ef ac i gymryd rhyw ddiddordeb mewn llenyddiaeth Gymraeg. John Ellis, gweinidog yr Annibynwyr yn Llaneithin, pentref ryw bum milltir i ffwrdd, yw'r athro, ac yn wir, y mae'n ŵr galluog a brwdfrydig iawn. Trueni na fuasai dosbarth fel hwn pan oedd f'Ewythr Huw yn fyw; gwn y mwynhâi ef bob eiliad ohono. Go lastwraidd ydym ni yn y dosbarth, y mae arnaf ofn; rhyw ddwsin sy'n mwynhau'r ddarlith a'r ymgom ar ei hôl ac yna'n troi adref i anghofio popeth a ddysgodd Mr Ellis inni. Go ddienaid yw'r sgwrsio ar ôl y ddarlith yn bur aml, a pha beth bynnag fo testun y darlithydd, myn Owen Davies, hen frawd siaradus dros ben, ryw esgus i godi dadl ar Fanteision ac Anfanteision yr Ysgol Sul. Ond y mae yno un neu ddau fel Llew Hughes sy'n cael budd a mwynhad mawr o ymgydnabod â'r beirdd a'r llenorion. Hynny, y mae'n debyg, a rydd ysbrydiaeth a nerth i Mr Ellis i gario ymlaen mor ddiwyd ac mor frwd.

'Ydach chi am werthu'r cwpwrdd llyfra, John Davies?' gofynnodd Llew imi.

'Wel, ydw, am wn i. 'Does 'na ddim lle iddo fo yn y llety, wel'di, ac mae gan Mrs Humphreys silffoedd llyfra yno, medda hi. Nid bod arna' i isio llawar o le i lyfra.' A gwenais wrth daflu golwg tua'r ychydig lyfrau ar ddwy silff uchaf y cwpwrdd derw yn y gornel i'r chwith o'r aelwyd.

'Mi liciwn i'n fawr 'i gael o. Mam yn cwyno bod fy llyfra i hyd y tŷ i gyd.'

'Croeso iti ohono fo, Llew.'

'Diolch, John Davies. Mae hi'n Sadwrn Cyfri' 'fory, ac fe fydd y dynion gartra o'r chwaral. Mi ga' i help Lewis Roberts ac Ifan Jones i'w gario fo. Meddwl troi'r parlwr acw yn dipyn o stydi, ac fe ffitia hwn i'r gongl wrth y ffenast' yn gampus.'

Wedi i Llew Hughes fy ngadael, dygais yr ychydig lyfrau yn bentwr i'r bwrdd. Ar wahân i rai f'Ewythr Huw, nid oedd yno ddim o bwys. Gwelais ysgrif mewn rhyw gylchgrawn Saesneg rai misoedd yn ôl yn sôn amdanom ni'r Cymry fel cenedl fyfyriol a darllengar, a'r awdur bron ag awgrymu bod athronydd neu lenor neu gerddor ym mhob tŷ. Ia, Llew Hughes a ddangosodd yr erthygl imi â rhyw falchder yn ei lygaid.

'Ond a ydi'r peth yn wir, Llew?' gofynnais iddo.

'Yn wir? Ydi, debyg iawn.'

'Oreit. Gad inni enwi'r rhai sy'n byw yn y stryd yma.'

Yna aethom, mewn dychymyg, o dŷ i dŷ y ddwy ochr i'r ystryd hon, a bu'n rhaid i Llew gydnabod nad oedd fawr neb yn darllen dim. Wedyn, ar ôl i Llew fynd adref, aeth fy meddwl i'r bonc lle gweithiaf yn y chwarel. Glyn, fy mhartner a'm cyfaill i—nemor ddim; Ifan Jones—y

Beibl ac esboniad neu ddau; Trefor Williams, ei bartner ef—y papur newydd; Robin Llew—dim; yr hen John Ifans—ei Feibl; Dafydd Edwards a Jac, ei frawd—ambell nofel Saesneg go amrwd a'r papur newydd ar ddydd Sul; Huw Huws—dim; Wil Erbyn Hyn—dim. Un 'darllenwr mawr' yn unig a ddôi i'm meddwl—Richard Roberts neu 'Dic Mysterious', chwedl ninnau yn y chwarel. Darllenasai Dic ryw lyfr o dan y teitl *The Mysterious Universe* ychydig flynyddoedd yn ôl, ac os llithra rhywbeth am lyfrau neu'r sêr neu'r greadigaeth i'r sgwrs yn y caban neu yn y twll, daw pwl o huodledd gwydd-onllyd ar unwaith tros Dic. 'Damnio fo a'i hen iwnifars,' yw sylw ei bartner, Ned Morgan, yn aml. Ond er y sieryd fel un ag awdurdod ganddo, ofnaf i Dic ymfodloni ar fod yn ddyn un llyfr.

Na, y mae'r llyfrau hyn yn fesur gweddol gywir o'r ysfa am ddarllen a fu ac y sydd yn yr ardal. Y mae'n rhaid imi gyfaddef na ddarllenais i ond ychydig, er imi gael y fantais o adnabod f'Ewythr Huw a Mr Jones. Am fy nhad, wel, dacw hwy—dau Feibl, tri Thestament Newydd, pedwar esboniad, *Taith y Pererin*, a *Llyfr Pawb ar Bob Peth*. Dyna'i lyfrgell, er ei fod yn feddyliwr cryf ac yn ddadleuwr eiddgar. Cofiaf Mr Jones y gweinidog yn dweud wrthyf droeon na chyfarfu â meddwl mwy treiddgar erioed, ac y buasai, pe cawsai addysg, yn ddiwinydd ac yn athronydd gwreiddiol iawn. Gwir a ddywedai, nid oes dim dwywaith am hynny, ac eto, ni ddarllenai fy nhad ond ei Feibl a'i esboniadau. Pam, tybed? Ai am na chawsai addysg? Ai am fod oriau'r chwarel mor hir? Ai am fod yr arian yn brin? Ai am nad oedd ysfa am ddarllen yn y byd y magwyd ef ynddo? Ni wn i ddim.

Llyfr Pawb ar Bob Peth—y mae ôl bysedd fy nhad yn ddu ar ei ddalennau, yn enwedig ar y bennod sy'n ymdrin ag afiechydon. Poenai ef gryn dipyn am gyflwr ei iechyd, gan fod ei ystumog yn anwadal a natur cryd-cymalau yn boen ar ei aelodau, a threuliai lawer o amser yn casglu dail a llysiau ac yn paratoi pob math o feddyginiaethau. Ambell dro, taflai fy mam wydraid neu botelaid o ddŵr-dail allan er mwyn cael golchi'r llestr, ac uchel fyddai cloch fy nhad pan âi am lymaid o'r ffisig bywiol ond diflanedig. Lluchiai fy mam hefyd ambell dusw o wermod neu ddail yr ysgyfarnog i'r domen wrth lanhau silffoedd y gegin fach, ac âi fy nhad yn gacwn.

'Ond 'roeddan nhw wedi gwywo a mynd yn hen, Robat.'

'Dyna'n union pam yr oeddan nhw'n hongian ar y silff 'na.'

Ac âi fy nhad i'r gegin at ei bapur newydd gan fwmian rhywbeth am anwybodaeth a dylni rhai pobl.

Yfai gegaid o ddiod wermod y peth cyntaf pan ddeuai i lawr o'r llofft yn y bore, a thynnai ystumiau digon i ddychrynu neb. Pan âi am dro i fyny Bryn Llus neu hyd lethrau'r Foel, trawai lysiau a dail o bob math yn ei boced, a chludai dusw o hyn a'r llall i'w rwymo a'i hongian i sychu yn y gegin fach. Cwynai fy mam fod gwreiddiau danadl poethion neu flodau camomil neu rywbeth hyd y lle i gyd, ond enghraifft o'i gormodiaith hi oedd hynny, ac ni wnâi fy nhad ond taflu winc oddefgar ataf. Yr hyn a achosai wir gynnen rhwng y ddau oedd ufudd-dod fy nhad i gynghorion *Llyfr Pawb ar Bob Peth* ar bwnc y diffyg treuliad. Peidio â bwyta, os cofiaf yn iawn, ac yna dysgu bwyta ond ychydig oedd awgrym caredig y llyfr, a chymerai fy nhad yn ei ben, pan ddôi pwl o gamdreuliad arno, i fyned heb fwyd am ddiwrnod cyfan ac weithiau am ddau neu dri diwrnod. 'Hen lol wirion' y galwai fy mam y merthyrdod hwn, ac os digwyddai ar ddiwedd yr wythnos a hithau wedi paratoi rhyw damaid blasus ar gyfer y Sul, huawdl iawn fyddai ei chondemniad o ffydd fy nhad yn 'yr hen lyfr 'na', ac aml ei bygythiad i 'daflu'r hen beth i'r tân'. Pan welai nad ysigai'r bygylu ddim ar benderfyniad fy nhad, âi ati i'w demtio. 'Tyd, Robat, wnaiff tamaid o *lamb* ddrwg i neb,' neu 'Tria'r cystard 'ma; mae 'na ddau wy ynddo fo,' neu 'Cymer damaid o'r deisen yma; 'does yna ddim byd i dy ypsetio di yn hon.' Ond nid ysgydwai un cymhelliad gadernid tawel fy nhad. Er hynny, bob tro y deuai'r ysfa am ymprydio trosto, daliai fy mam ati i fygwth ac wedyn i gymell yn hollol fel pe bai'r peth yn digwydd am y tro cyntaf erioed.

Ond yr esboniadau hyn, a Geiriadur Mathetes yn arbennig, oedd porfeydd gwelltog fy nhad. Ynddynt hwy y câi ddeunydd dadl â Lewis Roberts, athro'r dosbarth o ddynion yn yr Ysgol Sul, neu awgrym ar gyfer pwt o araith yn y Seiat.

'Pwy ddaru ennill hiddiw, 'Nhad?' fyddai fy nghwestiwn iddo amser te ddydd Sul.

'Pwy wyt ti'n feddwl? Fi, debyg iawn.'

A chawn hanes yr ymgyrch, rhywbeth tebyg i hyn—

'Mi fuon ni trwy'r pnawn 'ma hefo un adnod, fachgan—"Canys megis y mae y corff heb yr ysbryd yn farw, felly hefyd ffydd heb weithredoedd, marw yw." Lewis Roberts yn dadla, hefo Iago, mai ffydd farw ydi ffydd heb weithredoedd, a finna'n dal nad oedd yno ffydd o gwbwl, wel'di. 'Roeddwn i'n dweud wrtho fo fod galw'r peth yn ffydd yr un fath â galw dyn yn chwarelwr a fynta heb fedru naddu llechan, neu alw rhywun yn fardd a fynta heb lunio darn o farddoniaeth 'rioed. "'Does 'na ddim y fath beth â ffydd heb weithredoedd, Lewis," medda fi, ond 'roedd o'n dadla . . .' A thorrai fy mam ar yr hanes i'n galw at ein te, rhag ofn i minnau ddewis ochr Lewis Roberts i'r ddadl.

Rhyw gelwydd golau oedd araith fy nhad yn y Seiat. Agorai hi bob amser â'r un geiriau. 'Wel, frodyr a chwiorydd,' fyddai'r rhagymadrodd, "dydw i ddim wedi meddwl am ddim byd neilltuol i'w ddweud, ond mi alla' i ddweud fod yn dda gen i gael bod yma a gweld cynulliad bach reit gryno wedi dŵad ynghyd. Fe fu un sylw o eiddo'r Apostol ar fy meddwl dipyn ers dyddia bellach . . .' Ond gwyddwn i iddo loffa yn un o'r esboniadau cyn gadael y tŷ am y Seiat.

Ni chodai dadl rhyngddo ef ac Ifan Môn ar y ffordd i'r chwarel neu'n ôl. Hynny am y rheswm syml na fentrai Ifan Jones ddadlau ag ef. Gŵr bychan, go denau, oedd fy nhad, a thybiech, o edrych arno, na feiddiai herio barn y cawr o ddyn a gerddai wrth ei ochr. Ond fel arall yn hollol yr oedd hi. Os digwyddai Ifan Môn gamu'n ddiarwybod i dir diwinyddol, byddai 'Mae'r Ysgrythur yn dweud . . .' neu 'Mi glywis i E.T. yn un o'i bregetha yn dal . . .' o enau fy nhad yn ddigon iddo ymdawelu neu droi'r sgwrs. Breuddwydiwr ac ystorïwr oedd ef, a gwyddai mai ffolineb oedd iddo ymgiprys â meddyliwr a dadleuwr fel fy nhad. Gwrandawai fy nhad ar straeon Ifan Môn â diddordeb mawr a rhoddai Ifan Jones glust lawn mor eiddgar i sylwadau diwinyddol ac athronyddol fy nhad. Chwedleuwr oedd un, moesolwr oedd y llall—a gwyddent hynny.

O'r ychydig lyfrau sydd gennyf i y mae un—*Self Help* gan Samuel Smiles—a ddwg wên i'm hwyneb bob tro yr

edrychaf arno. Tu fewn i'r clawr, wedi ei ysgrifennu'n gwafrllyd ag inc coch, wele:
Prize to JOHN DAVIES, Standard V, for Good Attendance.

Absent—0 times

Late—~~1~~ 0 times.

Yr 1 wedi ei groesi allan a wna imi wenu. Unwaith y bûm i'n hwyr i'r ysgol y flwyddyn honno, a chefais faddeuant llawn am y trosedd. Now Stifi a gawsai ffit yn iard yr ysgol un awr ginio pan ddisgwyliem Syrcas i'r pentref, a gyrrwyd fi a dau o fechgyn eraill i'w ddanfon adref at ei fam. Pan ddychwelais i'r ysgol, maddeuwyd imi am fod yn hwyr, ac ar ddiwedd y flwyddyn, pan ofidiai'r athro, Mr Griffiths, wrthyf oherwydd yr un marc hwyr yn erbyn fy enw, atgofiais ef am yr amgylchiad. Ond rhywfodd neu'i gilydd, llithrodd yr 1 croesedig i glawr y llyfr a dderbyniais yn wobr am y ffyddlondeb y gofalai fy mam mor ddiwyd amdano.

Amgylchiad i'w gofio oedd ffit gan Now Stifi, Owen Stephen Williams ar lyfrau'r ysgol. Gwingai a brwydrai a chiciai Now fel un gwallgof, ac weithiau deuai o'i enau rai termau nad oeddynt, a barnu oddi wrth ei wyneb, yng ngeirfa'r Sgŵl. Daethom i edrych ymlaen at y perfformiad hwn, a thaflem olwg orfoleddus at ein gilydd pan ddeuai arwyddion ffit ar Now Stifi. Ac allan yn iard yr ysgol, rhoddai ei ddawn fel llewygwr ryw urddas ac anrhydedd i Now; nid oedd ef fel bechgyn eraill, a mawrygem y gallu hwn a heriai holl fileindra'r Sgŵl ei hun.

Oherwydd yr *oedd* y Sgŵl yn un milain, a haerai mam

Now mai ei ofn ef a roes fod i'r ffitiau hyn ar ei mab. Nid oedd dim gwir yn hynny, ond yr oedd golwg ac ymddygiad 'Y Polyn Lein', fel y galwem John Francis, y Sgŵl, yn ddigon i yrru holl blant ac athrawon yr ysgol i ffitiau. Dyn tal, tenau fel brwynen, oedd ef, a rhyw drem ffyrnig yn ei lygaid bob amser. Un cudyn hir o wallt a arhosai ar ei ben, a'i ddelfryd aruchelaf, am a wn i, oedd cael hwnnw i ymledu a gorwedd yn ufudd ar draws ei ben i guddio'r moelni oddi tano. Pan gollai ei dymer—a digwyddai hynny byth a beunydd—gofalai daro ei law chwith ar ei ben cyn dangos nerth Goliathaidd y llaw a'r fraich arall. Ond yr hyn a greai wir ddychryn yn ein calonnau oedd y chwythiad neidr a gyhoeddai fod y Polyn Lein yn agosáu. Oherwydd bod ei ddannedd gosod yn rhai llac yn ei geg, tynnai anadl hir a swnllyd i'w enau yn aml iawn, a gwnâi hynny yn ddieithriad pan ddeuai i mewn i unrhyw ddosbarth. Os digwyddai un ohonom fod yn torri ei enw ar y ddesg neu'n sisial wrth ei gymydog neu'n gwneud rhywbeth arall na ddylai, gyrrai'r chwythiad hwnnw ias rew i lawr i'w gefn, a gwnâi ei orau glas i ymdebygu i angel ar unwaith. Os daliai Francis ef wrth ryw ddrygioni neu ddireidi, tynnai anadl swnllyd fel un newynog yn canfod gwledd o'i flaen, ac estynnai ei freichiau main, hirion, i grafangau'r offrwm a roes y duwiau iddo. Hyrddiai'r truan o'i sedd gan weiddi, *'You duffer! You idiot!'* fel gŵr gwallgof, ac yna, â'i law chwith yn gwarchod y cudyn afradlon ar ei ben, gafaelai yng ngwar y pechadur a'i hanner-gario drwy'r ysgol at y ddesg fawr yn Standard IV lle cadwai ef ei gansen. Yno, bob adeg, arhosai hanner dwsin o blant ofnus o wahanol ddosbarthiadau i'w cosbi gan y gŵr athrylithgar hwn, a chydag anadliad hir gloddestwr yr ymgymerai ef â'r caswaith anorfod. Rhoddai Defi Preis, un o ffyddloniaid desg y Sgŵl, flewyn ar draws ei law bob tro yr âi yno, gan gredu a thaeru y torrai hynny'r gansen yn ddwy, ond fy nhyb i yw na wnaeth ymweliadau mynych Defi a'i flewyn ond cryfhau braich y cosbydd.

Now Stifi—yn un o'i ffitiau—oedd yr unig ddisgybl a heriai holl awdurdod ffyrnig y Sgŵl. 'Dos adra', y Polyn Lein diawl,' oedd ei awgrym caredig iddo unwaith, a chadwai Francis draw wedyn bob tro y deuai cynnwrf y ffit i Standard V. Ond y prynhawn hwnnw yr oeddwn i a dau arall yn hwyr i'r ysgol, ni chafodd Now ffit o gwbl. Troi'n actor a wnaeth am y tro—er mwyn y Syrcas a ddeuai i'r pentref y diwrnod hwnnw.

Oedasom yn hir ar y ffordd i'r ysgol gan ddisgwyl gweld ceffylau a cherbydau'r Syrcas yn cyrraedd, ond ofer fu'r aros. Yna, pan ddringem, yn bur anfoddog, y grisiau i iard yr ysgol, cynhyrfwyd Defi Preis drwyddo gan syniad ysbrydoledig. Beth am ofyn i Now Stifi daflu ffit? Aethom yn ddirprwyaeth at Now ar unwaith, ac egluro'r sefyllfa iddo. Gan fod arno yntau gymaint o eisiau gweld y Syrcas yn cyrraedd â ninnau, cytunodd ar amrantiad; yn wir, taflasai hanner dwsin o ffitiau yn y fan a'r lle oni bai i ni ei atal nes i'r Sgŵl ddyfod trwy'r iard ar ei ffordd o'i dŷ i'r ysgol. 'Dacw fo'n dŵad, hogia,' sibrydodd Defi Preis o'r diwedd, ac aeth Now Stifi i'r llewyg mwyaf dirdynnol a fu erioed. Daeth ato'i hun yn weddol fuan ar ôl i Francis agor ei goler, ond pan soniodd y Sgŵl am ei arwain i mewn i'r ysgol at y tân, taflodd Now ffit arall a sgrechian am ei fam. Pan ymdawelodd eilwaith, yr oedd tri ohonom—Defi Preis a Dic Ifans a minnau—yn barod iawn i dderbyn gwahoddiad y Polyn Lein i ddanfon y truan adref. Prin yr oeddym wedi cyrraedd y Stryd Fawr pan glywem y Syrcas yn agosáu; aeth Now Stifi a Defi Preis gyda'r orymdaith i'r Ddôl Uchaf, a throes Dic Ifans a minnau gamau araf yn ôl i'r ysgol.

Y mae John Francis yn ei fedd ers blynyddoedd bellach. Gan mai i gapel arall yr âi—yr oedd yn flaenor yno hefyd—ni wyddwn i hyd ychydig amser cyn ei farw ei fod yn Gymro glân, gloyw. Digwyddwn, ryw dair blynedd ar ôl imi adael yr ysgol am y chwarel, deithio hefo'r Sgŵl yn y trên i Gaernarfon, a mawr oedd fy syndod pan ddechreuodd sgwrsio â mi *yn Gymraeg*. Saesneg a fuasai ei iaith bob gair yn yr ysgol, a gadewais i'r lle gan gredu mai Sais ydoedd. Y mae'n wir i mi glywed fy nhad yn sôn droeon ei fod yn fab i ryw William Francis, hen rybelwr a gofiai ef yn ei ddyddiau cynnar yn y chwarel, ond ni wnâi hynny imi feddwl am y Polyn Lein fel Cymro Cymraeg o gwbl. Prin y medrwn gael gair i'm tafod pan droes ataf mewn Cymraeg garw, llond ceg, y diwrnod hwnnw yn y trên, ac ymhell cyn i ni gyrraedd Caernarfon, sylweddolais mai dyn syml a chyffredin iawn oedd yr hen ysgolfeistr a ofnaswn gymaint. Gwnaethai afiechyd ef yn dawel a llariaidd ac ofnus, ac ni phoenai lawer, bellach, am y cudyn a guddiai ei foelni. Yr oedd yn ddrwg gennyf trosto yn ei henaint a'i unigedd, y gŵr cyfeiliornus hwn a ddysgasai i genhedlaeth ar ôl cenhedlaeth ei gasáu. Aethwn i mewn i'r trên yn benderfynol o fod yn sur a sarrug wrtho, ond deuthum allan gydag ef o'r orsaf yng Nghaernarfon mor fwyn a chyfeillgar bron â phetawn yng nghwmni Ifan Môn. Pwy a ddigwyddodd ddyfod i'n cyfarfod ar y ffordd o'r stesion ond Defi Preis. Safodd yn stond am ennyd a'i lygaid mawrion yn methu credu'r anhygoel; yna llithrodd rhyw ddirmyg mawreddog i'r llygaid hynny, a phoerodd eu perchennog gydag arddeliad i'r ffordd cyn diflannu, ar ryw esgus, i'r siop agosaf.

Llyfrau f'Ewythr Huw yw'r mwyafrif o'r rhai sydd yn ein tŷ ni. Yr oedd ef, yn arbennig yn ei flwyddyn olaf, yn ddarllenwr eiddgar, a châi fenthyg llawer o lyfrau gan Mr Jones a chan Wmffra Jones, y pwyswr, ac eraill. Mor ofalus yr edrychai ar ôl y llyfrau hynny! Rhoddai bapur llwyd am glawr llyfr benthyg ar unwaith, a gofalai olchi ei ddwylo cyn cyffwrdd ag ef. Unwaith yn unig yr aeth un o'r llyfrau benthyg ar goll, a chofiaf bryder ingol f'ewythr yn ystod y ddau ddiwrnod hynny. Poenai drwy'r dydd, ac ni chysgai'r nos. *Gardd Eifion,* barddoniaeth Robert ap Gwilym Ddu, oedd y llyfr, a chawsai f'ewythr ei fenthyg gan Wmffra Jones. Darllenasai rai o'r englynion yn uchel imi, gan glywed blas pob gair, ac aeth ati i gopïo rhai ohonynt yn y nod-lyfr bach a gadwai wrth ei wely. Yna, aeth y llyfr ar goll, a'r tri ohonom, fy mam a'm tad a minnau, yn chwilio a chwilota drwy'r tŷ amdano, gan edrych, wrth gwrs, yn y lleoedd mwyaf annhebyg. Aethai'r llyfr ar goll nos Sul, a'r nos Fawrth ddilynol, pan awn gydag ef i'r Seiat, safodd fy nhad yn sydyn ar y ffordd.

'Be' ydi hwn, dywed?' meddai, gan dynnu llyfr bychan o boced y gôt a wisgai ar y Sul ac i fyned i'r Seiat.

'Y llyfr mae f'Ewythr Huw wedi'i golli,' meddwn. 'Sut yn y byd yr aeth o i'ch pocad chi, 'Nhad?'

'Wel, daria, 'rŵan yr ydw i'n cofio, fachgan. Digwydd gweld yr emyn 'na, "Mae'r gwaed a redodd ar y groes", ynddo fo wnes i, a mi drawis y llyfr yn fy mhoced nos Sul i'w ddangos o i Mr Jones. Ond mi anghofiais bopeth amdano fo, wel'di. Rhed â fo adra i Huw, John bach.'

Yr emyn hwnnw, 'Mae'r gwaed a redodd ar y groes', oedd hoff emyn f'Ewythr Huw, ac adroddai'r pennill cyntaf yn y Seiat yn aml yn lle dweud adnod. Mynnai ef gael mynd i'r Seiat hyd yn oed yn ei gadair, ac eisteddai ynddi wrth y ddau ris a arweiniai i'r sêt fawr. Gan mai bychan oedd ein nifer yn y capel cadwyd at yr arferiad o ofyn i bawb, merched a phlant a dynion, ddweud adnod. Chwilio am yr adnodau lleiaf yr oedd llawer ohonom, y mae arnaf ofn, a bodloni, fel Defi Preis yn ddieithriad, ar gofio gwraig Lot. Codai Mr Jones yn y sêt fawr i alw pob un wrth ei enw, ac yna caem ddetholiad medrus o adnodau byrraf y Beibl, hyd oni chyrhaeddai'r gweinidog sedd Rosie Hughes. Rhoddai llais cymhenllyd Rosie hwb a cham a naid drwy bennod gyfan, ond prin y gwrandawai neb ond Mr Jones arni, am a wn i. Galwai'r gweinidog wedyn ar f'Ewythr Huw a gallech glywed pin yn syrthio i'r llawr pan ddechreuai ef lefaru. Na, nid am fod pobl yn tosturio wrth y gŵr anffodus yn ei gadair ac yn mynegi eu cydymdeimlad trwy wrando'n astud ar ei lais, ond am fod f'Ewythr Huw y siaradwr gorau a glywodd neb erioed. Credwn i hynny pan oedd ef yn fyw, ac er imi glywed pregethwyr ac areithwyr gorau Cymru ar lwyfan ac ar y radio o dro i dro, daliaf i gredu hynny. Yr oedd ei lais a'i oslef mor ddiffuant ag ef ei hun. Clywaf, y munud yma, Mr Jones yn galw enw Huw Davies yn y Seiat, a f'Ewythr Huw, ar ôl ymson dienaid Rosie Hughes, yn plethu ei ddwylo ac yn gwyro ymlaen ychydig i adrodd 'Mae'r gwaed a redodd ar y groes'. 'Mae'r gwaed,' meddai, gan godi ei lygaid i nenfwd y capel ac aros ennyd fel petai'n gwrando ar ei lais clir a threiddgar ei hun yn crwydro o amgylch y distawrwydd. Yna gwelech y gwaed yn rhedeg, nid yn diferu, ar bren gwrthun y groes, a chaech yn y frawddeg 'o oes i oes' ryw amgyffrediad rhyfedd o dreiglad araf amser. 'Rhy fyr,' meddai f'ewythr, 'yw tragwyddoldeb llawn', a theimlech fod tragwyddoldeb yn ymchwyddo ac yn ymgyrraedd fel môr diderfyn yn arafwch ysgubol y geiriau. A phan siaradai yn y Seiat, gwelai a theimlai f'ewythr bopeth y soniai amdano. Ni wastraffai eiriau, ac ni adawai iddynt droi'n ystumiau ar ei dafod fel y gwna bron bob areithiwr a glywais i erioed. Yr oedd ganddo rywbeth clir a phendant a diffuant yn ei feddwl, a dywedai ef yn glir a phendant a diffuant, heb golli llwybr un syniad ym mhrysglwyni geiriau. Yr oedd yn rhy onest i ymhyfrydu mewn anonestrwydd areithyddol. Soniai am Ruskin neu Carlyle, efallai, a dyfynnai linell neu ddwy o farddoniaeth Gymraeg neu Saesneg yn bur aml, ond gwyddech nad rhodresa yr oedd. Gofynnodd fy nhad iddo unwaith pam yr oedd mor hoff o ddyfynnu 'yr hen farddoniaeth Saesneg 'na' yn y Seiat. Gwridodd f'ewythr, ac yna atebodd yn dawel, 'Swancio tipyn, Robat, rhag i Rosie Hughes feddwl na fedar neb arall siarad Saesneg ond hyhi, wel'di.' Ond gwyddai fy nhad na chlywsai gelwydd mwy erioed.

Atgasedd fy nhad tuag at 'yr hen Saesneg 'na', efallai, a wnâi i'm hewythr gyfieithu llawer o'r pethau a ddyfynnai yn y Seiat i'r Gymraeg. Gynnau, pan euthum drwy ei lyfrau, llithrodd darn o bapur bychan allan o un ohonynt, ac adnabûm ar unwaith ysgrifen ofalus a destlus f'Ewythr Huw. Llyfr o farddoniaeth Saesneg ydoedd, cyfrol o gerddi'r bardd Americanaidd James Russell Lowell. Eisteddais wedyn yn y gadair-siglo wrth y tân, a'r papur yn fy llaw, gan gofio, bron air am air, un o areithiau blasus f'ewythr yn y Seiat. Sôn yr oedd am yr hyn yr hoffai Iesu Grist inni fod—yn syml a chywir a charedig, ac yna dechreuodd roddi inni gynnwys un gân o waith James Russell Lowell. '"Dameg" ydi enw'r darn,' meddai, 'ac mae gan y bardd stori fach brydferth iawn ynddo fo. Fe benderfynodd Iesu Grist, medda fo, ddŵad yn ôl i'r hen fyd 'ma i weld a oedd pobol yn credu ynddo Fo mewn gwirionedd ai peidio. Fe yrrodd negas i ddweud am 'i ymweliad ymlaen llaw, a dacw esgobion a brenhinoedd y byd yn gwneud trefniada ar 'i gyfer O. Lle bynnag y byddai O'n debyg o droedio, dyna roi carpedi aur ar y llawr, a pharatoi llety iddo Fo mewn plastai a chastelli, ac wrth gwrs, y bwyd gorau a roed o flaen neb erioed.

"Ymchwyddai organ ar ôl organ gref
Mewn gorfoleddus fawl i'w Enw Ef",

ac ym mhob eglwys a phlas a llys barn gwelai ei ddelw Ef ei hun yn amlwg ac yn hardd.

"Ond er y gwychder, plygu Ei ben yn drist,
A chamu'n araf yn eu plith 'roedd Crist."

O dan seilia cadarn yr holl eglwysi crand, clywai Mab y Dyn ochneidia'r tlawd a'r anghenus a'r anffodus drwy'r holl fyd. A dyma Fo'n troi ar y bobol fawr oedd yn 'i arwain O ac yn dweud, "Hefo dorau o arian a barrau o aur yr ydach wedi cau defaid Fy Nhad allan o'r gorlan. Mi fûm I'n gwrando ar sŵn 'u dagra nhw'n syrthio er yn agos i ddwy fil o flynyddoedd bellach." "Ond gwêl," meddan nhwytha, "gwêl y delwa a'r darlunia hardd yma.

Mae cerflunwyr ac arlunwyr gora'r byd wedi treulio blynyddoedd lawar wrth y rhain, ac fe wariwyd miloedd ar filoedd o bunna arnyn nhw."' Wedyn, dyfynnai f'ewythr o'i gyfieithiad ei hun—

'Yna Crist a geisiodd werinwr tlawd,
Curiedig a chrablyd a thaeog frawd,
A merch amddifad, a'i dwylo'n rhy wan
I ymladd yr angen a oedd i'w rhan.

'Tynasant yn ôl pan welsant y rhain,
Rhag ofn iddynt faeddu eu gwisgoedd cain,
A dywedodd Crist, "Dyma hwy i chwi,
Y lluniau a wnaethoch ohonof Fi."'

Hwn, casgliad o farddoniaeth James Russell Lowell, oedd un o hoff lyfrau f'ewythr. Un arall oedd y gyfrol las acw—*Poems of Matthew Arnold.* Darllenai ac ailddarllenai gerddi'r beirdd hyn gyda blas, ac aml y codai ei ben o'i lyfr i alw sylw fy nhad at ryw ddarn go arbennig.

'Gwranda ar hwn, Robat. 'Roedd y Matthew Arnold 'ma yn 'i dallt hi.' A darllenai rai llinellau'n uchel, a'i lais yn oedi'n hiraethus uwch pob gair.

'Go dda, wir, Huw,' fyddai sylw fy nhad, ond mewn tôn a awgrymai mai dweud hynny i blesio f'Ewythr Huw yr oedd.

''Dydw i ddim yn dy ddallt di o gwbwl, Robat,' meddai f'ewythr wrtho un noson, pan glywodd ganmol glastwraidd felly ar ryw bennill a dybiai ef yn eithriadol.

'Pam?'

'Wel, 'rwyt ti'n feddyliwr cryf ac yn medru dadansoddi syniada'r Apostol Paul yn llawn gwell na neb a glywais i 'rioed. Ac eto, pan ydw i'n dŵad ar draws meddylia tebyg mewn barddoniaeth, 'dydyn nhw ddim yn dy gyffroi di o gwbwl.'

'Ond yn Saesneg y maen nhw, Huw.'

'Pa ots am hynny?'

'Llawar iawn o ots. Mae gen i syniad go lew o'r hyn y mae'r dyn yn drio'i ddweud, wel'di, ond y mae'i waith o'n rhywbath pell iawn a diarth imi. Pan fyddi di'n darllan y llinella 'na'n uchal, mi fydda' i'n teimlo'n annifyr, fel 'taet ti'n cyflawni rhyw bechod, fachgan. Nid Huw, fy mrawd, wyt ti wedyn, ond rhyw ddyn diarth mewn ffroc côt a het silc a *spats.*'

'Piti imi fynd i Ysgol Nos yr hen James Davies o gwbwl, ynta,' meddai f'ewythr braidd yn sarrug.

''Rŵan, Huw, paid di â 'ngham-ddallt i,' atebodd fy nhad. 'Mi wnest yn iawn i ddysgu Saesnag hefo'r hen Ddefis, a 'does neb yn falchach na fi fod fy mrawd yn medru darllen llyfra gora'r Sais. Ond rhaid iti gofio nad es i ddim i ysgol James Defis ac mai iaith amball Stiward fel yr hen Robins hwnnw fu Saesnag i mi. Pan fydd Mr Jones, y gweinidog, yn dyfynnu rhywbath yn Saesneg ar 'i bregath, mi fydda' i'n teimlo'n reit ddig wrtho fo.'

''Neno'r bobol, pam?'

'Am mai iaith dyn diarth ydi hi, Huw, ac mai dyn diarth ydi Mr Jones pan fydd o'n 'i defnyddio hi. Nid Mr Jones sy yn y pulpud wedyn. Dyn di-lol fel chdi a finna ydi Mr Jones, heb ddim affliw o swanc ar 'i gyfyl o, ond pan mae'n troi i ddyfynnu rhywbath yn Saesnag, mi ydw i'n rhyw ddisgwyl gweld tsiaen aur fawr yn ymddangos o rywla ar draws 'i wasgod o a modrwy yn sgleinio ar 'i fys bach o, fachgan. A phwy sy'n dallt yr hyn mae o'n 'i ddyfynnu? Chdi a Lewis Roberts a . . . a phwy arall?'

Nid atebodd f'ewythr, dim ond gwenu'n dawel arnaf i, ond sylwais na phoenai fy nhad â dyfyniadau Saesneg ar ôl hynny. Dim ond pan fyddai â'i drwyn yn y llyfr bach acw, *The Republic of Plato.* Dro ar ôl tro y gwelais ef yn codi ei ben yn sydyn ac y clywais ef yn dweud,

'Robat! Mae'n rhaid iti wrando ar hwn, Saesnag ne' beidio. Clyw, mewn difri'!'

Pan awgrymodd fy nhad un noson y byddai'n well i'm hewythr ddarllen ei Feibl, gwylltiodd fel matsen a dweud bod 'mwy ym mys bach y Plato 'ma nag oedd yn holl broffwydi'r Hen Destament hefo'i gilydd'. Brysiodd fy mam i'n galw at ein swper.

Darllenais innau y rhan fwyaf o'r llyfrau a oedd gan f'Ewythr Huw—*Ymadawiad Arthur a Chaniadau Eraill, Caniadau Cymru, Llyfr y Tri Aderyn, Y Bardd Cwsg, Drych y Prif Oesoedd, Homilïau Emrys ap Iwan,* gweithiau Eben Fardd, a Cheiriog, ac Islwyn, nofelau Daniel Owen, a *Straeon y Chwarel* gan R. Hughes Williams. Ni flinai f'ewythr ar storïau Dic Tryfan, chwedl yntau, a châi fy nhad hefyd bleser mawr yn y llyfr. Cofiaf lawer seiad ar yr aelwyd pan ddarllenai f'ewythr un o'r storïau allan i'm tad ac Ifan Môn a Dafydd Owen. ''Rargian fawr!' 'Wel, da drybeilig!' 'Mae o'n 'i dallt hi i'r dim!' fyddai'r sylwadau aml, a phan ddôi rhai o dermau arbennig y chwarel i'r stori, dyna dri phen yn nodio ar ei gilydd ac yna'n troi at y darllenwr gyda gwên o werthfawrogiad, fel petai ef, ac nid R. Hughes Williams, fuasai awdur y llyfryn. Daeth cymeriadau'r storïau hyn—Harri Trwyn Cam, Robin Deg o'r Gloch, Huw Huws, Robin Bwt—yn boblogaidd iawn yn ein tŷ ni yr amser hwnnw; yn wir cofiaf Ifan Môn yn taflu 'fel y buasai Huw Huws yn dweud' neu 'chwedl yr hen Robin Bwt druan' i mewn i lawer ymgom am y chwarel.

Darllenais y rhan fwyaf o lyfrau Saesneg f'ewythr hefyd, er bod rhaid imi gyfaddef na chefais i mo'r blas arnynt a gâi ef. *Sesame and Lilies* gan John Ruskin, er enghraifft—darllenais hwnnw ddwywaith, gan geisio pwysleisio yn fy meddwl y pethau a farciodd f'ewythr ar ymyl pob tudalen, ond pur araf ac anodd fu fy nhaith drwy'r llyfr. *The Ethics of the Dust* gan yr un awdur, *Sartor Resartus* gan Thomas Carlyle, dramâu Shakespeare yn y gyfrol acw o ledr hardd, *David Copperfield*, barddoniaeth John Milton, cerddi Robert Browning—do, mi geisiais eu darllen i gyd o dro i dro. Sut na chaf i yr un pleser ynddynt ag a gâi f'Ewythr Huw? A dacw'r nofel fach gan J. M. Barrie—*A Window in Thrums*. Soniai f'ewythr am Jess a Leeby a Hendry fel petai wedi ei fagu hefo hwy, ond ni afaelodd y nofel a'i thafodiaith Ysgotaidd ynof i. Ai am nad yw dychymyg f'ewythr gennyf? Ia, y mae'n debyg. Petawn wedi fy mendithio â'i feddwl chwim ef, buaswn yn fwy hoff o ddarllen y llyfrau hyn ac eraill. Er hynny, af â hwy hefo mi i'r llety. A darllenaf hwy i gyd eto—o barch i'm Hewythr Huw.

9 ARFAU

Aeth Meri Ifans adref yn gynnar heno, wedi paratoi tamaid o swper imi.

'Mynd i gadw cwmni i Ella, John Davies,' meddai.

'O? Lle mae Jim?'

'Hy, 'does dim rhaid i chi ofyn! A fynta wedi addo aros gartra hefo Wil hefyd! Wil ddim hannar da heno.'

'O? Be' sy'n bod?'

'Rhyw hen gnoi yn 'i 'stumog o—wedi bwyta rhywbath, mae'n debyg. Ac mi aeth Jim i fyny i'r llofft ato fo, gan ddeud 'i fod o am aros yno hefo Wil bach drwy'r gyda'r nos . . . Hy!'

'Be' ddigwyddodd, Meri Ifans?'

'Ned Stabal.' A gwthiodd y lliain yn ffyrnig i ddrôr y dresel.

'Ned?'

'Ia. Mi alwodd tua chwech—wedi clywad bod Wil yn sâl, medda fo. Mi aeth ynta i fyny i'r llofft, ac ymhen tipyn, dyma'r ddau i lawr hefo'i gilydd. "Lle'r wyt ti'n mynd, Jim?" medda Ella. "Wil isio corn," medda fynta. "Ned a finna am fynd cyn belled â Siop y Gongol i brynu corn i Wil." "Cofia di nad ei di ddim cam yn bellach na Siop y Gongol," medda Ella, "ne' mi ddo' i i'r Red Lion i chwilio amdanat ti." "Fyddwn ni ddim dau funud," medda fynta. Ac yno y mae'r cnafon o hyd.'

'Ymh'le?'

'Yn y Red Lion, debyg iawn. Mi ddaeth hogan Siop y Gongol draw hefo rhyw gorn mawr digon i fyddaru neb, corn bron cymaint ag un y Goits Fawr erstalwm. 'Roedd

Ella druan bron â drysu yn 'i sŵn o gynna' . . . Wel, mi a' i 'rŵan i gadw cwmni iddi hi. Ddaw Jim ddim adra nes bydd hi'n amsar cau, mi ellwch fentro, yn enwedig heno a hitha'n nos Wenar Cyfri'.'

Yr oedd hi newydd fynd pan alwodd Dafydd Owen. Eisteddodd, yn ôl ei arfer, yn y gadair wrth y drws, gan ddal ei het galed yn anesmwyth ar ei lin.

'Mae hi'n rhyfadd heb yr hen harmonia, John Davies,' meddai. 'Mynd i daro fy het arni hi o hyd, ar fy ngwaetha'.'

'Dowch yma, yn nes at y tân, Dafydd Owen.'

'Dim diolch. Dim ond galw am funud . . . Noson go fawr.'

'Ydi, wir, heno eto.'

'Ydi, noson fawr.'

'Ydi hi'n bwrw, Dafydd Owen?'

'Na, 'dydi hi ddim yn bwrw, diolch am hynny. Ond mae hi'n noson fawr.'

'Ydi, wir.'

'Ydi, noson fawr iawn, John Davies.'

'Sut mae Sarah Owen?'

'Reit dda. Wedi mynd i'r pictiwrs.'

'Rhywbath go dda yno?'

'Wn i ddim, wir. Mae Sarah yn mynd yno bob nos Wenar fel cloc.'

'O?'

'Ydi, fel cloc, bob nos Wenar. Diar *mae* hi'n noson fawr.'

'Ydi.'

'Ydi, wir, noson fawr iawn.'

Gwyddwn fod rhywbeth ar feddwl Dafydd Owen a'i fod yn petruso cyn sôn amdano. Beth oedd, tybed?

Rhywbeth yr oedd arno eisiau ei brynu? Penderfynais ei gynorthwyo trwy grybwyll y dodrefn.

'Wel, mae'r petha 'ma wedi'u gwerthu bron i gyd, Dafydd Owen. 'Does dim ond rhyw fanion ar ôl.'

'Felly'n wir? Da iawn.' Chwaraeodd ei fysedd ddarn o dôn ar gantel yr het galed, ac yna syllodd tua'r ffenestr fel pe bai mewn ymgais i weld y tywyllwch swnllyd tu allan.

'Ydi, wir, mae hi'n noson fawr.' A rhoes Dafydd Owen dro ar ei ben a chodi ei lygaid myfyrgar i'r nenfwd, gan edrych fel gŵr a ddaethai i benderfyniad terfynol a diwrthdro ar un o broblemau mwyaf yr oesau.

I beth y galwasai arnaf, tybed? Gwyliais ef yn chwarae â'i het galed ac yn codi ei ben bob hyn a hyn i wgu ar sŵn y gwynt, gan daflu rhyw 'Ydi, siŵr', ocheneidiol i gyfeiriad y ffenestr. Ond ni allwn deimlo'n gas at Dafydd Owen, y dyn bychan diniwed hwn a dreuliai ei ddyddiau'n chwilio am gyfle i wneud cymwynas â rhywun. Ni welais ef erioed yn gwneud dim yn gyhoeddus yn y capel, a phed awgrymai rhywun y dylai ddweud gair yn y Seiat neu gymryd rhan yn y Cyfarfod Gweddi, yr wyf yn sicr y llewygai Dafydd Owen. Ond os bydd aelod yn wael neu mewn profedigaeth o ryw fath, Dafydd Owen fydd y cyntaf i alw yn y tŷ hwnnw. Ac os bydd angen rhyw help yn y capel—i gario llestri ar gyfer y te-parti, neu i gadw trefn yn y *Band of Hope*, neu i dorri'r gwrych o flaen yr adeilad—fe welwch Dafydd Owen wrth y gwaith cyn i neb gael amser i ofyn iddo. Os digwyddwn i fod allan gyda'r nos, wedi marw fy nhad, deuwn i'r tŷ yn aml i ddarganfod Dafydd Owen yn cadw cwmni i'm mam neu'n torri coed tân yn y cwt neu'n gwneud rhywbeth yn y tipyn gardd yn y cefn. Na, ni fedrwn deimlo'n gas at Dafydd Owen o bawb, y gŵr parotaf ei gymwynas a fu erioed.

Cododd, ymhen tipyn, i gychwyn adref.

'Ydach chi am 'i throi hi, Dafydd Owen?'

'Ydw, fachgan. Mi ddo' i draw bora 'fory, rhag ofn y byddwch chi isio help llaw hefo rhai o'r petha.'

'Diolch yn fawr i chi . . . Wel, nos dawch, 'rŵan.'

'Nos dawch . . . O, John Davies?'

'Ia, Dafydd Owen?'

'Y . . . Ydach chi . . . Y . . . Be' wnewch chi hefo arfau'ch tad? Ydach chi am 'u gwerthu nhw?'

'Wel wn i ddim, wir. Mae gen i arfau newydd bron i gyd, a fydd arna' i ddim isio rhai am flynyddoedd. 'Doeddwn i'n cofio dim am rai 'Nhad yn y cwt.'

'Mi fûm i'n sôn wrth eich mam amdanyn nhw droeon, fel y gwyddoch chi. Os basai hi'n 'u gwerthu nhw i rywun, fi fasai'n 'u cael nhw, medda hi. Ond gwrthod 'madael â nhw ddaru hi hyd y diwadd. Wna i ddim pwyso arnoch chi, John Davies, ond os byddwch chi am ollwng yr arfau o'ch dwylo, mi liciwn i gael y siawns gynta' arnyn nhw. Mae fy rhai i wedi treulio'n o arw, ac mae'n hen bryd imi gael rhai gwell.'

'Mi wn y basai 'Nhad mor barod i chi'u cael nhw â neb. Dowch draw bora 'fory i'w nôl nhw.'

'Ydach chi'n siŵr na fydd arnoch chi mo'u hangen nhw?'

'Ydw. Cofiwch ddŵad yma amdanyn nhw bora 'fory.'

'O'r gora, John Davies . . . Nos dawch 'rŵan.'

Bu arfau fy nhad yn llond fy meddwl er pan aeth Dafydd Owen adref. Maent yn bentwr taclus yng nghongl y cwt ers rhyw dair blynedd bellach, ac wedi marw fy nhad ddwy flynedd yn ôl, gwrthododd fy mam eu gwerthu i neb. Ffolineb, efallai, fu eu gadael i rydu a difetha yn y cwt, ond ni feiddiwn i awgrymu hynny wrthi. Gwelais hi droeon yn taflu golwg annwyl a hiraethus arnynt pan âi am rawiaid o lo neu rywbeth i'r cwt, a deliais hi unwaith, â dagrau yn ei llygaid, yn plygu i gymryd cŷn bychan yn ei llaw.

Aethai fy nhad yn wael tua phedair blynedd yn ôl, yn llwyd a gwan, heb flas ar fwyd na dim arall. Yr oedd yn rhaid iddo orffwys, meddai'r meddyg, ac aros gartref o'r gwaith am dipyn. Bu gartref am fisoedd, yn sefyllian hefo'r hen frodyr wrth y Bont Lwyd, neu'n crwydro hyd lethrau Bryn Llus i chwilio am lysiau, neu'n loetran wrth yr orsaf i wylio'r trenau yn cyrraedd neu'n ymadael. Gwyddwn i a'm mam fod y segurdod hwn fel gwyfyn a rhwd yn ei lygru ef, a thrist inni oedd ei weld yn syllu mor aml ac mor freuddwydiol a hiraethus i gyfeiriad mynydd y chwarel. Âi at y meddyg yn ffyddiog bob bore Gwener, a'r un fyddai ei gwestiwn eiddgar bob tro—'Ga' i ddechra ddydd Llun gynnoch chi, Doctor?' Ond ysgwyd ei ben a wnâi'r meddyg, ac aeth gwanwyn yn haf, a haf yn aeaf.

Fel y llithrai'r wythnosau a'r misoedd araf heibio, gwanhau a gwaethygu a wnâi ef. Cofiaf y diwrnod hwnnw o Ionawr pan gladdwyd Mr Jones, y gweinidog. Teimlai fy nhad yn bur llegach, ond mynnodd gael mynd i gynhebrwng Mr Jones. Yr oedd eira trwm tros y fynwent, a gallaf ei weld, y munud yma, yn sefyll, cyn wynned â chorff, wrth fedd y gweinidog a garai gymaint. Pan ddaeth adref, daliai i grynu fel deilen, a dychrynodd fy mam wrth ei weld. Gyrrodd ef i'w wely ar unwaith, ac yno y bu, mewn rhyw fath o dwymyn, am bythefnos cyfan. Yr oedd yn rhy lesg ar ôl hynny i feddwl am ailgydio yn ei waith, ond daeth ymgryfhau tua'r gwanwyn, a dychwelodd y syllu hiraethus at y chwarel i'w lygaid.

Am y chwarel yr oedd ein hymgom bob gyda'r nos. Gofalwn drysori newyddion a hanesion o'r bonc bob dydd ar gyfer fy nhad, a gwrandawai yntau'n eiddgar arnynt. Gloywai ei lygaid wrth imi ailadrodd y sgwrs yn y caban-bwyta neu ryw stori newydd am Wil Erbyn Hyn neu'r hen John Ifans. 'Wel taw, fachgan!' 'Yn hollol fel yr hen John, wel'di!' 'Mae Wil yr un fath o hyd, hogyn! Ydi wir!' fyddai ei sylwadau, gan syllu'n hiraethus i'r tân. Ac un noson, wedi imi ddwyn adref hanes Trefor Williams, partner Ifan Môn, yn dynwared pregethwyr yn y caban un awr ginio, ciliodd y chwerthin o wyneb fy nhad yn sydyn, a daeth rhyw olwg herfeiddiol a gwyllt i'w lygaid.

'Elin?'

'Ia, Robat?'

''Rydw i'n mynd i ddechra ddydd Llun.'

'Dechra?'

'Yn y chwaral.'

''Rargian fawr, nac wyt!'

''Rydw i wedi segura digon hyd y lle yma.'

'Mi wyddost be' ddeudodd y doctor wrthat ti bora 'ma.'

''Rydw i am ddechra bora Llun, doctor ne' beidio.'

'Ond Robat bach . . .'

'Os ydw i'n ddigon da i grwydro hyd y pentra 'ma, 'rydw i'n ddigon da i fynd at fy ngwaith.'

'Mi ddoi di hefo'r gwanwyn 'ma, Robat. Rhyw fis arall, wel'di, ac mi fyddi di cystal â neb. Mae'n rhaid iti aros nes cael caniatâd y doctor.'

'Mi fydda' i wedi pydru o seguryd cyn y bydd y cradur yna yn gadael imi fynd yn f'ôl i'r bonc.'

'Fo sy'n gwbod ora, 'machgan i.'

'Gwbod! Gwbod sut i dorri 'nghalon i. Fe wnâi diwrnod yn y chwaral fwy o les imi na llond trol o'i hen bils o. Unwaith y ca' i fy llaw ar y gyllall naddu ne' ar yr ordd eto, fydda' i ddim yr un dyn. Wedi segura gormod—dyna pam yr ydw i mor wantan, wel'di.'

Ni ddywedwyd ychwaneg am y peth, a chredodd fy mam a minnau mai rhyw ysfa sydyn a diflanedig a ddaethai trosto ef. Sylwem, er hynny, ei fod yn hynod dawel a synfyfyrgar trwy gydol y Sadwrn a'r Sul.

Pan ddaeth y bore Llun hwnnw, daliodd at ei air. Cododd yr un amser â minnau, a daeth i lawr am frecwast yn ei ddillad gwaith. Yn dawel a phryderus iawn y llanwodd fy mam ei dun bwyd, ond gwnaeth ymdrech deg i ymddangos yn llon wrth ein dilyn at ddôr y cefn.

'Paid â cherddad mor gyflym, John bach,' meddai fy nhad wrthyf wedi inni gyrraedd y ffordd fawr. 'Mae gynnon ni ddigon o amsar. 'Rŵan y mae'r hen Richard Jones yn cychwyn a fynta'n gweithio yng ngwaelod y chwaral. Cymar bwyll 'rŵan. Yn ara' deg mae mynd ymhell, wel'di, yn ara' deg mae mynd ymhell.'

Ond cerddai'r hen Richard Jones yn gyflymach na ni, ac âi twr ar ôl twr o chwarelwyr heibio, gan ein cyfarch a'n gadael ymhell ar eu holau. Cynigiodd Ifan Môn gyd-gerdded â ni, ond mynnodd fy nhad iddo fynd o'n blaenau—'i ddeud wrthyn nhw am roi fflagia i fyny yn y Bonc Fawr, 'rhen Ifan.'

'Sbel fach 'rŵan, John,' meddai'n sydyn yng nghanol y pentref. 'Mae'n rhaid fy mod i'n mynd yn hen, fachgan. Rhaid, wir.'

'Dyna be' sy'n dŵad o fyw fel gŵr bonheddig, 'Nhad.'

'Ia, yntê? . . . Ia, fachgan.'

Araf fu'r daith i waelod y chwarel, a daeth ofn i'm calon wrth imi sylwi ar lwybr troellog y Neidr yn hongian ar serthni'r mynydd o'n blaen. Brysiodd y chwarelwyr olaf, rhai ohonynt yn hanner-rhedeg, heibio inni.

'Ydach chi'n siŵr y medrwch chi ddringo'r Neidr, 'Nhad?'

''I ddringo fo? Medra' i, medra'.'

Canodd corn y chwarel pan oeddym ar waelod y llwybr, a chwarddodd fy nhad i guddio'i siom.

'Wel, be' ddwed Ifan Môn 'rŵan, fachgan? Chawn ni ddim clywad diwadd hyn gynno fo, gei di weld. Tyd, rhag ofn y bydd y Stiward o gwmpas.'

Ond haws oedd dweud 'Tyd' na brysio i fyny'r Neidr, a chymerodd ryw hanner awr inni ddringo'n araf i'r bonc. Arhosai fy nhad bob rhyw ugeinllath, gan gymryd arno syllu ar ogoniant y llyn a'r dolydd a'r pentref islaw ac ar lonyddwch cadarn y mynyddoedd pell. Anadlai rhwng pob gair wrth sôn am yr olygfa.

'Welis i mo'r hen lyn 'na yn edrach mor grand erioed, fachgan . . . Naddo, wir . . . Naddo, 'rioed.'

Dyna ddringo rhyw ugeinllath eto, ac aros wedyn i bwyso ar glawdd y llwybr.

'Pwy bia'r cwch acw ar ganol y llyn, John?'

'Now Morgan, 'fallai.'

'Dim peryg'. 'Dydi Now ddim wedi rhoi tro eto mi elli fentro . . . Ddim wedi rhoi tro . . . Rhy gynnar i Now.'

Daethom i'r bonc o'r diwedd, a gwenodd fy nhad wrth daflu ei olwg ar hyd-ddi ac i gyfeiriad y twll a'i greigiau serth y tu draw iddi. Cyflymodd ei gamau, er bod ei anadl yn fyr a llafurus erbyn hyn. Galwodd llais o'r cwt-pwyso, a daeth Ffowc Roberts, y pwyswr, i'r drws i'n cyfarch.

Anafwyd Ffowc yn o ddrwg yn y rhyfel, a phwyso oedd ei waith ers rhai blynyddoedd bellach. Ond er ei fod o hyd mewn poenau yn ei gefn a'i goes, yr oedd yn un o'r dynion siriolaf yn y chwarel.

'Helô, pwy ydi'r hogyn 'ma sy hefo ti, John?' gofynnodd imi. 'Newydd adael yr ysgol, ia? Diawch, mae gynno fo drowsus melfaréd go glytiog i ddechra gweithio hefyd, fachgan! Hen un 'i daid, 'fallai.'

Chwarddodd fy nhad, ond gwelai Ffowc a minnau ei fod yn crynu yn oerfel y bore.

'Tyd â'r hogyn i mewn i'r cwt 'ma am funud, John,' meddai Ffowc, gan hercian drwy'r drws o'n blaen. 'Cwt-pwyso ydi hwn, 'machgan i,' meddai wrth fy nhad wedi inni fynd i mewn. 'Yma yr ydan ni'n pwyso'r rwbel sy'n mynd i'r hen doman acw wrth ochor y Neidr . . . Sut 'rydach chi'n teimlo, Robat Davies?'

'Go wantan, wir, Ffowc. Ond wedi hen flino ar fod gartra'n segur wel'di. Sut mae'r hen goes?'

'Fel hen gi yn trio fy mrathu i drwy'r dydd. Mi liciwn i 'i saethu o, yn lle 'i fod o'n chwyrnu ac yn brathu fel hyn o hyd. Ond 'fallai mai saethu fy hun wnawn i wrth drio, welwch chi . . . Glywsoch chi'r stori ddwytha am yr hen Erbyn Hyn?'

'Wn i ddim. Pa un, Ffowc?'

'Stori'r smocio?'

'Naddo, wir, fachgan.'

'He, 'roedd yr hen Wil yn pwyso ar 'i wagan ac yn cael mygyn bach ar 'i ffordd i ben y doman. Pwy ddaeth heibio ond y Stiward. "William," medda fo, "'Tasai'r Bod Mawr wedi meddwl i chi smocio, mi fasai wedi rhoi corn simdda ar eich pen chi." Dyma Wil Erbyn Hyn yn 'styried am funud, ac wedyn: "'Tasai'r Bod Mawr wedi meddwl imi dynnu wagan i ben y doman," medda fo, "mi fasai wedi rhoi *bachyn* yn fy nghefn i!"'

Ffrwydrodd chwerthin Ffowc dros y cwt, ac ymunodd fy nhad yn dawel. Ond gwyddwn ei fod yn hiraethu am gyrraedd ei wal, a brysiais allan o'r cwt o'i flaen, gan gymryd arnaf fy mod yn ofni i'r Stiward ein dal yn cyrraedd ein gwaith mor hwyr. Fel yr aem heibio i wynebau agored y waliau, peidiai'r naddu a'r hollti ym mhob un, a galwai lleisiau llon arnom—'Helô, Robat Davies!' 'Welcom hôm, giaffar!' 'Pwy ydi'r Stiward newydd 'ma, John?'

Yr oedd yn dda ganddo gael eistedd wrth y drafel yn y wal. Gwelwn y chwys yn ddiferion gloyw ar ei dalcen ac uwch ei wefus, er bod y bore'n oer.

'Fyddai ddim yn well i chi fynd i'r caban am banad cyn dechra gweithio, 'Nhad?' gofynnais.

'Panad? A hitha ond newydd ganu! A finna heb wneud un strôc o waith! Tyd, rho'r gyllall naddu 'na imi. A hollta ditha glwt ne' ddau imi, yn lle sefyll fel gŵr bonheddig yn fan 'na.'

Euthum ati ar unwaith i hollti clwt o garreg, a chydiodd yntau'n eiddgar yn y llechi a basiwn iddo. Gafaelodd yn y pren-mesur fel hogyn yn trio'i law am y tro cyntaf erioed, a gloywai ei lygaid wrth iddo daro min y llechen ar lafn y drafel a dechrau ei naddu hefo'r gyllell. Dug yr hen fedr ryw ynni newydd i'w fraich a'i law, a daeth gwên hapus i'w wyneb fel y rhoddai'r gyllell uniondeb miniog i ochr y llechen. Ond mor wyn a meddal y gwnaethai segurdod ei ddwylo! Ofnwn weld y llechen yn suddo i'w gnawd, neu'r bysedd tenau'n llithro o dan lafn y gyllell fawr.

'Mae'r hen lechi 'ma'n oer, fachgan,' meddai ymhen ennyd. 'Mae fy nwylo i bron â fferru . . . Ydyn, wir . . . Bron â fferru, John bach.'

Euthum i'r wal nesaf at Ifan Môn, a chefais fenthyg ei fenig difysedd ef.

'Hwdiwch, 'Nhad; triwch rhain.'

Ond dal i gwyno am yr oerni a wnâi, a gwelwn fod hynt y gyllell naddu'n mynd yn fwy a mwy ansicr ar hyd marciau'r pren-mesur ar fin y llechen.

'Fy mysadd i wedi mynd yn hollol ddiffrwyth, fachgan. Cyn oerad â'r llechan 'ma. Wn i ddim pryd y mae'r llechan yn fy llaw i a phryd y mae hi heb fod. Tyd di i naddu; mi hollta' inna yn dy le di.'

Codais oddi ar y blocyn i wneud lle iddo, ond gan wybod y byddai'r cŷn yn llawn mor oer â'r llechen yn ei law.

'Dyna well, fachgan,' meddai, wrth guro'n ysgafn ar ben y cŷn. 'Carrag dda, carrag rywiog. Fe holltith hon mor dena' â phapur.'

Na, nid oedd y dwylo medrus wedi anghofio sut i hollti clwt o lechen. Yr oedd yr ysglodion a ryddhâi'r ddau gŷn fel dalennau o bapur; llechi gwyrddlas, rhywiog, o'r fargen orau a fuasai gennyf i erioed yn y twll. Ond cyn bo hir, llithrodd y cŷn o'i law, a chaeodd ac agorodd ei ddwrn yn gyflym ddwywaith neu dair.

'Wedi chwysu ar yr hen Neidr 'na yr ydw i,' meddai, 'wedi chwysu ac oeri wedyn . . . Mi a' i draw i'r caban i gynnau siwin o dân ac i wneud panad fach imi fy hun.'

'O'r gora, 'Nhad. Mi a' inna i lawr i'r twll.'

'Wyt ti'n saethu heddiw?'

'Ydw, am un ar ddeg, 'Nhad. Mae popeth yn barod gen i; mi fûm i'n tyllu ddydd Gwenar, ac mi es at y Stiward bora Sadwrn am bapur i gael powdwr a chnotyn o ffiws. Mi bicia' i draw i'r cwt powdwr 'rŵan.'

Tra oedd ef yn y caban, euthum i wal Ifan Jones i ofyn ei gyngor.

'Gad ti iddo fo, John,' meddai Ifan Môn. ''Does 'na ddim ond un dyn yn y byd 'ma fedar 'i argyhoeddi o, a fo'i hun ydi hwnnw, wel'di. Mae'n amlwg fod yr hen chwaral 'ma wedi mynd yn drech na fo, ond 'tawn i ne' chdi yn dweud hynny wrtho fo, dyna godi'i wrychyn o ar unwaith. Na, mae'n rhaid iddo fo ddweud hynny wrtho fo'i hun. 'Rydw i'n mynd adra awr ginio heddiw.'

'O?'

'Ydw, i . . . i . . . i gynhebrwng yr hen Richard Morris. Ac fe ddaw dy dad adra hefo mi, gei di weld.'

Celwyddwr go sâl oedd Ifan Môn.

'Ydach chi'n mynd i'r cynhebrwng mewn gwirionedd?'

'Wel . . .' A rhoes winc fawr arnaf.

Euthum i lawr i'r twll i baratoi ar gyfer y saethu am un ar ddeg. Gwyddwn y cawn fwy o gerrig pe tyllwn ryw ddwy neu dair modfedd eto ymhellach i mewn i'r graig. Ymhen tipyn, brysiodd Trefor Williams ataf.

'Ydi o'n saff ar yr ystol 'na, dywed?'

'Pwy, Trefor?'

'Dy dad. Mae o'n dŵad i lawr yma i'r twll.'

Ar yr ysgol fawr haearn a hongiai ar y graig o'r bonc i waelod y twll, gwelwn fy nhad yn disgyn yn araf a phetrus. Brysiais i waelod yr ysgol.

'Ydach chi'n iawn, 'Nhad?' gwaeddais i fyny.

'Yn iawn? Ydw, wrth gwrs. Pam?'

'O, dim byd.'

Disgynnodd yn araf i'r gwaelod, a safodd ennyd i sychu'r chwys oddi ar ei dalcen. Yna daeth hefo mi at y graig, gan edrych gyda chwilfrydedd plentyn bron ar y lle a dyllwn i'w saethu.

'Diawch, go dda, John. Dyna'n union lle y baswn inna yn 'i dyllu, fachgan. Fe ddaw 'na ddigon o gerrig inni o fan'ma, gei di weld. Digon am 'thefnos.'

Mynnodd gael tyllu yn fy lle, a chadwodd hynny ef yn gynnes ac yn llon. Mynnodd hefyd gael fy helpu i baratoi'r powdwr a'r ffiws, ac ni synnwn i ddim na fuasai wedi tanio trosof oni bai imi ei yrru i'r caban-ymochel pan ganodd corn un ar ddeg.

Rhyfedd fel y gwna distawrwydd i chwi sylwi ar bethau! Pan ganodd corn un ar ddeg, tawelodd y twll i gyd, y wagenni a'r trosolion a'r cynion a'r morthwylion, ac yn y tri munud cyn i'r corn-saethu ganu, brysiai pawb i'r cwt-ymochel. Pawb ond fy nhad; loetran wrth fy ymyl yr oedd ef, nes imi ei yrru ymaith. Gwyliais ef yn mynd yn araf, gan aros ennyd ar ei ffordd i syllu ar yr haid o frain yn hedfan tros ben y twll; gwyddent hwythau ei bod hi'n amser tanio. Clywn ddarnau o lechi yn crensio dan ei draed, ac yna peidiodd y sŵn fel y safai am foment i wylio Richard Roberts—'Dic Mysterious', chwedl ninnau—yn gwyro uwch ei ffiws yr ochr arall i'r twll. Do, meddwn wrthyf fy hun, fe aeth fy nhad yn hen yn ddiweddar. Edrychais, yn y tawelwch, ar y gwallt gwyn islaw'r hen het galed a wisgai bob amser yn y chwarel, ar y gwddf tenau, ar yr ysgwyddau crwm, ar y traed araf eu cam. Ni ddylai fod yn y chwarel o gwbl heddiw; gartref wrth y tân oedd ei le. Ymddangosai'n unig a thrist iawn ar ei ffordd i'r cwt-ymochel, y chwarelwr medrus a chydwybodol hwn a wyddai fod ei ddyddiau gwaith ar ben. Y chwarel, ei gartref, a'i gapel—dyna dri diddordeb ei fywyd, a llithrai un ohonynt yn gyflym o'i afael lesg. Daeth i'm clust grawc y frân olaf a ddihangai o ben y twll.

Canodd y corn-saethu, corn tri munud wedi'r awr, a threwais fatsen olau ar ben y ffiws. Yna, rhuthrais i'r cwt-ymochel, gan ddisgwyl cael fy nhad yn crynu'n dawel a thrist mewn congl. Yn lle hynny, dyna ef a'r hen John Ifans yng nghanol y llawr ac o'u cwmpas ddistawrwydd astud.

'Ond mae'r Apostol yn dweud, John Ifans . . .' meddai llais fy nhad, ond tawodd pan ddeuthum i i mewn, gan droi ei ben i wrando am y ffrwydriad yn y graig. Rhyfedd, meddwn wrthyf fy hun, fod pawb yn gwrando mor dawel ac mor barchus ar lais fy nhad. Nid oedd Robin Llew na Wil Erbyn Hyn yn malio botwm corn beth oedd yr Apostol yn ei ddweud; ni thaflai'r Apostol unrhyw oleuni ar hynt Manchester United neu Aston Villa, ac ni wyddai ef pa geffyl a haeddai aberthu sylltyn er ei fwyn. Pam, ynteu, y gwrandawent mor astud? Ai am yr edrychai mor wael? Ai am yr hoffent dalu teyrnged i'w wrhydri yn mentro'n ôl i'r chwarel fel hyn? Taflodd Robin Llew beth goleuni ar y pwnc.

'Dew, mae'n dda gweld yr hen ddyn yn 'i ôl, fachgan,' sibrydodd wrthyf.

'I sôn am yr Apostol Paul?' sibrydais innau â gwên.

''Dydi o ddim mymryn o ots am be' mae o'n sôn. Hollti blew mae'r hen John Ifans, wsti. Ond rhoi fo'i hun mewn geiria mae dy dad. Diawcs, 'tasa fo'n malu am yr Hen Oruchwyliaeth am awr, mi fedrwn i wrando arno fo.'

Torrai sŵn ffrwydriad ar ôl ffrwydriad pell tu ôl i'r clebran yn y cwt, ambell un yn ddwfn a hirllaes, gan ddeffro rhu taranau yng nghreigiau'r chwarel ac yn y bryniau o amgylch; ambell un arall yn glec go ysgafn a go fain, heb fawr ddim adlais yn y mynyddoedd. Rhyw glec felly a ddaeth o fargen Richard Roberts, yr ochr arall i'r twll.

'Damia,' meddai Dic. 'Cha' i ddim digon o gerrig i dalu am fwyd i'r gath o'r ffrwydriad yna. Be' ydi'r powdwr ydan ni'n 'i gael y dyddia yma, Huw Huws? Powdwr du, myn cebyst i! Pupur ydi'r rhan fwya' ohono fo!'

'Pupur?' meddai'r hen Huw Huws yn dawel. 'Gwranda!'

A thorrodd y ffrwydriad a daniaswn i. Gwenodd fy nhad arnaf fel y crwydrai'r eco dwfn i'r bryniau, uwch sŵn y graig. Byddai, fe fyddai gennym—gennyf—ddigon o gerrig am bythefnos.

Canodd y 'corn heddwch' yn fuan, a throes pob un ohonom yn ôl at ei waith.

'Wel, go dda, fachgan,' meddai fy nhad, wedi inni gyrraedd fy margen wrth fôn y graig. 'Dyma be' ydi pentwr o gerrig! Edrych, mewn difri', ar y plyg yna! Estyn y cŷn brasollt a'r ordd 'na imi.'

Curodd fwlch ar hyd ochr y piler hefo'r cŷn a'r morthwyl, ac yna cydiodd yn y 'rhys', yr ordd fawr bren, i daro'r piler a'i hollti'n ddau. Gweithiai fel dyn gwyllt, a rhedai'r chwys i lawr ei wyneb.

'Be' ydi'r brys, 'Nhad?' gofynnais. 'Mae gen i glytia reit dda yn y wal. Cymerwch bwyll, da chi!'

Ond nid oedd modd atal yr ynni chwyrn a losgai ynddo. Erbyn i'r corn ganu hanner dydd, yr oedd wedi llwyr ymlâdd, a da oedd gennyf droi ymaith gydag ef tua'r caban-bwyta. Gadawsom i'r dynion eraill ddringo'r ysgol haearn o'n blaen i fyny i'r bonc, a chyda thipyn o ymdrech y medrodd ef gyrraedd y lan.

'Hy, mae'n rhaid fy mod i'n mynd yn hen, fachgan,'

meddai eto, gan ei sadio'i hun ar y gwastad uwchben y twll. 'Rhaid, wir, John bach.'

Mawr oedd y croeso a gafodd yn y caban, a pherliai dagrau yn ei lygaid wrth i'r dynion ei gyfarch mor siriol a chynnes. Chwarddodd fel plentyn mewn te-parti wrth afael unwaith eto yng nghlust yr hen gwpan â llun y Brenin a'r Frenhines arni, ac agorodd ei dun bwyd yn awchus. Parablai hefyd yn ddi-daw, a rhyw wên braidd yn blentynnaidd ar ei wyneb llwyd.

'Be' sy gen ti, John? Oes gen ti fwy o gaws na fi, dywed? Oes, wir, fachgan. 'Rydw i yn cael cam, 'rhen Ifan. Ydw, wir. Ac mae gynno fo fwy o deisan na fi hefyd! Rhaid imi godi row pan a' i adra. 'Dydi peth fel hyn ddim yn deg o gwbl . . .'

Yr oedd clebran fel hyn yn beth croes i'w natur, ond gwnaeth Ifan Jones a minnau ein gorau i fwynhau'r digrifwch annaturiol hwn. Dug Robin Llew ei debot a'i dun bwyd at ochr fy nhad; wrth fwrdd arall yr eisteddai Robin fel rheol, ond tybiwn iddo ddyfod atom ni er mwyn gwneud ymdrech i godi calon fy nhad.

'Be' ydi pris *haddock* y dyddia yma, Wil?' gwaeddodd ar Wil Erbyn Hyn, a eisteddai ym mhen arall y caban.

'Mae peint yn dipyn rhatach, was,' oedd yr ateb.

Chwarddodd pawb, ond edrych braidd yn ddryslyd arnom a wnâi fy nhad. Ni chlywsai ef mo'r stori.

'Ddeudodd John mo stori'r *haddock* wrthach chi, Robat Davies?' gofynnodd Robin.

'Naddo, wir, fachgen. Be' ydi hi?'

'O, mae'r hen Wil yn reit ffond o'r ddiod, fel y gwyddoch chi. Mi benderfynodd fynd draw i'r pentra un noson am dipyn o sbri, ond 'doedd o ddim yn siŵr faint o arian oedd gynno fo ar gyfar y Red Lion. Dyma ddechra gwneud y sym i fyny hefo darn o sialc ar y wal tu allan i'r Barics. Siwgwr—hyn-a-hyn; te—hyn-a-hyn; bara—hyn-a-hyn; pres i fynd adra i'r wraig yn Sir Fôn—hyn-a-hyn; 'menyn, caws, cig moch, tatws, gwadnu'i 'sgidia, sebon—'roedd o'n trio cofio am bopath, ac 'roedd 'na sym go fawr ar y wal cyn y diwadd. Dyma adio'r cwbwl at 'i gilydd a ffeindio bod gynno fo ryw bumswllt ar ôl o'i gyflog ar gyfar codi'i fys bach.'

Cymerodd Robin swig hir o big ei debot cyn mynd ymlaen â'i stori.

'Wel, y noson honno—nos Iau oedd hi—'roedd o wedi meddwl prynu *haddock* i swpar a dŵad â hi'n ôl hefo fo o'r pentra i'r Barics. Ac 'roedd yr *haddock,* wrth gwrs, i lawr yn y sym ar y wal. "Dim ond pumswllt am sbri!" medda Wil wrtho fo'i hun, a dyma fo'n dechra poeri ar 'i fysedd i rwbio petha allan o'r sym. "Hy, mi fedra' i wneud heb wadnu fy 'sgidia am dipyn eto," medda Wil wrth y wal, a dyma rwbio'r eitam honno allan. "Pwys o gaws!" medda fo wedyn. "Gloddesta ydi peth fel'na. 'Does ar neb isio pwys o gaws mewn wsnos." A dyma newid y pwys o gaws yn hannar pwys. O'r diwadd, 'roedd y *bare minimum,* chwedl Meic yr Undab, yn y sym ar y wal, ond 'doedd yr hen Wil ddim yn fodlon fod gynno fo ddigon ar gyfar 'i sbri. Dyma fo'n cymryd cam yn 'i ôl ac yn gwgu a chwyrnu ar y sym. "'Adoc?" medda fo wrtho'i hun, gan boeri ar 'i fysadd. "Be' ddiawl mae isio 'adoc ar ddyn?"'

Yr oedd fy nhad wrth ei fodd yn y caban, yn gwrando ar yr ymgomio ac yn gwylio pob symudiad ar bob bwrdd. Chwarddodd fel plentyn wrth weld yr hen John Ifans yn codi, yn ôl ei arfer, i daro'r procar yn y tân i'w wneud yn wynias ar gyfer ei bibell.

Crwydrodd y dynion ymaith fesul dau a dau, ac yna cododd Ifan Jones.

'Wel,' meddai, 'mae'n rhaid imi 'i throi hi adra 'rŵan.'

'Adra?' gofynnodd fy nhad yn syn.

'Ia. Meddwl mynd i gynhebrwng yr hen Richard Morris, Ceunant.'

'O?'

Syllodd fy nhad i lawr ar y bwrdd, ac yna cododd ei gwpan i'w wefusau, er y gwyddai fod y diferyn o de a oedd ynddo yn oer erbyn hyn.

'Faint ydi hi o'r gloch, John?' gofynnodd Ifan Môn imi.

'Mae hi'n tynnu at hannar awr wedi deuddag. Pryd mae'r cynhebrwng?'

'Am ddau. Rhaid imi gychwyn . . . Wel, da boch chi 'rŵan.'

Yr oedd bron wrth y drws pan alwodd fy nhad arno.

'Ifan!'

'Ia, Robat?'

'Aros am funud. Yr ydw i'n meddwl y do' i hefo chdi.'

'I'r cynhebrwng?'

'Na, adra at y tân. 'Dydw i ddim yn teimlo'n hannar da, wel'di. Mae arna' i ofn bod yr hen ddoctor 'na yn 'i le, fachgan.'

'Wel, am wn i nad wyt ti'n gwneud yn gall, Robat, os nad wyt ti'n teimlo'n *extra.* Tyd, mi awn ni'n ara' deg.'

Euthum hefo hwy ar hyd y bonc at wal y Neidr. Sefais yno am funud i'w gwylio'n mynd i lawr y llwybr, a gwenais wrth ganfod Ifan Jones yn llusgo wrth ochr fy nhad, fel petai ef, ac nid ei gydymaith, a deimlai'n llegach. Gwyddwn yn fy nghalon mai dyma'r tro olaf y gwelid fy nhad yn y chwarel, a syllais dros y Neidr i gyfeiriad y ffordd y gwelswn f'Ewythr Huw arni ar fy niwrnod cyntaf yn y gwaith. Do, aethai ugain mlynedd a mwy heibio er hynny, ond ni newidiasai'r blynyddoedd fawr ddim ar gadernid anferth y chwarel oddi tanaf. Rhoesant fwy o greithiau ar ei hwyneb, efallai, a dyfnhau'r archollion yn ei mynwes, ond arhosai hi o hyd mor ddigyffro a di-hid ag erioed. Trois yn ôl yn anniddig tua'r wal, gan gicio lwmp o garreg o'm blaen. Yr oedd Trefor Williams yn fy nisgwyl.

'On'd ydi'r hen Ifan Jones yn un da, fachgan?' meddai.

'Pam, Trefor?'

''Roedd o'n casáu yr Hen Gyb, wel'di.'

'Yr Hen Gyb?'

'Richard Morris sy'n cael 'i gladdu heddiw. A dyma fo â digon o wynab i ddweud 'i fod o'n mynd i'r cynhebrwng! Be' ddeudith o nesa', tybad?'

Pan gyrhaeddais adref y noson honno, aethai fy nhad i'w wely, ac ysgydwai fy mam ei phen yn drist.

'Prin yr oedd gynno fo ddigon o ynni i fynd i fyny i'r llofft pan ddaeth o adra, John. Be' ddwed y doctor pan glyw o?'

Darfu wedyn ddyheu fy nhad am ddychwelyd i'r chwarel. Tynnodd ffon, a fuasai gan f'Ewythr Huw, i lawr oddi ar ei bach yn y lobi wrth ddrws y ffrynt, a bodlonodd ar ei chymorth hi i grwydro hyd y pentref at y Bont Lwyd neu at yr orsaf. Unwaith yn unig y mentrodd cyn belled â gwaelod y Neidr i'm cyfarfod i ac Ifan Môn o'r gwaith. Buan y gwelodd na allai gydgerddded â ni heb inni lusgo'n araf hyd y ffordd, a gwyddai fod arnom eisiau ein swper-chwarel. I ben yr ystryd y deuai wedyn i'm cyfarfod, gan holi'n awchus am y bonc a'r twll a pha hwyl a oedd ar hwn-a-hwn. Yna, collais ef o ben yr ystryd.

'Welaist ti mo dy dad ar y ffordd?' gofynnodd fy mam imi pan gyrhaeddais y tŷ un noson.

'Naddo, wir, ddim golwg ohono fo.'

'I fyny'r pentra yr aeth o hefyd. 'Roeddwn i'n meddwl 'i fod o'n mynd i'th gwarfod di.'

''Falla 'i fod o wedi troi i mewn i Siop Preis ne' rywla.'

''Fallai, wir, John.'

Dychwelodd cyn bo hir, yn bur lluddedig, gan ddweud iddo fynd i lawr at y llyn am dro. Ond yr oedd rhyw olwg go euog arno, ac ni wyddai fy mam na minnau paham— nes i Ifan Jones daflu goleuni ar y pwnc ymhen rhai dyddiau.

Yr oeddym newydd adael y Neidr ar ein ffordd adref un gyda'r nos pan droes Ifan Môn ataf.

'John.'

'Ia, Ifan Jones?'

'Paid â throi dy ben. Edrych di'n syth o'th flaen.'

'Reit. Ond pam?'

'Wyddost ti pwy sy'n cuddio yn y coed 'na wrth yr afon?'

'Na wn i. Pwy?'

'Dy dad, fachgan. Na, paid â throi dy ben.'

'Be' mae o'n wneud yn y coed 'na, tybad?'

'Ein gwylio ni a'r dynion eraill yn dŵad adra o'r gwaith. Yn yr hen chwaral 'na y mae'i galon o o hyd, wel'di.'

'Ond i be' mae o isio mynd i guddio? Pam na fasa fo'n eistadd ar y clawdd wrth ochor y ffordd i'n haros ni?'

'Cywilydd, wel'di.'

'Cywilydd? Am be', neno'r Tad?'

'Am 'i fod o'n wan ac yn methu mynd at 'i waith.'

'Ond 'does dim rhaid i neb fod arno gywilydd o hynny, Ifan Jones.'

'Mi fyddi ditha yr un fath pan fethi di fynd i'r chwaral, John bach, gei di weld. 'Does neb yn licio cael 'i guro, fachgan. Yn enwedig chwarelwr cydwybodol fel dy dad.'

'Ond 'does gynno fo ddim help 'i fod o'n methu.'

'Nac oes, ond mae dyn ar 'i ffon mor swil â hogyn yn gwisgo'i drowsus llaes cynta'. Yn fwy swil o lawar. A pheth arall, mae o'n cuddio rhag ein cadw ni ar y ffordd, wsti. Mae o'n gwybod ein bod ni bron â llwgu.'

Yr oeddwn newydd orffen fy swper-chwarel pan ddaeth fy nhad i'r tŷ.

'Lle buost ti, Robat?' gofynnodd fy mam.

'O, i fyny'r pentra,' meddai yntau, 'ac mi alwais yn Siop Preis am funud.' Tybiwn y brysiai tros ei eiriau, a gafaelodd yn *Y Genedl,* gan chwilio'n eiddgar am ryw newydd yn y papur. Ond ni sylwodd fy mam fod rhyw euogrwydd yn ei wedd.

Yn fuan wedyn, pan oeddwn ar ganol fy swper-chwarel, y soniodd am ei arfau.

'John,' meddai'n sydyn.

'Ia, 'Nhad?'

'Ydi f'arfau i yn saff gen ti?'

'Maen nhw yn y wal hefo'i gilydd, 'Nhad—i gyd ond un.'

'I gyd ond un?'

'Y cŷn manollt. Wn i ddim yn y byd be' sy wedi digwydd i hwnnw. Mi faswn i'n taeru 'i fod o yno hefo'r lleill wythnos yn ôl, ond pan ddigwyddis i edrach ar yr arfau ddoe, 'doedd o ddim yno. Mi fûm i'n chwilio pob man amdano fo, ac yn holi hwn a'r llall yn y bonc, ond wn i ddim ar y ddaear ymh'le y mae o.'

'O, paid â phoeni, John bach. Mi ddaw i'r golwg eto, wel'di.'

Gwyddwn fod colli'r cŷn fel cancr yn ei feddwl drwy'r gyda'r nos, er y gwnâi ei orau i ymddangos yn llawen. Arhosodd wrth ddrws y gegin pan droai i'w wely.

'John.'

'Ia, 'Nhad?'

'Mae arna' i isio i ti ac Ifan Môn ddŵad â'r arfau adra 'fory. Mi fyddan yn fwy saff yn y cwt, wel'di.'

'Ond . . .'

'Mi fydda'n biti iddyn nhw fynd ar goll. Tyd di ac Ifan â nhw, John bach.'

'O'r gora, 'Nhad.'

Yn y cwt yn y cefn y bu'r arfau byth er hynny. Bu fy nhad farw ymhen tua blwyddyn wedyn, a soniodd llawer un wrth fy mam yr hoffai brynu'r arfau. Ond ni fynnai hi glywed am eu gwerthu, ac nid ymyrrais i ddim. Gwastraff, efallai, fu eu gadael yn segur fel hyn yng nghongl y cwt. Ond atolwg, beth yw gwastraff?

Wel, fe ddaw Dafydd Owen yma bore yfory i nôl yr arfau. Y mae'n well gennyf ei weld ef yn eu cael na neb arall, am a wn i. Mi a'u rhof hwy iddo—fel tâl bychan am ei holl garedigrwydd ef i'm tad ac i'm mam.

10 CLOI

Wel, bore dydd Sadwrn a ddaeth o'r diwedd, a bu hi fel ffair yma ers dwyawr. Prin y cliriasai Meri Ifans lestri'r brecwast o'r bwrdd cyn i bobl ddechrau galw i nôl eu pethau. Cyrhaeddodd Ifan Jones a Dafydd Owen a Lewis Roberts hefyd yn gynnar i roi help llaw i gario'r dodrefn, ac wedyn, dyna'r hen dŷ yn mynd yn wacach, wacach, o hyd. Gwelyau, matresi, cadeiriau, byrddau, matiau, llestri—gwyliais bob math o bethau'n cael eu dwyn ymaith gan hwn a'r llall. Edrychai llawer un yn dosturiol arnaf, a gwelais rai yn sibrwd wrth ei gilydd. Ond ni theimlwn yn drist. Yr oedd gormod o siarad a ffwdan o'm cwmpas imi gael cyfle i droi'n bruddglwyfus. A digwyddodd amryw o bethau digrif—Meri Ifans bron â llewygu wrth weld Leusa Morgan yn cyrraedd ag arian yn ei dwrn i dalu am y gwely a werthasai Ella iddi; Jim ac Ella yn darganfod, wrth geisio'i gael heibio i gongl y gegin fach, mai peth go anhylaw ydyw bwrdd; Llew Hughes ar bigau'r drain ac yn dawnsio o gwmpas â blaenau ei fysedd yn ei geg wrth wylio Lewis Roberts a Dafydd Owen yn cario'r cwpwrdd llyfrau; Sylvia Jane, merch Dic Steil, yn ceisio ymddangos yn urddasol wrth gludo un llestr go amharchus o'r llofft heibio i Ned a Jim a ddigwyddai gyrraedd y tŷ ar y pryd. Na, ni chefais fawr o amser i feddwl amdanaf fy hun.

Ond erbyn hyn, yr wyf fy hunan bach yn y tŷ gwag. Nid oes cadair ar ôl, ac eisteddaf ar silff y ffenestr yn gwylio'r marwor yn y grât yn marw ac yn diffodd. O'm cwmpas y mae'r muriau noethion. Yn y fan acw, ar y mur i'r chwith imi, yr oedd y cloc y byddai fy nhad yn ei weindio'n ddi-ffael bob nos Sul; dano ef, yr hen harmoniym a chadair bob ochr iddi; yn y fan yma wrth y ffenestr, y soffa lle gorffwysai fy nhad lawer noswaith; wrth yr aelwyd, y gadair freichiau; tros y ffordd iddi, y gadair-siglo; rhwng honno a'r cwpwrdd llyfrau yn y gongl, yr ystôl haearn y gwastraffai fy mam, yn nhyb fy nhad, gymaint o'i hamser a'i hegni yn ei glanhau; wrth y mur gyferbyn â mi, y dresel dderw, a rhyngddi a'r drws sy'n arwain i'r lobi, gadair ac antimacasar coch a gwyn bob amser tros ei chefn.

Rhyfedd mor wag y gall tŷ gwag fod! Nid tŷ sy'n gwneud cartref—nid mur a drws a ffenestr ac aelwyd—ond y pethau sydd ynddo, y lliain ar y bwrdd, y pot blodau a'r rhedyn ynddo yn y ffenestr, y papur newydd sy'n ymwthio i'r golwg dan glustog y soffa neu'r gadair freichiau, y Beibl mawr ar gongl y dresel, yr het galed a drawyd ar yr harmoniym, y sbilsen ar ochr y pentan, y gôt sy'n hongian tu ôl i'r drws. A'r gwacaf peth yn y byd yw cartref gwag.

Er hynny, ni theimlaf yn drist; ni wna'r gwacter a'r unigrwydd hwn imi dorri fy nghalon, fel y disgwyliaswn. Paham, tybed? Y mae mwy o syndod nag o dristwch yn fy meddwl, rhyw syfrdandod ffwndrus, oer, na allaf ei ddeall. Nid wyf fel petawn yn sylweddoli beth a ddigwyddodd imi; yr wyf fel dyn a gollodd ei ffordd mewn lle dieithr. Ai wrth yr aelwyd hon y chwaraewn yn blentyn? Ai i'r tŷ hwn y daeth f'Ewythr Huw i aros atom? Ai yn y gegin hon y deuthum i adnabod cadernid pwyllog fy nhad a thynerwch tawel fy mam? Ai rhwng y muriau moelion hyn y magwyd fi, John Davies? Ai yma . . . ? Ond cwestiynau fy syfrdandod ffwndrus, ffôl, yw'r rhai hyn.

Y dresel oedd y peth olaf un i adael yr hen gartref. Wedi i bopeth arall gael ei gludo ymaith, safai hi wrth y mur acw mor gadarn ac mor loyw ag erioed.

'Be' wnei di hefo'r dresal, John?' gofynnodd Ifan Jones imi.

Nid atebais, dim ond syllu'n hir ar yr hen ddresel o dderw du. Yr oedd hi'n rhyfedd gweld anghynefindra'r muriau noethion o'i hamgylch a'r llawr digarped, llychlyd, o'i blaen. Rhywfodd, hi oedd yr unig beth a'm cysylltai â'r gorffennol mwyach, y crefftwaith syml hwn a ddaeth yma o dŷ fy nhaid ym Môn.

Gwelwn Meri Ifans yn edrych yn hyderus arnaf, gan imi addo'r siawns gyntaf ar y dresel iddi hi.

'Be' wnei di hefo'r dresal, John?' gofynnodd Ifan Jones drachefn.

'Mae rhyw ddyn o Gaernarfon wedi cynnig deugain punt imi amdani,' atebais.

Gwelwn gwmwl am ennyd yn llygaid Meri Ifans, ac yna gwenodd wrth iddi gofio am y celwydd a ddywedasai wrth Leusa Morgan fore Iau.

'*Mae* hi'n dresal nobyl,' meddai Ifan Môn. 'Un o'r rhai nobla' welis i 'rioed.'

Daeth Dafydd Owen a Lewis Roberts i mewn, wedi cludo'r cwpwrdd llyfrau i dŷ Llew Hughes. Dilynwyd hwy gan Jim a Ned.

'Rhwbath arall i'w gario?' gofynnodd Jim.

'Rhwbath arall?' gofynnodd Ned.

'Dim ond y dresal,' meddwn innau. 'Ond mae hi'n o drom.'

'Trom?' meddai Jim. 'Tyd, Ned.'

Ac aeth y ddau at y dresel a chydio ynddi, un bob ochr.

'I b'le'r wyt ti'n mynd â hi, Jim?' gofynnodd Meri Ifans.

'Wn i ddim . . . I b'le, John Davies?'

'I dŷ dy fam-yng-nghyfraith, Jim.'

'Reit,' meddai Jim.

'Reit,' meddai Ned.

A chododd y ddau y dresel i deimlo'i phwysau.

'Tyt! *Easy!*' meddai Jim.

'*Easy!*' meddai Ned.

A phoerodd y ddau ar eu dwylo cyn ailafael yn y dresel.

''Dwyt ti ddim yn meddwl mynd â hi fel'na, Jim?' gofynnodd Meri Ifans.

'Ydw, debyg iawn. Pam lai?'

'A malu'r llestri'n deilchion, y ffŵl? Aros imi gael rhedag i'r tŷ i nôl basged ddillad i'w cario nhw. Mae'r llestri 'na yn werth arian, cofia. Paid ti â chyffwrdd yn y dresal nes do' i yn ôl. Cofia di 'rŵan.'

Yr *oeddynt* yn werth arian, yr hen blatiau gleision a'r jygiau o liw copr ar silffoedd y dresel, a'r powliau yn y gwaelod mawr agored. Mor falch y byddai fy mam wrth eu dangos i ryw ddieithryn a ddeuai i'r tŷ! Mor ofalus y tynnai hi blât neu jwg i lawr i'r ymwelydd gael ei weld! Gofalai bob amser ofyn i'r dieithryn deimlo pwysau'r plât i brofi mor ysgafn ydoedd, a dangosai gyda balchder mawr y tri ysbotyn yma a thraw ar ei gefn, arwydd di-ffael, meddai hi, ei fod yn hen iawn. Rhoddai ei llaw o dan jwg er mwyn i'r ddolen ar ffurf neidr neu ar ffurf deilen fod yn eglur i bwy bynnag a edrychai arni.

Platiau ac arnynt batrwm pren helyg oedd ar y dresel, tair rhes o blatiau gleision hardd. Tri phlât hirgul, pob un tua throedfedd a hanner o hyd, oedd ar y silff uchaf; ar yr ail silff, chwech o rai mawrion, crwn—platiau cinio; ac ar y drydedd, deg o rai bychain—platiau te. Ar fachau uwch pob rhes yr hongiai'r jygiau o liw copr mewn setiau o dri, dwy set ar bob silff, y jwg i'r ddeau y mwyaf bob tro. Am ganol ambell jwg rhedai rhimyn glas, gloyw, a chofiaf fel y dyfalwn, yn hogyn, pa un ai'r glas ai'r copr oedd y gloywaf ei liw. Ond nid oedd y glas ar un o jygiau'r drydedd silff; rhimyn o biws ysgafn oedd ar dri ohonynt ac ar eu canol, bob ochr, gylch melynwyn a llun capel bychan ynddo a choed o'i amgylch. Wedyn i'r chwith, yr oedd y tri jwg a roddai fwyaf o fwynhad imi, pan oeddwn i'n blentyn, y jygiau ar ffurf wyneb hen ŵr. Hen ddyn pur garedig yr olwg ydoedd, ac yr oedd yn ddrwg iawn gennyf weld ei wyneb yn mynd yn llai fel hyn o jwg i jwg. 'Y jwg sy'n llai,' fyddai eglurhad fy mam, pan gydymdeimlwn â'r Toby pellaf i'r chwith, ond rhywfodd, ni fodlonai hynny fy meddwl ifanc. Yr oedd rhywun creulon iawn wedi gwasgu wyneb yr hen ddyn yn fychan, fychan.

O dan silffoedd y llestri a'r jygiau gorweddai'r silff fawr agored lle cadwai fy mam bob math o bethau'n hwylus at ei llaw. Yno yr oedd y blwch te, dysgl i gadw wyau, pentwr o blatiau gwynion plaen, basged fach ac iddi leinin o wlanen werdd, ar gyfer cyllyll a ffyrc a llwyau, a jwg blodeuog â darnau o linyn tros ei fin bob amser. Ar y pen chwith, mewn unigrwydd urddasol, yr oedd y Beibl mawr; ar y pen arall, ci sialc coch a gwyn, y coch yn sblas ar ei ben a'i frest a'i gefn.

Yng ngwaelod y dresel, o dan y tair drôr, yr oedd powliau o bob lliw a llun a maint. Credaf fod rhyw ugain ohonynt yno, ond safai deg ar ei gilydd a'u pennau i lawr, pedair yn sylfaen, tair ar ben y rheini, dwy ar eu pen hwythau, a'r olaf un o'r deg yn dŵr ar y cwbl. Pan oeddwn i'n blentyn, byddai'n rhaid i'm mam chwalu'r adeilad hwn yn bur aml, gan mai uchelgais fy mywyd, y pryd hwnnw, oedd medru ymwthio i mewn i'r silff fawr hon. Llawer tro y tynnodd fy mam y powliau allan a rhoi clustog neu ddwy ar y llawr ac yng nghongl y silff er mwyn rhoi lle cynnes a chysurus imi yng ngwaelod y dresel. Yno, â'r derw du yn furiau o'm cwmpas, y cuddiwn yn aml pan ddeuai fy nhad adref o'r chwarel; caewn fy llygaid, gan gredu, am na welwn i ef, na welai yntau mohonof innau.

Ni chymerais i ddiddordeb mawr yn llestri'r hen dresel hyd onid oeddwn tua deg oed. Un diwrnod, deuthum adref o'r ysgol â'm gwynt yn fy nwrn, gan ofyn i'm mam dynnu un o'r platiau-pren-helyg i lawr imi gael syllu arno. Miss Jones, f'athrawes yn Standard III, a adroddasai'r stori sydd yn y patrwm wrth y dosbarth, a brysiais innau adref i'w dweud wrth fy mam. Ceisiais ei chofio, rai dyddiau'n ôl, i'w hadrodd wrth Wil, hogyn Jim ac Ella, ond yr oedd yn amlwg na feddyliai Wil lawer ohoni. 'Twt, stori i ryw hen genod gwirion,' oedd ei farn ef. Efallai fod Wil yn iawn, ond cofiaf i'r stori wneud argraff ar fy meddwl i—am fod fy mam mor falch o'r platiau, y mae'n debyg. Sut yr oedd yr hen chwedl yn mynd hefyd? Yn y plas ar y dde, a'r pren oraens yn llawn ffrwythau tu ôl iddo, a choeden yr afal gwlanog, arwydd priodas a hir ddyddiau, gerllaw, trigai pendefig a'i unig ferch, Koong-Se. Penderfynodd ei rhoddi'n wraig i Ta-Jin, henwr cyfoethog yn ei lys, ond un diwrnod, gwelodd ei ferch a'i glerc, Chang, yn caru o dan y pren oraens, a chlywodd hwy'n tyngu y byddent yn ffyddlon i'w gilydd byth. Gyrrodd y pendefig Chang i ffwrdd ar unwaith, a chododd glawdd o amgylch y plas i'w gadw ymaith. Llifai afon gerllaw'r plas, ac un noson, pan syllai Koong-Se yn drist drwy'r ffenestr ar y dŵr yn llithro'n araf oddi tani, gwelodd gneuen goco'n nofio ar ei wyneb. Brysiodd i lawr at yr afon, ac wedi iddi gael gafael yn y gneuen, darganfu fod ynddi neges oddi wrth ei chariad, Chang. 'Pan syrth blagur yr helygen i'r llawr,' meddai'r nodyn, 'fe sawdd dy gariad ffyddlon gyda blodau'r lotus o dan y dŵr.' Dychrynodd hithau, ac ysgrifennodd ateb ar dabled o ifori a'i ollwng i nofio ar wyneb yr afon. 'Onid yw'r amaethwr call,' oedd ei neges i Chang, 'yn casglu'r ffrwyth sydd ar gael ei ddwyn?' Neidiodd Chang at y gwahoddiad hwn i'w hachub o afael Ta-Jin, a daeth yno i'r plas yn ddistaw bach, liw nos, i'w dwyn hi ymaith. Dihangodd y ddau ar hyd y llwybr a redai dan gysgod y pren helyg a thros y bont tua bwthyn dinod garddwr y plas. Yno y cuddiasant am amser cyn dianc mewn cwch i gartref Chang ar yr ynys a ddangosir yng nghornel chwith y plât. A'r blwch o drysorau a ddug Koong-Se gyda hi yn gefn iddynt, ac athrylith Chang fel amaethwr yn troi tir yr ynys y ffrwythlonaf dan haul, aeth y su amdanynt ar led ac i glustiau'r pendefig yn y plas. Hwyliodd gyda'i filwyr tua'r ynys, gan fwriadu dwyn ei ferch yn ôl a'i rhoi'n wraig i Ta-Jin. Lladdwyd Chang ganddynt, ond rhoes Koong-Se ei chartref ar dân, gan ei llosgi ei hun i farwolaeth yn y fflamau. Troes y duwiau'r cariadon yn ddwy durtur, a dyna lle maent, yn y llun sydd ar y plât, yn hofran yn llawen yn yr awyr uwchben y plas a'r pren helyg a'r bont a'r bwthyn a'r cwch a'r ynys, yr olygfa a fu'n gefndir i ddrama fach brudd eu carwriaeth hwy.

Gwn y cymer Meri Ifans bob gofal o'r hen dresel a'i llestri, ac ar ôl ei dyddiau hi, bydd Ella yr un mor garedig wrthynt. Wedi i'r ddwy gario'r llestri ymaith mewn basged ddillad fawr, brysiodd Meri Ifans yn ôl i ddiolch imi. Ond prin y medrai ddweud gair, a chronnai'r dagrau yn ei llygaid.

'Wna' i ddim trio diolch i chi, John Davies,' meddai o'r diwedd. 'Mae'r hen dresal a'r llestri mor werthfawr. Fedra' i ddim meddwl am eiria i ddiolch i chi, wir.'

Rhyfedd mor arwynebol yw ein syniadau am werth! Y mae'n rhaid inni gael gweld pethau â'n llygaid a'u cyffwrdd â'n dwylo cyn eu galw'n werthfawr. I Meri Ifans y mae gwerth aruthrol yn y dresel, ond tybed a oes ynddi'r ganfed ran o werth y caredigrwydd a ddangosodd hi i'm mam a minnau? Bu llawer o bobl yn synnu a rhyfeddu at y platiau a'r jygiau cain yn ystod y dyddiau diwethaf yma; ond ni welai neb ddwylo caredig Meri Ifans yn paratoi pryd o fwyd imi neu'n glanhau o amgylch yr aelwyd. Efallai, wedi'r cwbl, mai mewn cymwynas seml y mae'r gwir werth, ond bod mwgwd ar ein llygaid ni oll. Gallwn roddi pris ar blât neu jwg; tybed ai'r pethau na fedrwn ni gynnig pris arnynt sydd o wir werth?

O dŷ fy nhaid a'm nain ym Môn y daeth y dresel yma. Rhyw saer gwlad tuag Amlwch a'i lluniodd hi dros gan mlynedd yn ôl ar gyfer tad fy nhad, a hi oedd brenhines cegin dlodaidd y tyddyn bach lle magwyd fy nhad. Wedi iddo dyfu'n llanc a phriodi, dug ei wraig, geneth o Bensarn gerllaw, adref i fyw i'r tyddyn, ac yno y ganwyd eu dau blentyn—fy nhad a'm Hewythr Huw. Mewn tlodi mawr y magwyd hwy, er y llafuriai fy nhaid a'm nain yn galed ofnadwy. Fy nain a ofalai am ddwy fuwch a dau fochyn a thri dwsin o ieir y tyddyn; gweithiai fy nhaid ym mwnglawdd Mynydd Parys. Gweithiasai yno er pan oedd yn wyth oed, gan ennill, i ddechrau, rôt y dydd o ddeuddeg awr. Nid oedd ond deuddeg oed pan aeth 'i lawr' i gloddio'r copr, ac yno y llafuriodd fel caethwas am weddill ei oes. Llawer 'Sadwrn setlo' y dôi adref heb ddimai goch ar ôl mis o waith melltigedig o galed; daliai'r meistri arian yn ôl o'r cyflog am ganhwyllau a phowdwr a minio'r ebillion a chodi'r mŵn o'r gloddfa. Yn wir, ar ddiwedd ambell fis, troai fy nhaid tuag adref *mewn dyled* i'r gwaith, gan fod y costau gwarthus hyn yn fwy na'r arian a enillasai ef mewn mis o chwysu ac ymdrabaeddu yn nyfnderoedd y ddaear. Ceisiai fy nain ei berswadio i adael y lle, ond nid oedd bywoliaeth yn y tyddyn a'i dri chae bychain, llwm, a rhaid oedd cael bwyd iddynt hwy ac i'w dau o blant. Felly, o ddydd i ddydd, o wythnos i wythnos, âi fy nhaid druan i lawr siafft y 'Coronation' i'w ladd ei hun wrth geisio ennill tamaid i'w deulu bach. A phob bore am chwech, yn y Cyfarfod Gweddi a gynhelid yn yr efail ar yr wyneb, diolchai i Dduw iddo fedru cadw ei blant rhag llwgu.

Penderfynodd fy nhad nad âi ef i afael gorthrwm y gwaith copr. Crwydrai llawer o ddynion o'r ardal i weithio yn chwareli Arfon, er bod y cyflogau yno'n druenus o fychain a'r damweiniau'n aml. Ymysg yr anturwyr hyn yr oedd Edward Morus, cymydog fy nhaid—'Ned yr Injian', fel yr adnabyddid ef yn gyffredin. Buasai ef unwaith yn 'landiwr' yn codi mŵn i fyny o Siafft y Coronation; ond yr oedd yn ddigon medrus hefo peiriannau i ennill lle fel gyrrwr peiriant yn chwarel Llanarfon. Ymwelai â'i hen ardal ym Môn weithiau, ac ar un o'r troeon hyn yr awgrymodd i'm tad, hogyn deuddeg oed y pryd hwnnw, fynd i fyw ato ef a dechrau gweithio yn y chwarel. Neidiodd yntau at y cynnig, a chafodd groeso a chysur ar aelwyd Edward a Leusa Morris. Ymunodd ei frawd, f'Ewythr Huw, ag ef ymhen rhyw ddwy flynedd, ac er nad enillent ond digon i gadw corff ac enaid ynghyd, llosgai rhamant y bywyd a'r amgylchfyd newydd yn fflam yn eu calonnau. Aent adref i Fôn unwaith bob mis, ar nos Wener Cyfrif Mawr, yn llawn o hanesion am y chwarel, a chludent yn ôl i Lanarfon goflaid o gynnyrch y tyddyn—ymenyn ac wyau a chig moch a phob math o bethau y buasai fy nain yn eu casglu iddynt am fis cyfan.

Gweithiodd fy nhad yn y chwarel am bymtheng mlynedd cyn ennill digon o arian i feddwl am briodi. Yna, pan oedd yn saith ar hugain, aeth â'm mam adref gydag ef un nos Wener. Hoffodd fy nhaid a'm nain hi ar unwaith, a mawr fu ei chroeso yn y tyddyn. Ond er y croeso a'r sirioldeb i gyd, teimlai fy mam fod rhyw gwmwl yn yr awyr.

'Mae 'na rywbath yn poeni dy dad a'th fam, Robat,' meddai wrth fy nhad. 'Be' ydi o, tybed?'

'Methu'n lân â gwybod be' i'w roi yn anrheg priodas inni y maen nhw. 'Does ganddyn nhw ddim modd i brynu dim o werth. Mi ddaru nhw benderfynu gwerthu'r ddau fochyn, ond mae prisia moch yn gynddeiriog o isel 'rŵan. Wyddon nhw yn y byd mawr 'ma be' i'w wneud.'

''Does dim isio iddyn nhw chwilio am ddim inni.'

'Nac oes, ond . . .'

Clywais stori'r prynhawn Sadwrn hwnnw droeon gan fy mam. Aethai hi a'm tad am dro drwy'r caeau, a phan ddychwelodd y ddau, dyna lle'r oedd fy nhaid a'm nain yn synfyfyrio wrth y tân.

''Rydan ni wedi bod yn meddwl . . .' meddai fy nhaid o'r diwedd.

'Ydan,' meddai fy nain.

'. . . be' rown ni i chi yn anrheg wrth briodi.'

Bu tawelwch, a'm taid yn syllu'n drist a breuddwydiol drwy ffenestr y tyddyn. Yna troes ei lygaid at yr hen dresel, ac edrychodd fy nain yn hir i'r un cyfeiriad. Haerai fy mam, pan adroddai'r stori, mai'r foment honno y gwawriodd ar eu meddwl y syniad o'r dresel fel anrheg. Gwenodd fy nain arno, gan nodio'i phen.

'Meddwl yr oeddan ni . . .'

'Am y dresal,' meddai fy nain.

''Rargian fawr, chewch chi ddim rhoi honna inni!' meddai fy mam.

'Mi fydd yn dda inni gael 'i lle hi,' oedd dadl fy nain. 'Mae hi'n rhy fawr i'r gegin yma, ac mi fydd gynnoch chi ddigon o le iddi.'

'Mae Wil Prisiart yn mynd i'r Borth hefo'i drol bob dydd Llun,' meddai fy nhaid, 'ac mi geiff o fynd â hi. Mi a' i hefo fo i weld 'i bod hi'n cael 'i rhoi'n saff ar y cwch. Mae Wil yn 'nabod y rhai sy'n cario yr ochor arall i'r Fenai, ac mae o'n siŵr o fedru trefnu hefo nhw.'

Ofer fu dadlau eiddgar fy nhad a'm mam, ac ymhen wythnos, cyrhaeddodd y dresel Lanarfon yn ddiogel yn nhrol rhyw ddyn o Fangor. Mynnodd fy nhaid dalu costau'r cludo, ac ymhen pythefnos, pan aeth adref wedyn, y darganfu fy nhad fod y ddau fochyn wedi eu gwerthu. Cafodd yntau a'm hewythr eu ffordd, yn ddistaw bach, trwy brynu dau i gymryd eu lle.

Rhaid imi ddweud stori'r hen dresel wrth Meri Ifans ac wrth Ella—ond y mae'n bur debyg iddynt ei chael o'r blaen gan fy mam. Dyma Meri Ifans yn dod yn ei hôl—i gymryd gofal o agoriad y tŷ, mae'n debyg.

* * * *

Chwarae teg i Mrs Humphreys, gwnaeth le hynod gysurus imi yma yn fy llety. Eisteddaf yn y gadair freichiau y byddai fy nhad mor hoff ohoni, a'r ochr arall i'r aelwyd y mae cadair-siglo debyg iawn i'r un a oedd gan fy mam. Disgleiria tanllwyth gwresog yn y grât, ac anodd fyddai i neb ddod o hyd i le tân mor loyw ac mor lân. Y mae powlen â'i llond o ffrwythau ar y seld acw, ac ar y pen arall gawg yn dal blodau. Pan ddeuthum yma, ychydig ddyddiau'n ôl, i weld yr ystafell, soniais wrth Mrs Humphreys na hoffwn y mil a myrdd o deganau ar fwrdd a seld a silff-ben-tân; safwn yng nghanol anialwch oer y parlwr Cymreig, anialwch o anrhegion o'r lle yma a'r lle arall, o glustogau, a lluniau'r teulu, a phob math o geriach. Yr oedd meddwl am fyw yn yr ystafell yn hunllef arnaf, er y gwyddwn fod Mrs Humphreys yn dalp o garedigrwydd. Ond erbyn heddiw, cliriwyd y llanastr; aeth yr anrhegion o Landudno a Lerpwl, o Bwllheli a Phenmaenmawr, i'r llofftydd, y mae'n debyg, a rhoed lluniau'r cefndyr a'r cyfnitheroedd a'r ewythrod a'r modrybedd oll ar furiau ystafelloedd eraill. Erbyn hyn, ar y silff-ben-tân, gosodwyd y llun o'm mam a'm tad a minnau, y llun hwnnw a dynnwyd yng Nghaernarfon pan oeddwn i tua chwech oed. Eistedd fy nhad i fyny fel procer, gan blethu ei ddwylo ar ei wasgod a chan agor ei lygaid fel petai'n ceisio gweld ei dalcen ei hun. Y mae fy mam hefyd yn annaturiol o stiff. Saif mor syth â phlisman wrth ochr fy nhad a'i llaw dde ar ei ysgwydd a rhyw drem herfeiddiol yn ei llygaid. Siwt llongwr sydd amdanaf i, a safaf fel soldiwr tun wrth ochr fy nhad, fy ngwallt wedi ei wlychu dipyn a'i gribo i lawr ar fy nhalcen, fy nwylo'n dynn wrth fy ochrau, a golwg wedi sorri ar fy wyneb. '*Attention*,' y mae'n debyg, oedd y gorchymyn a roed i'r soldiwr bychan hwn, a safodd yntau'n stond ac anfoddog, am ennyd. Ar y silff-ben-tân yn y parlwr y cofiaf i'r llun hwn bob amser, a phan drowyd yr ystafell honno'n ystafell wely i'm Hewythr Huw, mawr fyddai'r hwyl a gâi ef pan ddigwyddai fy mam dynnu'r llwch oddi ar y silff. 'Sut 'roeddat ti'n teimlo wrth orfod arestio Robat, Elin?' a 'Gwylia rhag i'r *waxworks* 'na ddechra toddi yn dy law di,' a 'Cymer ofal, Elin; mae hwnna'n llun go-iawn, wel'di,' a sylwadau tebyg a ddôi o enau f'ewythr. Ond câi fy mam dalu'r pwyth yn ôl trwy gyfeirio at lun f'Ewythr Huw ar y pared wrth ochr y ffenestr.

Deuthum â'r llun hwnnw hefyd gyda mi yma, a hongiwyd ef ar y mur acw. Oni bai i chwi gael gwybod ymlaen llaw mai f'Ewythr Huw ydyw, prin yr adwaenech ef. Tynnwyd y llun yn Lerpwl pan benderfynodd f'Ewythr Huw a Ben Lewis, ei bartner yn y chwarel, fynd i America i wneud eu ffortiwn. Aethent i Lerpwl am ychydig ddyddiau, pan fu streic yn y chwarel, i chwilio am long, ac un diwrnod, i lawr wrth un o'r dociau, troes Ben yn sydyn at f'ewythr.

'Miloedd ar filoedd o filltiroedd tros y môr, Huw,' meddai.

'Y?'

'A fydd neb yn ein cofio ni, wel'di.'

'Be' sy'n dy boeni di 'rŵan, Ben?'

'. . . Ddim yn cofio sut siâp oedd ar ein hwyneba ni na dim. 'Does gan yr hen wraig ddim llun ohona' i o gwbwl, fachgan. 'Falla mai yn Merica y byddwn ni farw, wel'di, a fydd gan neb yn Llanarfon yr un syniad sut rai oeddan ni, ddim syniad yn y byd. Oes gan Robat ac Elin lun ohonat ti?'

'Nac oes, ddim un.'

'Rhaid inni fynd i dynnu'n llunia, Huw. Ac mi postiwn ni nhw adra cyn diwadd yr wsnos.'

Ond ni phostiwyd y lluniau adref. Darfu'r streic, a dychwelodd y ddau anturiaethwr y Sadwrn hwnnw, yn barod i ailgydio yn eu gwaith fore Llun. Dygasant y lluniau gyda hwy, a chafodd fy mam a'm tad, yn ôl a glywais droeon, lawer o hwyl uwchben yr un o'm hewythr. Gwylltiodd yntau a thaflu pump o'r hanner dwsin i'r tân. Ond cadwodd fy mam yr un a roddwyd iddi hi yn saff, ac ymhen rhai misoedd, heb yn wybod i'm hewythr, trefnodd i'r llun gael ei fwyhau, a'i osod yn y ffrâm ddu acw. Ceisiai f'Ewythr Huw ei chymell yn bur aml i'w ddistrywio neu, o leiaf, i'w guddio, ond ni thyciai ei berswâd ddim.

'Pam ydach chi ddim yn licio'r llun acw, f'Ewyrth Huw?' gofynnais iddo un diwrnod.

'Nid un fel'na ydi d'ewyrth, wel'di. Gobeithio hynny beth bynnag. Welist ti'r fath swanc erioed? Colar big, tei crand ofnadwy, tsiêt fawr a styd aur ynddi hi, tsiaen ar draws fy ngwasgod, blodyn yn fy nghôt—be' goblyn oedd yn bod arna' i, John bach? 'Roedd 'na lot o swanc o gwmpas Ben Lewis yr adag honno, a phan aethom ni i'r *lodging* i baratoi ar gyfer tynnu'r llunia, mi allet daeru bod Ben ar gychwyn i briodas. Wnawn i mo'r tro o gwbwl ganddo fo, ac fe fu'n rhaid iddo gael rhoi benthyg colar a tsiêt a styd a thei imi. Diaist i, 'ro'n i'n teimlo 'mod i wedi gwneud fy ffortiwn cyn cychwyn i Mericia, fachgan! Fûm i 'rioed mor anghyffyrddus yn cychwyn i unman. A dyna'r tsiaen wats 'na ar draws fy ngwasgod i. Ben gafodd dynnu'i lun gynta', ac ar ôl iddo orffan, dyma fo'n sefyll ar ganol yr ystafell i sbïo arna' i. "Mi wnei di'r tro, Huw," medda fo ymhen tipyn, "ond iti gael y blodyn

’ma yn dy gôt a’r tsiaen aur ’ma ar dy wasgod.” Ac mi wnaeth imi wisgo’r blodyn a’r tsiaen oedd ganddo fo, ac ’roedd o a’r dyn-tynnu-llunia yn deud ’mod i’n edrach yn rêl gŵr bonheddig. Falla ’mod i, ond ’ro’n i’n teimlo fel clown.’

Y ddwy gadair, y lluniau hyn, yr hen liain pinc ar y bwrdd, y llyfrau a’r hen Feibl mawr ar y silffoedd gyferbyn â mi, y llestri rhosynnog yn y cwpwrdd acw yn y gornel—teimlaf yn bur gartrefol wrth edrych o gwmpas yr ystafell hon. Rhaid imi gadw draw o gyffiniau’r hen dŷ gymaint ag a allaf, a bodloni ar fy mywyd newydd yma hefo Mrs Humphreys a’i merch fach, Gwen. Pan ddof adref o’r chwarel ddydd Llun, y mae’n debyg y bydd fy nhraed am fy nhywys ymlaen yn reddfol heibio i’r stryd hon i gyfeiriad yr hen gartref, ond bydd yn rhaid imi ddysgu llwybr newydd iddynt bellach.

Ni theimlwn yn drist yn yr hen dŷ wrth wylio’r dodrefn yn cael eu cludo ymaith; yn wir, yr oeddwn yn falch o weld y gwaith o’u chwalu’n dyfod i ben. Ond pan ddeuthum allan hefo Meri Ifans i gloi’r drws er mwyn rhoi’r agoriad yn ei gofal hi, daeth rhyw bwl ofnadwy o hiraeth trosof. Yr wyf yn ŵr gweddol gryf, a rhoes tair blynedd ar hugain o weithio yn y chwarel rym yn fy mreichiau, ond ni fedrwn yn fy myw droi’r agoriad yn y clo. Cwynai fy mam weithiau fod y clo braidd yn anystwyth, ond trown i’r agoriad iddi yn y nos yn berffaith rwydd, gan chwerthin am ei phen. Heddiw, myfi a gwynai am y clo.

Rhois yr agoriad i Meri Ifans, a gofynnais iddi fy ngadael am ennyd wrthyf fy hunan o flaen drws y tŷ gwag. Gwelwn y J.D. mawr a naddwyd gennyf, yn hogyn, ar lechen y ffenestr, ac uwchlaw iddo, wydr rhwth y gegin ddigysur. Eisteddais am ennyd ar y llechen a syllu ar hyd llwybr y cefn. Nid oedd pwced wrth y feis na sebon na chadach ar silff ffenestr y gegin fach; aethai pob arwydd o fywyd ymaith. Ym mhen pellaf y tipyn gardd, yn barod ar gyfer y drol-ludw, wele'r pentwr o ysbwriel—papurau, ffrâm a gwydr toredig rhyw lun go ddienaid, hen fasged-deithio â'i gwellt wedi dechrau pydru, un neu ddau o deganau diwerth, sosban â thwll ynddi—fel broc môr wedi'r trai. Syllais yn hir ar y brwsh-esgidiau ar fin y pentwr, gan gofio fel y mynnai fy mam lanhau esgidiau fy nhad a minnau bob nos. Aml y bu hi'n ddadl rhyngom ar y pwnc, ond i ddim pwrpas; dychwelai fy nhad a minnau'n anfodlon i'r gegin 'o'r ffordd'. Noswaith ar ôl noswaith, deuai i'r gegin fach sŵn y brwsh ar yr esgidiau, ac edrychai fy nhad a minnau braidd yn anesmwyth ar ein gilydd, er y gwyddem nad oedd modd cymell fy mam i roi'r gwaith i un ohonom ni. Taniai fy nhad ei bibell yn ddieithriad pan ddeuai'r sŵn.

Codais oddi ar y llechen oer, a throi tua'r ddôr. Swniai fy nghamau'n drymion ar y llechi o dan fy nhraed, ac yn araf a phrudd yr agorais ac y caeais y ddôr. 'Paid â chlepian yr hen ddôr 'na, John,' fyddai geiriau fy mam yn aml pan frysiwn o'r tŷ i rywle, ond heddiw caeais hi'n dawel a gofalus iawn. Rhywfodd, daeth y syniad i'm meddwl fod fy mam yn fy ngwylio ac yn gwrando am sŵn y gliced. Er fy mod i'n gapelwr mor selog, ni bûm erioed yn grefyddwr dwys fel fy nhad; ni feddyliais fawr ddim am anfarwoldeb a'r byd, os oes byd, tu draw i'r llen. Rhyw fyw o ddydd i ddydd y bûm, heb boeni am y problemau mawrion y byddai fy nhad a Mr Jones yn sgwrsio mor ddifrifol yn eu cylch. Ond heddiw, pan godwn fy mawd oddi ar gliced y ddôr, gwyddwn fod fy mam yn clywed y sŵn.

Gwell imi gadw i ffwrdd o'r hen dŷ, bellach. Daw eraill i fyw ynddo, dodrefn newydd i'w ystafelloedd, llenni dieithr ar ei ffenestri, lleisiau a chamau gwahanol o'i gwmpas ef. Pe crwydrwn ar hyd lôn fach y cefn tuag at y ddôr, gwn y disgwyliwn glywed y drws yn agor a'm mam, a glywsai sŵn fy nhroed, yno i'm croesawu. Mor aml yr agorai'r drws imi pan ddyneswn at y ddôr! Gwnaf, mi gadwaf draw, am gyfnod beth bynnag.

Gynnau, galwodd Glyn, fy mhartner yn y chwarel, am funud.

'Tyd, gwna dy hun yn barod, was,' meddai. ''Rydan ni'n dau yn mynd i Gaernarfon am swae.'

Gwyddwn mai ffordd Glyn o wneud imi ymysgwyd oedd hon, a theimlwn yn ddiolchgar iddo am ddyfod i'm tynnu ymaith oddi wrth fy atgofion. Nid oedd am roddi cyfle imi, ar fy niwrnod cyntaf fel hyn yn fy llety, i bendwmpian wrth y tân.

'O'r gora, Glyn,' meddwn. 'Mi ofynna' i i Mrs Humphreys baratoi tamaid o ginio inni'n dau, ac wedyn mi ddaliwn fws hannar awr wedi un.'

'Cinio? 'Rydan ni'n mynd am swae i Gaernarfon, 'ngwas i, a chychwyn ymhen chwartar awr.'

'Ond gwell inni gael pryd o fwyd cyn mynd.'

'Wyt ti'n cofio'r platiad o ham gawson ni yn y caffi hwnnw ddeufis yn ôl? Mi gawn ni ginio yn fan'no, ac wedyn mi awn ni i'r pictiwrs pnawn 'ma. Te a digon o fara-brith, ac ar ôl hynny, i'r syrcas sy yn y Pafiliwn. Tyd; deffra. Mae arna' i isio picio i siop y cemist am funud . . .'

'Rhywun yn sâl acw, Glyn?'

'Dic bach, ond dim o bwys. Tipyn o annwyd ar 'i frest o . . . Fydda' i ddim chwinciad.'

Fe ddaw yn ei ôl ymhen ennyd, a rhaid inni frysio i ddal y bws. Gwna, fe wna diwrnod yng Nghaernarfon les imi yn lle fy mod yn pendrymu uwch fy atgofion fel hyn o hyd. O'r gorau, awn i'r dref am swae!